Latitud 0º

Manual de español intercultural

Nivel intermedio-avanzado

Latitud 0°

Manual de español intercultural

Teresa Gutiérrez Chávez
Alfredo Noriega Fernández

Español Lengua Extranjera

SGEL

Primera edición, 2012
Segunda edición, 2013
Tercera edición, 2015

Produce: SGEL – Educación
             Avda. Valdelaparra, 29
             28108 Alcobendas (MADRID)

© Teresa Gutiérrez Chávez y Alfredo Noriega Fernández
© Sociedad General Española de Librería, S. A., 2012
   Avda. Valdelaparra, 29, 28108 Alcobendas (MADRID)

© P. 5: de las fotos: Carlos Runcie Tanaka
© P. 31: de la foto: Ricardo Candia
© P. 39: de la foto: Jacqueline Zilberberg
© P. 60, pista 9: del audio: Norberto Enrique Vargas Mármol,
   Aladino
© P. 83: de las fotos: Máximo Laura
© P. 124: de las fotos y del audio, pista 20: Carolina Rueda
© P. 136: de la foto: Escuela Matríztica de Santiago

Edición: Mise García
Diseño de cubierta: Thomas Hoermann
Diseño de interiores: MonoComp, S.A.
Maquetación: MonoComp, S.A.
Cartografía: Joaquín Marín
Fotografías: Archivo SGEL, Cordon Press, Corbis Images,
Thinkstock, Shutterstock, Germán Baena
Audio: Crab Ediciones Musicales

ISBN: 978-84-9778-668-3
Depósito legal: M 8057-2012
Printed in Spain – Impreso en España

Impresión: Viro Servicios Gráficos

Presentación

El título de este manual es una invitación al viaje, a recorrer rutas desconocidas, llenas de sorpresas y maravillas. En algunas lenguas amerindias, como el quechua y el guaraní, existen dos formas para la primera persona del plural. Un «nosotros» que incluye al interlocutor y un «nosotros» que lo excluye. *Latitud 0°* es un nosotros incluyente que invita a los profesores y estudiantes de español a acompañarnos en esta travesía de descubrimientos.

De larga tradición es organizar festividades cuando un barco cruza la línea ecuatorial. Y *Latitud 0°* se ha concebido precisamente así, como un manual donde prima el placer de la lectura y el regocijo de adquirir nuevos conocimientos.

Resulta innegable que hoy la mayor parte de los métodos de español para extranjeros propone tareas comunicativas muy variadas que incluyen materiales con contenido cultural. Sin embargo, ese discurso de la «multiculturalidad» solo aborda aspectos populares de la vida latinoamericana (especialidades culinarias, festejos y tradiciones, leyendas…).

Latitud 0° nació del deseo de mostrar un continente de contrastes, donde coexisten el saber popular y los avances tecnológicos, la modernidad y la tradición. Hemos desarrollado por ello temas relacionados con el patrimonio, el arte, las tradiciones, las empresas, los productos, el mercado, las personalidades, el mestizaje, las migraciones, la historia, la ciencia y la sociedad.

Se trata de un manual basado en la interculturalidad, un diálogo entre el pasado y el presente de nuestro continente, un ida y vuelta entre Latinoamérica y España y el mundo. El concepto de interculturalidad nos remite a la idea de diversidad cultural, al reconocimiento de que vivimos en sociedades cada vez más complejas y globalizadas. Gracias, entonces, a una verdadera comprensión de nuestra pluralidad posibilitaremos un encuentro entre culturas.

El mestizaje no hay que entenderlo exclusivamente como la alianza de lo indio y lo español o portugués. La riqueza de América Latina radica en ser un microcosmos en el que cohabitan personas de todas las procedencias geográficas y culturas del mundo. Una tierra que se ha ido formando, y se sigue formando, a partir de los contactos entre distintas comunidades que aportan sus modos de pensar, sentir y actuar.

Nosotros mismos, basándonos en artículos de prensa, trabajos de investigación y múltiples publicaciones, hemos escrito la mayoría de los textos de este manual. Nos guiaba el afán de poder ofrecer

un material didáctico único, en total adecuación con el contenido intercultural que nos habíamos propuesto entregarles. Otra de las razones que nos llevó a no seleccionar textos ya escritos fue nuestro deseo de ir graduando el nivel de dificultad gramatical, de evitar que un tiempo o modo verbal aún no estudiado viniera a interferir en esa sistemática progresión.

En cada una de las unidades brindamos además una amplia gama de actividades y ejercicios orales y escritos interactivos, complementados con textos auditivos.

Si bien somos de la opinión de que las nuevas tecnologías no pueden reemplazar el diálogo real que se establece entre el profesor y los estudiantes, nos ha parecido importante incorporarlas en el proceso enseñanza/aprendizaje mediante tareas lúdicas de creación.

Cada unidad se cierra con un suplemento consagrado a uno de los diecinueve países americanos de habla española. En el próximo *Latitud 0°* aparecerán los otros países.

¡Buen zarpe y excelente recalada!

Agradecimientos

• **Agradecimientos de los autores:**

A la Editorial SGEL, por haber creído y apoyado desde el principio este proyecto.

A Xesús Vila Calviño y Silvia Dunia Ramos, porque sin sus valiosas aportaciones y comentarios no hubiéramos podido tener el viento a favor y llegar a puerto.

A la profesora emérita Brigitte Stern y a Germán Baena, por sus acertadas críticas y sugerencias.

• **Agradecimientos de la Editorial:**

A Carlos Runcie Tanaka, por habernos facilitado tan amablemente y de forma gratuita una fotografía de su obra *El juego (todos lo llevan)*, realizada por Carlos Runcie Tanaka / Frank Sotomayor, así como un retrato suyo (fotografía de Herman Shwarz), para la página 5 de este libro.

A Ricardo Candia, por su permiso para reproducir su foto y la portada de su libro (p. 31).

A Ilán Stavans, por su permiso para reproducir su fotografía (p. 39).

A Norberto Enrique Vargas Mármol, Aladino, por su permiso para incluir la canción «Salva a mi hijo», en el CD audio, en la pista 9.

A Máximo Laura, por enviarnos gratuitamente las fotografías que aparecen en la página 83, y por ayudarnos a completar su biografía.

A Carolina Rueda, por su paciencia y complicidad para ayudarnos en la grabación de uno de sus cuentos (pista 20), así como por las fotos facilitadas para la página 124.

A la Escuela Matríztica de Santiago y a Humberto Maturana, por la fotografía y su participación en la información de la página 136, dedicada al profesor Humberto Maturana.

Contenidos

unidad 1

patrimonio arte tradiciones empresas productos mercado personalidades mestizaje migraciones historia ciencia sociedad

1 Lee el siguiente texto, subraya los verbos de diptongo ($E \rightarrow IE$, $O \rightarrow UE$) y da su infinitivo.

Tesoros arqueológicos submarinos

El turismo arqueológico submarino es uno de los mercados con mayor crecimiento en el mundo, y la República Dominicana promueve excelentes lugares para su práctica.

En la costa noreste de la isla se extiende la península de Samaná y al sur de la misma, en la bahía homónima, se encuentra un importante cementerio marino. Se cuentan por decenas los restos de galeones españoles que reposan bajo sus aguas. Entre los más conocidos están el *Conde de Tolosa* y *Nuestra Señora de Guadalupe*.

Asimismo, a 112 km al norte de esa costa, se halla una parte del tesoro del galeón *Nuestra Señora de la Pura y Limpia Concepción*.

Una empresa cazatesoros estadounidense estima en 150 millones de dólares (más de 97,2 millones de euros) lo que falta por rescatar. El tesoro comprende cientos de monedas de plata y oro, sedas y porcelana china perteneciente a la dinastía Ming.

El Museo de las Atarazanas Reales de Santo Domingo, la capital, alberga una rica colección, que contiene fotografías de los descubrimientos, fragmentos de las naves y bienes rescatados.

Se piensa que en los fondos marinos de las costas del norte existen vestigios de aproximadamente trescientos galeones, muchos de ellos afondados[1], a causa de errores de navegación, tempestades, huracanes o piratas. Los amantes del buceo pueden explorarlos mientras los arqueólogos examinan sus restos. Algunas empresas turísticas instaladas en Punta Cana incluso hunden barcos deliberadamente. Mediante este procedimiento convierten a las naves en arrecifes artificiales, propicios para la conservación y reproducción de especies marinas.

Una nueva convención de la UNESCO[2] advierte de que el lucro es incompatible con la protección de los bienes subacuáticos. Cuando los saqueadores de los mares se apropian de ellos, se pierde un valioso material de interés cultural, histórico y geográfico. Alrededor de los pecios[3] gravitan intereses muy divergentes. Los científicos consideran que los restos sumergidos aportan relevante información sobre la construcción de los barcos, las diferentes rutas de navegación, las formas de vida en una zona del planeta en una época determinada; mientras que las empresas cazatesoros defienden su derecho a su explotación comercial sin ninguna restricción. La clave de la salvaguarda de estos invaluables tesoros radica, en opinión de los arqueólogos, en «Tocar lo mínimo y saber lo máximo».

[1] Irse a fondo, hundirse.
[2] Organización de las Naciones Unidas para la Educación, la Ciencia y la Cultura (en inglés *United Nations Educational, Scientific and Cultural Organization*, abreviado internacionalmente como UNESCO).
[3] Restos de los naufragios.

2 Sitúa en el siguiente mapa el cementerio marino de la República Dominicana.

3 ¿Dónde está el tesoro del galeón *Nuestra Señora de la Pura y Limpia Concepción*? ¿Qué piezas valiosas encierra este tesoro?

4 ¿Recuerdas las causas del hundimiento de los barcos?

5 ¿Qué reprueba la nueva convención de la UNESCO?

6 ¿Qué recomiendan los arqueólogos para salvaguardar esta riqueza sumergida?

7 ¿Sueñas con encontrar un tesoro sumergido? ¿Te sientes capaz de clasificar el valioso contenido de un cofre muy especial que los arqueólogos acaban de descubrir entre los restos de un galeón? En este cofre hay verbos regulares y verbos de diptongo (*E→IE, O→UE*), sepáralos en los tres sacos que te damos.

> promover   extenderse   contener   reposar   albergar   valorar   pensar
> contar   soñar   poder   examinar   advertir   perder   enfrentar   defender
> recordar   sentirse   encontrar   rescatar   convertir   explorar   llevarse
> reprobar   recomendar   encerrar   comprender   hundir   hallar

VERBOS REGULARES

VERBOS DIPTONGO E →IE

VERBOS DIPTONGO O →UE

8 ¿Qué es la dinastía Ming? ¿Por qué en un galeón español de la época de la Colonia hay porcelanas chinas? Escucha la siguiente grabación para saberlo.

9 ¿De quién es el tesoro? Defiende la posición de uno de los cinco países que reclama el tesoro.

> **La empresa cazatesoros estadounidense Ulysses Explorer extrae del fondo de las aguas territoriales de República Dominicana la mayor fortuna submarina jamás encontrada en una nave corsaria de bandera inglesa: 17 toneladas de monedas de oro y plata acuñadas en México, cuyo valor se estima en 500 millones de dólares.**
>
> **a** Inglaterra alega que el tesoro descubierto le pertenece por derecho de bandera, e insiste sobre el hecho de que los corsarios no son piratas, sino navegantes con permiso del rey u otro gobernante para capturar y saquear el tráfico mercante de las naciones enemigas.
>
> **b** México reclama su derecho patrimonial sobre ese tesoro numismático. Su sistema de protección de los bienes culturales y naturales incluye como patrimonio de la nación toda moneda de más de un siglo de antigüedad. En el caso en cuestión, no solo el oro y la plata de las monedas provienen de sus minas, sino que además, en su acuñación, se manifiesta toda la experiencia y habilidad de la Casa de Moneda mexicana, institución creada en 1535, y primera de América.
>
> **c** España dice que Inglaterra y México no pueden exigir nada. El tesoro forma parte del cargamento del galeón español *Nuestra Señora de la Inmensa Piedad*, atacado y saqueado por vulgares piratas, a quienes los ingleses «honran» con el título de corsarios. A México le recuerda su condición de colonia en la época de los sucesos y la creación de su Casa de Moneda en virtud de la Cédula Real emitida por Carlos V.
>
> **d** República Dominicana argumenta que, de acuerdo con la Convención sobre la Protección del Patrimonio Cultural Subacuático de la UNESCO, todo Estado tiene soberanía sobre los fondos marinos de sus aguas territoriales.
>
> **e** La empresa estadounidense Ulysses Explorer defiende la propiedad de su descubrimiento porque, según el sistema jurídico anglosajón, todo objeto sin propietario o abandonado pertenece a la persona que lo encuentra.

patrimonio arte tradiciones empresas productos mercado personalidades migraciones historia ciencia sociedad

mestizaje

1 Lee este texto, subraya los verbos de radical débil (*E→I*) y da su infinitivo.

Los japoneses en el Perú

La comunidad *nikkei* (descendientes de japoneses o de ascendencia mixta) en el Perú sirve como ejemplo de integración en una cultura extranjera. Los primeros grupos llegan en 1899, a raíz de las profundas transformaciones sociopolíticas y económicas que vive el «país del sol naciente» en su tránsito de un feudalismo de tres siglos (dinastía Tokugawa, 1603-1867) al capitalismo (era Meiji, 1868-1912). Grandes oleadas humanas se despiden de su tierra natal y parten en busca de un mejor porvenir en diferentes partes del mundo (Hawai, California, México, Canadá, Perú, Brasil, Corea…). Los inmigrantes japoneses ingresan en Perú entre 1899 y 1923, con contratos para trabajar como jornaleros en las haciendas agroexportadoras de la costa. El esfuerzo de ahorro y la puesta en práctica del *tanomoshil* (todos los miembros de un grupo aportan una cantidad fija de dinero cada cierto lapso; periódicamente, este monto global favorece a uno de ellos) revisten capital importancia en la medida en que posibilitan la aparición de negocios por cuenta propia: peluquerías, cafetines, restaurantes, bazares, sastrerías, bodegas, verdulerías…

Tras el cese de los viajes bajo contrato, la inmigración no solamente prosigue, sino que se incrementa en volumen. Los comerciantes piden ayuda a sus parientes o amigos que siguen en el Japón, pues necesitan colaboradores en sus recién creados establecimientos.

La derrota nipona en la Segunda Guerra Mundial repercute profundamente en la conducta de los inmigrantes. Ante la catástrofe social y económica que se presenta en el Japón al final del conflicto, ya no conciben la idea del retorno y deciden radicarse en el país

de acogida. Los *nikkei* se consideran peruanos, si bien conservan la práctica de tradiciones heredadas de sus ancestros. Se hinchen de orgullo cuando celebran algunas festividades del calendario japonés: el Año Nuevo (Shinnenkai), el Día de las Niñas (Hina Matsuri), el Día del Niño (Kodomo no Hi), las ceremonias budistas del Obón y del Ohigan, durante las cuales se rinde culto a las almas de los difuntos. La comunidad *nikkei* cuenta con diversas instituciones en Lima y provincias. Sus orígenes étnicos no les impiden triunfar y hoy son ciudadanos que compiten en todos los campos de la sociedad.

El impacto de la crisis económica peruana en la década de los 80 se mide por el alto número de *nikkei* (55 000) que emigran al Japón. Al volver a su país de origen repiten, de manera inversa, la experiencia de sus antepasados. Esta etapa recibe el nombre de fenómeno *dekasegi*.

2 ¿Cuándo llegan a Perú los primeros inmigrantes japoneses y por qué?

3 ¿Qué factores revisten capital importancia en su transformación de jornaleros a propietarios de pequeños negocios?

4 ¿Por qué la inmigración sigue tras el cese de los viajes bajo contrato?

5 ¿Qué lleva a los japoneses a radicarse definitivamente en su tierra de acogida?

6 ¿Crees que la comunidad *nikkei* en el Perú es un ejemplo de integración?

7 Escucha la grabación y responde a las siguientes preguntas.

a ¿En qué ámbito cultural se muestra con mayor fuerza la presencia *nikkei* en Perú?

b ¿Por qué?

c ¿Quién es Tilsa Tsuchiya?

8 ¿Qué te inspiran estas obras de Carlos Runcie Tanaka y Tilsa Tsuchiya Castillo?

Tilsa Tsuchiya Castillo (1929-1984). *Aro negro.* 1967

Carlos Runcie Tanaka. (1958)
El juego (todos lo llevan). 2003
Fotografía: Carlos Runcie Tanaka/
Frank Sotomayor

Carlos Runcie Tanaka.
Fotografía: Herman Shwarz

9 La obra poética de José Watanabe (1946-2007), artista de madre peruana y padre japonés, se considera una de las más bellas y cautivantes de la poesía contemporánea en lengua castellana. Lee este poema y luego, basándote en él, completa el crucigrama.

Trocha entre los cañaverales

Caminas la trocha de los cañaverales,
reverbera unánime el color verde.
El mundo es solar y verde.
La vaca que pasa tocando su cencerro
y el muchacho que la sigue con una pértiga
pierden su color y se pliegan al verde.
Pero hay una piedra gris que se resiste, que rechaza
el verde universal.
En esa piedra los braceros afilan sus machetes,
a las 5 de la tarde, exhaustos, hambrientos
y con el rostro tiznado por la ceniza de la caña
Dale entonces la razón al juicioso chotacabras
que emerge volando de los cañaverales
y te amonesta:
"Aquí no, tu dulce égloga aquí no".

El huso de la palabra (1989)

Horizontales: 1. Cuchillo grande 2. Peones 3. Manchado 4. Ave 5. Poema 6. Joven 7. Color

Verticales: 1. Camino angosto 2. Plantación 3. Campana pequeña 4. Vara larga 5. Cara 6. Se refleja 7. Sacan punta a

10 ¿Qué describe Watanabe en este poema? ¿Crees que existen similitudes entre el poema y esta estampa japonesa de Utagawa Hiroshige del siglo XIX?

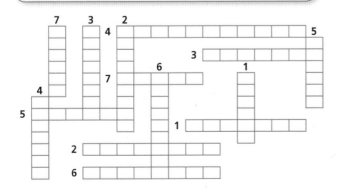

patrimonio arte tradiciones empresas productos mercado mestizaje migraciones historia ciencia sociedad

personalidades

1 Lee el siguiente texto y observa cuidadosamente los verbos que están en negrita.

Juan Carlos Cáceres: reivindicador de las raíces negras del tango

Gracias al célebre compositor, cantante y pianista argentino Juan Carlos Cáceres, radicado en París desde 1968, se **reconocen** actualmente las raíces negras del tango.

En opinión del maestro argentino, el tango **nace** como la expresión artística de un proceso de mestizaje multicultural y multiétnico que surge entre la inmigración masiva europea que se asienta en Río de La Plata a finales del siglo XIX y la población nativa, de la cual un tercio **pertenece** a la raza africana o afroamericana. «La palabra tango quiere decir 'sitio de reunión de negros'. Es una palabra que proviene de Angola y se traslada a toda América Latina, o sea que este vocablo **traduce** todo lo referente al negro». El candombe[1] y los tambores se mezclan con otras músicas y danzas que entran en Buenos Aires por el puerto. «La incorporación de la milonga[2], que llega del sur de Brasil, y de la habanera cubana[3] con el candombe, **produce** un 'proto-tango' que más tarde se transforma en el tango-milonga». La progresión hacia el tango, que hoy nos **ofrece** el mercado, **se establece**, en palabras de Cáceres, de manera natural: «**Crece** el número de inmigrantes y con ellos **aparece** el bandoneón, que hace todo más lento. Los italianos, además de haber llevado a Argentina aquel instrumento de origen alemán, le transmiten a la música la carga de nostalgia y frustración que **padecen** ante el recuerdo de su país natal. Por otra parte, a principios del siglo XX, se crea un tango distinguido en los salones parisinos».

El artista afirma que el tango es un género «de ida y vuelta, no como fusión, sino como incorporación». A modo de ejemplo resalta la influencia del *ragtime*, ese ritmo nacido en Estados Unidos, que los rollos de las pianolas **reproducen** en los burdeles de lujo, o de aquellos músicos que, a partir de los años 20, van a Nueva York, **conocen** el *jazz* y luego **introducen** esos acordes modernos y disonantes en el tango. Juan Carlos Cáceres **restablece** asimismo otras influencias musicales del tango: la melancolía y los violines de la música *klezmer*[4] y el enérgico modo de ejecución del fandango[5]. En su momento de mayor expansión y aceptación (entre los años 40 y 50) la percusión prácticamente **desaparece** del tango. Existen, sin embargo, testimonios sonoros de orquestas que hasta los años 40 **seducen** al público con sus tambores.

El antiguo tango-milonga de ritmo rápido y alegre se convierte en «milonga» y el nuevo estilo, que **obedece** a un ritmo lento y **reduce** la gama de instrumentos (las orquestas **carecen** de guitarras portuguesas, acordeones, trompetas, instrumentos de viento y tambores), toma el nombre de «tango». Su base instrumental queda entonces definida como un trío de bandoneón, piano y violín, más un contrabajo.

Este género musical **renace** en 1970 con Astor Piazzolla, quien incorpora por primera vez una guitarra eléctrica en un conjunto de tango. Hoy en día **merece** citarse a Juan Carlos Cáceres y al grupo Gotan Project porque **conducen** el tango hacia nuevos mestizajes.

[1] Ritual religioso de herencia africana.
[2] Composición musical folclórica de ritmo apagado y tono nostálgico.
[3] Danza de origen cubano-español cuya procedencia está en la contradanza francesa.
[4] Tradición musical de los judíos asquenazíes (judíos de Europa Central y del Este).
[5] Antiguo baile español, muy común todavía en Andalucía.

2 ¿Quién es Juan Carlos Cáceres? ¿Dónde vive y desde cuándo?

3 ¿Cuándo y a raíz de qué proceso nace el tango?

4 ¿Qué significa la palabra «tango» y de dónde proviene?

5 Enumera todos los géneros musicales que el tango incorpora.

6 ¿Cuáles son las diferencias entre la milonga y el tango?

7 Clasifica los verbos en negrita de acuerdo con su terminación en el infinitivo.

-ACER	
-ECER	
-OCER	
-UCIR	

Recuerda que estos verbos **en la primera persona del singular** toman «z» antes de la «c». Ejemplos: *nazco, pertenezco, reconozco, traduzco…*

8 Acude a YouTube, busca Juan Carlos Cáceres y escucha *Tango negro*.

9 Pon los párrafos en orden y dale un título a este texto.

a Hoy en día Petri Kaivanto goza de gran renombre internacional.

b En la década de los 40, los tangos ocupan casi la mitad de las listas de éxitos de música popular.

c El evento mayor de los veranos finlandeses es el *Tango-markkinat*, o festival de tango, que se celebra anualmente desde 1985 en Seinäjoki, ciudad considerada por los aficionados nativos como «la segunda ciudad del tango», después de, por supuesto, Buenos Aires.

d Durante la posguerra este fenómeno urbano se extiende al medio rural.

e El tango de Finlandia es una variante del tango argentino y uno de los tipos de música más populares en ese país.

f El festival atrae alrededor de cien mil participantes (de una población apenas superior a los cinco millones).

g Los finlandeses comienzan a adoptar la música y escribir sus propios tangos en la década de los 30.

1 Lee el siguiente texto y escribe el infinitivo de los verbos que están en negrita.

El agua en Colombia

El agua embotellada irrumpe masivamente en el mercado mundial hace unos treinta o cuarenta años, en el momento en que **confluyen** dos factores: por un lado, la promoción turística de regiones europeas donde se **atribuye** al agua de manantiales un supuesto valor agregado de pureza; y, por otro, los inicios de los programas masivos de privatización de todos los servicios, incluso del sector del agua. Las grandes embotelladoras **intuyen** entonces que ante ellas se abre un filón de alcance inimaginable. Se estima que en la actualidad el negocio de las aguas embotelladas mueve cerca de cien mil millones de dólares en el mundo y tiene un crecimiento exponencial. Dicho desarrollo las convierte en el producto que más beneficios aporta después del petróleo y el café. Otros estudios **concluyen** que es el sector con mayor dinamismo de la industria alimentaria, pues bebemos entre 148 000 y 154 000 millones de litros anuales. Hoy existen bares de aguas en muchas ciudades y los restaurantes presentan cartas de aguas junto a las de vinos. En París, el Aqua-bar Colette ofrece noventa marcas, por ejemplo Cloud Juice, que contiene en cada botella 7800 gotas de agua de Tasmania y vale unos 8 euros, o la neozelandesa Antipodes, cuyo fabricante no permite su venta en supermercados y cuesta unos 7,50 euros por litro. Un número creciente de personas **afluye** a estos sitios, bien buscando un místico bienestar, bien como muestra de su pertenencia a una clase social elevada. Las aguas reforzadas –que **incluyen** vitaminas, aromas, sabores y hasta oxígeno extra– y las de lujo **constituyen** el futuro en los países industrializados. Incluso marcas como Purely Pets H2O o Pet Pure no **excluyen** a las mascotas de este nuevo fenómeno social.

La aparición de las aguas embotelladas en el mercado colombiano data de fecha reciente. Desde hace solamente unos quince años, estas **sustituyen** al agua del grifo y trescientas empresas dedicadas al negocio de su envasado las **distribuyen** en tiendas, súper e hipermercados. Cada año se facturan unos 160 millones de dólares, lo que posiciona este mercado como el cuarto de la región de América Latina y el Caribe.

El agua se está transformando en el «oro» del futuro y abre nuevas perspectivas comerciales para los países con mayores recursos hídricos, caso de Colombia, donde se suministran 60 000 m³ anuales de agua por persona, un alto promedio de acuerdo con los expertos en el tema. Tal disponibilidad **contribuye** a poner al país en el radar de inversionistas internacionales. Alrededor de la explotación de este recurso giran distintos proyectos comerciales, desde el manejo y abastecimiento de agua potable, pasando por la construcción de pozos, hasta la comercialización de agua embotellada.

Un estudio de CENSAT[1] Agua Viva, una ONG[2] ambientalista, revela que los estratos sociales medio y bajo concentran la mayor cantidad de consumidores de agua envasada, dato que viene a confirmar la vulnerabilidad de los sectores sin acceso al agua potable, quienes se ven obligados a comprarla en botellas. Al respecto, el exministro de ambiente **arguye** de forma certera que si hay un buen servicio de acueducto, la necesidad de agua embotellada **disminuye** considerablemente. Por su parte, el actual ministro de esa cartera insiste en que si Colombia **huye** de sus responsabilidades inmediatas, otros van a quedarse con los ingresos que genera la enorme oferta hídrica del país. Sin embargo, pese a que se **construye** infraestructura para la adecuada provisión de los servicios de agua y se invierte en mecanismos para la preservación del Macizo central[3], aún siguen pendientes otros asuntos. Según los informes de las corporaciones autónomas regionales, aproximadamente 28 ríos agonizan debido a la pésima calidad de las aguas que **fluyen** por sus cauces. Esto no solo **destruye** el entorno, sino que **influye** en el rendimiento pesquero. El río Magdalena, por ejemplo, que atraviesa el país por occidente de sur a norte, produce apenas ocho mil toneladas de pescado frente a las ochenta mil de hace diez años.

[1] Centro Nacional Salud Ambiente y Trabajo.
[2] Organización No Gubernamental.
[3] El Macizo central es el conjunto montañoso donde se bifurca la cordillera de los Andes en los ramales Central y Oriental. Se considera la estrella hídrica de Colombia porque de él nacen los principales ríos que conforman el sistema hidrográfico del interior del país.

2 ¿Qué factores confluyen en la irrupción masiva de las aguas embotelladas en el mercado mundial?

3 Explica el fenómeno social que en torno al agua viene dándose en los países industrializados.

4 ¿Cuál es la situación del mercado colombiano en cuanto a las aguas embotelladas?

5 ¿Por qué Colombia está en el radar de los inversionistas internacionales?

6 ¿Qué situación paradójica con respecto al agua se vive en Colombia?

7 Conjuga uno de los verbos terminados en –UIR del texto anterior.

8 Completa el cuadro siguiente añadiendo la palabra que falta. Te damos un ejemplo para que puedas formar todas las familias léxicas.

SUSTANTIVO	VERBO	PERSONA
negocio	negociar	negociante
	consumir	
		comerciante
producción		
	invertir	
		fabricante
	distribuir	
		vendedor
promoción		

9 ¿Qué opinas?   Sí No Depende

a El Estado tiene que impedir las futuras privatizaciones del agua e impulsar su desprivatización inmediata.

b Las aguas embotelladas deben prohibirse porque los componentes del plástico contaminan el planeta.

c Una gran mentira se esconde detrás de las aguas embotelladas, pues las empresas se limitan a envasar el agua que sale del grifo y añadirle unos cuantos minerales.

d No resulta nada seguro tomar agua del grifo.

e Consumir aguas embotelladas de lujo me plantea un problema de conciencia.

10 Elige una de estas dos identidades y luego reúne la mayor información posible para defender tu posición ante el Equipo Negociador de Inversión de Colombia.

Eres Marty Williams, gerente de asuntos públicos y de comunicaciones de Nestlé en América Latina, y estás en Colombia porque la multinacional tiene en mente aprovechar los recursos hídricos que ofrece el Macizo central y crear un producto innovador en el campo de las aguas embotelladas.

Eres Olga Patricia Molano, presidenta de la ONG colombiana Con el Agua al Cuello[1] (CAC), y lideras un movimiento contra las aguas embotelladas por los graves desequilibrios medioambientales, económicos y sanitarios que provocan la extracción industrial y el uso de materiales no degradables.

[1] Expresión familiar cuyo significado es «estar en una situación de gran aprieto o peligro».

11 Acude a YouTube y mira algún reportaje sobre el llamado «continente de basura».

patrimonio · tradiciones · empresas · productos · mercado · personalidades · mestizaje · migraciones · historia · ciencia · sociedad · arte

1 Lee el siguiente texto y completa los espacios en blanco con *ser* o *estar*.

Las Meninas: una pintura que fusiona realidad y apariencia

La familia de Felipe IV o *Las Meninas*[1], como se la conoce desde el siglo XIX, (1) _____, sin duda, la obra de mayor relevancia del pintor español Diego Velázquez. Su realización data de 1656 y (2) _____ expuesta en el Museo del Prado de Madrid desde 1843. (3) _____ uno de los cuadros más analizados y comentados en el mundo del arte. Su tema central (4) _____ la infanta Margarita de Austria, aunque (5) _____ presentes otros personajes, incluido el propio Velázquez. El espejo que (6) _____ al fondo refleja las imágenes del rey Felipe IV de España y su esposa Mariana de Austria. Con el espejo, en opinión de muchos estudiosos, se desvela qué pinta Velázquez: (7) _____ pintando a los reyes, que posan «fuera del cuadro», aproximadamente en el lugar donde (8) _____ el espectador. (9) _____ una estratagema que nos integra en la pintura, fusionando realidad y apariencia.

Personajes

1 La infanta Margarita, la primogénita de los reyes, _____ la figura principal. Tiene cinco años y _____ acompañada de sus meninas y de otros personajes.

2 Doña Isabel de Velasco _____ al lado derecho, de pie, en actitud de hacer una reverencia.

3 Doña María Augustita Sarmiento de Sotomayor, otra menina de la infanta, le ofrece la pequeña jarra de agua que _____ sobre una bandeja.

4 Mari Bárbola _____ la enana hidrocéfala que vemos a la derecha.

5 Nicolasito Pertusado _____ a su lado. El manso perro semidormido _____ molestado por el travieso niño italiano.

6 Doña Marcela de Ulloa _____ detrás de doña Isabel. Va adornada con tocas de viuda. _____ la camarera mayor de la infanta.

7 El personaje que _____ junto a ella, medio en penumbra, _____ un guardadamas. Estudios recientes aseguran que se trata de don Diego Ruiz de Ascona, obispo de Pamplona y arzobispo de Burgos.

8 Don José Nieto Velázquez (tal vez pariente del pintor) _____ el personaje que se vislumbra al fondo del cuadro, en la parte iluminada, atravesando el corredor. A juicio de la crítica de arte Harriet Stone, no se puede _____ seguro de si su intención _____ entrar o salir de la sala.

9 A la izquierda y delante de un gran lienzo, el espectador ve al autor de la obra. Velázquez _____ de pie y tiene en sus manos la paleta y el pincel.

10 y 11 Felipe IV y su esposa Mariana de Austria, en la lejanía del cuadro, se reflejan en un espejo que _____ detrás del pintor.

---

[1] La palabra «menina» proviene del portugués. Se llama así a las hijas de familia noble que desde muy jóvenes entran a servir a la reina o a las infantas niñas.

2 En tu opinión, ¿qué está pintando Velázquez en el cuadro del que solo vemos la parte de atrás?

    a A la pareja real que está en el área no visible y que se refleja en el espejo del fondo.

    b A la infanta Margarita y su séquito.

    c A sí mismo. Se trata de un autorretrato.

    d A nosotros, espectadores.

3 A lo largo de los siglos, muchos artistas han realizado obras inspiradas en *Las Meninas*. ¿Cuál de estas reinterpretaciones de la infanta Margarita prefieres y por qué? En el sitio http://velazquez.emptyfilm.com encontrarás otras variaciones de este famoso cuadro.

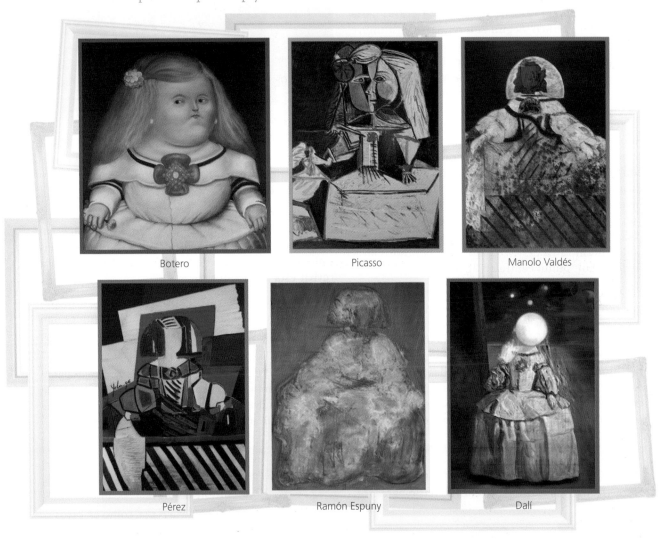

Botero   Picasso   Manolo Valdés

Pérez   Ramón Espuny   Dalí

4 Crea un anuncio publicitario usando como soporte una obra pictórica. Utiliza los verbos *ser* y *estar* en el lema publicitario y en el texto del anuncio.

Corte Inglés   Yogures La Lechera   Champú Pantene

SUPLEMENTO

La carreta de bueyes

Hasta inicios de 1960, la carreta de bueyes es, aparte del tren, el medio de comunicación más corriente en Costa Rica, ya que se revela idónea para el transporte de productos agrícolas, principalmente el café, desde el Valle Central hasta la costa del Pacífico. Según la leyenda, la costumbre de pintar las ruedas de la carreta nace en 1910, gracias a que a un boyero se le ocurre la idea de dar realce a su vehículo. Esta práctica se va extendiendo y pronto cada región elabora su propio estilo, tanto es así que los motivos pintados permiten determinar el origen del boyero. De aquellos primeros y simples diseños que representan estrellas puntiagudas se pasa en poco tiempo a composiciones donde aparecen flores, rostros e incluso paisajes en miniatura. Pronto los multicolores dibujos de abigarrado diseño cubren también el exterior de la carreta y el yugo con que se unce a los bueyes. La decoración de las ruedas hace pensar en las mándalas[1]: un objeto circular con motivos de vivos colores organizados alrededor de un punto central.

Las ruedas inicialmente se confeccionan a partir de lo que hoy se denomina una «galleta», es decir, un corte transversal del tronco de un árbol. Con el paso de los años, los artesanos inventan una rueda constituida por 16 piezas cortadas en forma de cuña. Existen varias hipótesis al respecto. Una de ellas las relaciona con el calendario azteca, que consiste precisamente en un círculo dividido en 16 espacios. El llamado «canto de la carreta» se produce cuando las ruedas

golpean el eje de hierro que las sostiene. Cada carreta emite un armonioso sonido especial que la distingue de las demás.

Todos los segundos domingos de marzo se celebra en Costa Rica el Día del Boyero. Unas doscientas carretas procedentes de todo el país desfilan por las calles de San Antonio de Escazú (Valle Central) para revivir esta tradición.

«La carreta y el boyeo», Patrimonio Oral e Inmaterial de la Humanidad desde 2005, es la primera manifestación costarricense que la UNESCO inscribe en esta lista.

---

[1] Mándala es un término de origen sánscrito. Se trata de un dibujo complejo, generalmente circular que, dentro de la religión budista e hinduista, representa las fuerzas que regulan el universo y sirve como apoyo de la meditación.

---

1. ¿Crees que existen vínculos entre la rueda costarricense, las mándalas y el calendario azteca?

Rueda costarricense   Calendario azteca   Mándala

2. Busca tu signo azteca en internet y lee la descripción que se hace sobre las características de tu personalidad. ¿La encuentras acertada? Consulta la página www.videnciatarot.com/articulo.php?id=125.

3. Desde 1994, Costa Rica festeja todos los 12 de octubre el Día de las Culturas en lugar del Día de la Raza, como en otros países latinoamericanos. Con la aprobación por ley del Día de las Culturas no se quiere negar la importancia de la llegada de Cristóbal Colón a tierras americanas ni de la herencia española, sino conmemorar la diversidad étnica de la nación costarricense. ¿El calendario festivo de tu país incluye alguna conmemoración diferente a las usualmente celebradas (fiestas patrióticas, religiosas, Día Internacional del Trabajo…)?

Con los ojos **puestos** en Marte

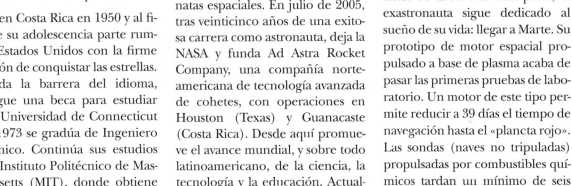

El astronauta que tiene hasta la fecha el mayor número de viajes espaciales es un científico especializado en física del plasma, padre de cuatro hijas con edades entre 4 y 25 años, y héroe de los niños (y muchos adultos) costarricenses. Se llama Franklin Chang Díaz y no necesita presentación porque su nombre se repite, con tanta familiaridad como admiración, en todos los rincones del país.

Nace en Costa Rica en 1950 y al final de su adolescencia parte rumbo a Estados Unidos con la firme decisión de conquistar las estrellas. Vencida la barrera del idioma, consigue una beca para estudiar en la Universidad de Connecticut y en 1973 se gradúa de Ingeniero Mecánico. Continúa sus estudios en el Instituto Politécnico de Massachusetts (MIT), donde obtiene un doctorado en Ingeniería Nuclear. Su primera solicitud de ingreso en la NASA es rechazada porque solo se admiten estadounidenses. En 1980, resuelto el problema de su ciudadanía, se vuelve a presentar y queda entre los 19 elegidos de un total de cuatro mil candidatos. Realiza su primer vuelo en 1986. Entre esa fecha y 2002 sale al espacio seis veces más (1989, 1992, 1994, 1996, 1998 y 2002). Sus siete vuelos contabilizan 51 días en órbita y 19,5 horas de caminatas espaciales. En julio de 2005, tras veinticinco años de una exitosa carrera como astronauta, deja la NASA y funda Ad Astra Rocket Company, una compañía norteamericana de tecnología avanzada de cohetes, con operaciones en Houston (Texas) y Guanacaste (Costa Rica). Desde aquí promueve el avance mundial, y sobre todo latinoamericano, de la ciencia, la tecnología y la educación. Actualmente lidera la puesta en marcha del programa la Estrategia Siglo XXI, cuyo objetivo es transformar a Costa Rica en un país desarrollado antes de 2050. Por otra parte, el exastronauta sigue dedicado al sueño de su vida: llegar a Marte. Su prototipo de motor espacial propulsado a base de plasma acaba de pasar las primeras pruebas de laboratorio. Un motor de este tipo permite reducir a 39 días el tiempo de navegación hasta el «plancta rojo». Las sondas (naves no tripuladas) propulsadas por combustibles químicos tardan un mínimo de seis meses en alcanzarlo.

1. ¿Qué opinas de la «fuga de cerebros»? ¿Se produce este fenómeno en tu país?

2. ¿Crees que se debe invertir en la investigación espacial cuando aún quedan muchos problemas por resolver en la Tierra?

3. Busca información sobre estas u otras personalidades costarricenses: Guy de Teramond, Óscar Arias Sánchez, Adrián Goizueta, Ángela Acuña Braun, Carmen Naranjo, Claudia y Sylvia Poll Ahrens, Rafael Ángel «Felo» García, Marilyn Echeverría de Sauter...

4. ¿Estás a favor o en contra de la abolición del ejército de tu país?

Costa Rica decide abolir su ejército a finales de 1948. El dirigente socialista José Figueres Ferrer decreta esa medida y la integra en la Constitución de 1949. La supresión del ejército permite hoy el financiamiento de la totalidad de las universidades públicas y de tres hospitales. La tasa de analfabetismo del país es de solo un 4%. Su fuerza de defensa consiste en que nadie va a enviar un ejército para invadirla. Costa Rica forma parte del Pacto de Bogotá y tiene firmado el Tratado de Asistencia Recíproca, por lo cual, en caso de agresión, cuenta con la protección de la fuerza multinacional de la OEA. Posee, sin embargo, una guardia civil de 10 500 hombres para combatir la delincuencia, el narcotráfico y la violencia interna. Se trata de una fuerza civil muy profesional porque los delitos se sofistican y el narcotráfico mueve mucho dinero.

El **turismo** en **Costa Rica**: una **inagotable** fuente de **divisas**

Ustedes son cuatro colegas que quieren crear una empresa de turismo en Costa Rica. Van a reunirse para discutir en qué sector del turismo les conviene invertir su capital. Una vez tomada la decisión, deben elaborar un breve plan de acción. Los estudiantes tienen que buscar mas información sobre el sector turístico que defienden, a fin de interpretar de manera convincente el papel que les toca desempeñar.

Papel 1: Socio fundador	Sr. / Sra. Fajardo Solórzano
Papel 2: Socio fundador	Sr. / Sra. Mayorga Freer
Papel 3: Socio fundador	Sr. / Sra. Alfaro Calvo
Papel 4: Socio fundador	Sr. / Sra. Mena Gargollo

Papel 1: Turismo ecológico. Usted cree que la mejor opción es seguir invirtiendo en el turismo ecológico. Costa Rica posee 33 parques nacionales, 8 reservas biológicas, 11 reservas forestales y 38 refugios de vida silvestre, que en su conjunto representa un 25 % del territorio nacional. Sin embargo, como usted piensa que el ecoturismo continental se está banalizando, propone que la empresa se enfoque exclusivamente en la isla del Coco, a 532 km al suroeste del país, Patrimonio Natural de la Humanidad desde 1997. Este Parque Nacional comprende los 23,85 km² de la isla y un área marina protegida de 992 km². Su gran endemismo y su singular diversidad biológica hacen de él un destino turístico privilegiado.

Papel 2: Turismo de convenciones. Usted prefiere invertir en el llamado «turismo de convenciones», sector que abarca eventos de tecnología, comercio y congresos empresariales, entre otros, pues este atrae visitantes con un poder adquisitivo entre tres y cinco veces superior al de un turista convencional. Según estudios realizados, tanto el número de viajeros que ingresa por razones profesionales en Costa Rica como el de eventos internacionales llevados a cabo en la capital siguen en aumento. Usted opina que la coyuntura actual costarricense les resulta favorable en la medida en que existen proyectos para construir un centro nacional de convenciones de alta capacidad y varios complejos de negocios.

Papel 3: Turismo religioso. Usted se inclina por el turismo religioso, una rama hasta ahora poco desarrollada en Costa Rica, pero que, en su opinión, abre un amplio abanico de posibilidades. El calendario festivo costarricense abunda en celebraciones en torno a santos y vírgenes patronales. Las romerías se acompañan de fiestas, bailes, comidas típicas, desfiles de carretas tiradas por bueyes, «topes» (desfiles a caballo), corridas de toros (a diferencia de otros países no se hiere ni se mata al animal), fuegos artificiales y otras expresiones de la tradición popular. Por otra parte, este tipo de turismo permite variar la oferta proponiendo visitas a antiguas iglesias coloniales y museos de arte religioso.

Papel 4: Turismo médico. Usted piensa que invertir en el turismo médico es una baza segura, ya que Costa Rica cuenta con personal altamente cualificado, excelentes instalaciones para la convalecencia y bajos costos. Los datos de PROMED (Consejo para la Promoción Internacional de la Medicina de Costa Rica) señalan que los médicos costarricenses atienden entre 25 000 y 30 000 pacientes extranjeros anualmente. Se ofrecen tratamientos como reducción de grasa corporal, levantamiento de glúteos, cirugía de pechos, nariz, orejas, cirugía o cuidado dental y tratamientos ortopédicos. Dicho mercado puede combinarse con el «turismo de bienestar», es decir, baños de barro y relajación muscular en hoteles de montaña y playa.

¿Me regala una tacita de café?

Caminando por Madrid, un costarricense decide entrar en una cafetería. El camarero le pregunta: «¿Qué desea?». Él le responde: «Buenas. ¿Me regala una tacita de café?». Enojado, este le contesta: «¡Aquí tenemos únicamente tazas de café, y no regalamos nada!». En ese momento, el costarricense comprende que las pequeñas diferencias idiomáticas pueden crear malentendidos incluso entre los propios hispanohablantes. Los modales del camarero lo desconciertan, porque en Costa Rica nunca se atiende a un consumidor diciéndole: «¿Qué desea?». Esto a los oídos costarricenses, y en general latinoamericanos, suena algo seco. Se espera un: «¿En qué le puedo servir?». Reconoce, por su parte, que él y sus compatriotas tienen la buena o mala costumbre de reducir el tamaño de las cosas: un plato es un «platico», una taza se vuelve una «tacita», «poco», un «poquitico»…, y de utilizar la mayor cantidad posible de diminutivos en cada frase que pronuncian. No por nada a los costarricenses se les llama «ticos». Sabe asimismo que eso de andar pidiendo las cosas «regaladas» se presta a confusión. No todos comprenden que la expresión «me regala» significa «me da / me pasa / me vende… por favor».

¡Pura vida!

Con estas dos palabras los costarricenses expresan el sentimiento de satisfacción que la vida les produce. Ante el habitual saludo cotidiano «¡Hola!, ¿cómo estás?», ellos responden «Pura vida» manifestando así que ¡Todo está genial! o que ¡La vida es muy buena!

«Cigarreto»

Pedir orientación en Costa Rica es complicado, dado que la mayoría de las calles no tiene nombre y las casas no están numeradas. Por ello, las direcciones se dan usando la distancia en metros desde algún punto de referencia conocido. He aquí un ejemplo de dirección «a la tica»: «Del antiguo edificio de la Toyota, 150 metros sur y 80 metros este, en la casa de dos pisos con enrejado negro, frente al árbol de mango. Oficina número 3».

Si oye la palabra «cigarreto» al preguntar sobre cómo llegar a un sitio, no debe creer que su interlocutor le responde brindándole un cigarrillo italiano. Debe prestar atención y escuchar «siga recto», es decir, que tiene que continuar derecho por la calle indicada.

1. Acude a http://blog.tubabel.com y encontrarás expresiones regionales españolas y de todos los países latinoamericanos. Selecciona un país y escribe un texto que solamente pueda comprender una persona oriunda de ese lugar.

2. Lee el siguiente texto y luego busca en internet otras expresiones idiomáticas sobre animales.

La cosmogonía bribi[1] le atribuye al dios Sibö la creación de la Tierra. En esta tarea lo ayuda el murciélago, ya que de sus excrementos empiezan a nacer y crecer zacates[2] y algunos arbustos. Como la vida comienza a partir del trabajo «sucio» de aquel animal, uno de los peores insultos que podemos lanzar contra alguien es decir que «le va a salir el murciélago».

[1] Este grupo étnico habita en la región sur de Costa Rica. Según el Censo nacional del año 2000 la población bribri tiene 11 062 habitantes.
[2] Zacate: hierba, pasto, forraje.

3. ¿Qué tienen en común estas palabras?

Euforia	Reumático	Adulterio
Degustación	Auténtico	Republicano
Murciélago	Educación	Simultáneo

Costa Rica

CULTURA SOCIEDAD ECONOMÍA LENGUA **DATOS**

Orígenes del nombre: Los españoles que acompañan a Colón en su cuarto viaje (1502) le dan el nombre de Costa Rica, pues creen que en estas tierras abundan las riquezas. Llegan a tal conclusión cuando ven las joyas de oro y jade que lucen los nativos.

Capital: San José

Superficie: 51 100 km²

Población: 4 075 261 habitantes

Moneda: colón costarricense

Gentilicio: costarricense

Organización territorial

El país se divide en siete provincias: San José, Alajuela, Cartago, Heredia, Guanacaste, Puntarenas y Limón.

Economía

Los principales productos de exportación son el banano (segundo productor mundial), el café, el azúcar, el cacao, las piñas, los melones, los corazones de palmito y las flores. La ganadería sirve de base a la industria lechera, que representa una proporción cada vez mayor de las exportaciones. En las costas del Pacífico se da la mayor actividad pesquera del país. Las flotas industriales se ocupan principalmente de la captura de camarones, atunes y sardinas. En cuanto a la minería, se explotan los yacimientos de oro, plata y bauxita, pero no los de manganeso, mercurio, níquel y azufre por su inaccesibilidad y escasez. En los últimos años se ha puesto en marcha la producción local de materiales de alta tecnología. El ecoturismo constituye la principal fuente de divisas.

Lenguas

El español es la lengua oficial. Pese a su pequeña extensión geográfica, en Costa Rica se hablan siete lenguas autóctonas: cabécar, bribri, chorotega, borunca, térraba, maléku, guaymi (algunas en vías de extinción) e inglés criollo en la costa caribeña. Esta variante del inglés aparece en 1872 con la llegada al país de habitantes de Trinidad y Tobago y Jamaica –islas caribeñas de habla inglesa– para trabajar en la construcción de las líneas de ferrocarril. Académicamente se la conoce como inglés criollo y popularmente recibe el nombre de *mekatelyu*, pronunciación deformada de *Make I tell you* (*Let me tell you* en inglés normativo y «Déjame decirte» en español).

Religión

Costa Rica es uno de los países con mayor cantidad de inmigrantes *per cápita* del mundo, lo que contribuye a su diversidad religiosa. Predomina el catolicismo, aunque las últimas encuestas revelan que solo un 47 % de los costarricenses se declara practicante. Los protestantes de distintas confesiones les siguen en importancia. El país cuenta con una nutrida comunidad judía –mayoritariamente asquenazí–, musulmana y budista, a la que se suma la presencia de hinduistas, bahaíes, wiccanos, rastafaris. Los indígenas preservan sus propias creencias religiosas.

> **Dominio de internet:** www.cr
> **Gobierno:** www.casapres.go.cr
> **Directorio de empresas:** www.empresas.co.cr
> **Cámara de comercio:** www.camara-comercio.com
> **Instituto Costarricense de Turismo (ICT):** www.visitcostarica.com
> **Diarios:** www.nacion.com, www.prensalibre.cr/pl/, www.diarioextra.com, www.larepublica.net, www.aldia.cr

unidad 2

patrimonio tradiciones empresas productos mercado personalidades mestizaje migraciones historia ciencia sociedad

arte

1 Lee el texto y subraya los pretéritos perfectos.

La novela policíaca cubana

Leonardo Padura Fuentes (La Habana, 1955) es uno de los escritores latinoamericanos de novela policíaca más prestigiosos a nivel internacional. Ha recibido numerosos premios literarios y su obra ha sido traducida a varios idiomas. *Pasado perfecto* (1991), *Vientos de cuaresma* (1994), *Máscaras* (1997) y *Paisaje de otoño* (1998) forman la tetralogía *Las cuatro estaciones*, todas protagonizadas por el detective Mario Conde, un personaje indisciplinado, bebedor, insolente y desencantado, pero con principios inamovibles.

¿Qué rasgos de Leonardo Padura pueden descubrirse en la figura de Mario Conde?

Mario Conde nace el mismo año, mes y día que yo. En el mismo barrio ha tenido amigos muy parecidos a los míos y ambos hemos vivido una experiencia generacional similar: ha habido un proceso de participación, y luego un cierto desencanto con determinados aspectos de la realidad cubana. Sin embargo, ni Mario Conde ni yo hemos dejado Cuba, seguimos viviendo en esta isla caribeña.

¿Cuál ha sido la reacción de los lectores cubanos frente a un personaje que trabaja en un órgano policial?

A los lectores les resulta un personaje muy humano y se identifican con él. Incluso investigadores que han trabajado durante muchos años en la policía se me acercan para decirme que lo admiran. Y yo hasta ahora les he respondido lo mismo: ¿Pero cómo pueden admirarlo si Conde es un desastre y no tiene ni idea de lo que significa una investigación criminal? Se trata de un personaje con mucha sensibilidad, a quien le interesan la cultura y los libros, y que posee un gran sentido de la amistad. Todo esto hace de Conde un policía

poco creíble. Por eso, en dos de mis últimos libros, *Adiós, Hemingway* y *La neblina de ayer,* lo he sacado de la Central y lo he dedicado a comprar y vender libros viejos, pero siempre encuentro un recurso para ponerlo a investigar.

¿Es consciente de que está considerado uno de los principales referentes de la novela policíaca latinoamericana?

Yo creo que pertenezco a un grupo de escritores de lengua española que ha utilizado la novela policíaca, sobre todo, para escribir novelas y comunicar al lector una situación mucho más compleja. Un autor norteamericano, cuando se enfrenta a este género, sabe que debe haber muchos tiros, muchos muertos y una velocidad en la acción. Dentro de la llamada novela policíaca latinoamericana contemporánea mi modelo es Rubem Fonseca, el escritor brasileño, porque hace una literatura sobre la ciudad, la violencia y el miedo.

Adaptado de diversas entrevistas

Leonardo Padura

2 Di si las afirmaciones siguientes son verdaderas o falsas.

	V	F
a Leonardo Padura es un escritor cubano de novela policíaca.	○	○
b Cada novela de la tetralogía transcurre en una estación diferente del año.	○	○
c Mario Conde se siente completamente desencantado de la realidad cubana.	○	○
d Los lectores se identifican con Mario Conde porque trabaja en un órgano policial.	○	○
e La novela policíaca latinoamericana contemporánea se centra en la investigación criminal.	○	○

3 Busca en internet y prepara una pequeña biografía sobre uno de estos escritores latinoamericanos de novelas policíacas: Paco Ignacio Taibo II, Ramón Díaz-Eterovic, Juan de Recacoechea, Bartolomé Leal, Roberto Ampuero o Santiago Roncagliolo.

4 ¿Quién es el asesino? Ayuda al teniente de policía Mario Conde a resolver el caso planteado en *Pasado perfecto* (1991). Designa al culpable y explica las razones del asesinato. Cuidado, de ti depende la libertad o prisión de uno de los cinco sospechosos.

LEONARDO PADURA
Pasado perfecto

Rafael Morín Rodríguez, director de la Empresa de Importaciones y Exportaciones del Ministerio de Industrias, desaparece el primero de enero de 1989 y su cadáver es encontrado en una casa vacía cinco días después.

Sospechosos:

a Tamara Valdemira Méndez, su esposa, 33 años, *dueña de una belleza profunda: plena, maciza, inquietante, en la cumbre de sus encantos y sus formas*. Sabe que su marido anda con otras mujeres, que ya no se conforma con nada y sueña con más y juega a sentirse un ejecutivo poderoso. Ha aceptado la situación porque teme cambiar su vida, aunque cree que hace rato ya no está enamorada de él. Cuando Rafael sale de viaje, ella se queda sola con el niño y se siente bien. Su ausencia le evita pensar en que él siempre llega tarde de la oficina, está cansado, se acuesta a dormir enseguida o se encierra en la biblioteca a escribir informes.

b René Caciques Alba, su jefe de despacho, *debe de tener unos cincuenta años, es un poco calvo y lleva gafas, más bien redondas, como las de un bibliotecario modelo*. Explica que en la empresa están pasando un mal momento por los problemas que hay en los países socialistas, pero han establecido contratos importantísimos con Japón, a un grado tal que los responsables de Mitachi han adelantado la fecha de su viaje a Cuba. Asegura que mantiene con su superior relaciones de trabajo que excluyen cualquier tipo de camaradería o amistad. Sin embargo, la policía descubre que Rafael le ha regalado un carro, que este inmediatamente ha vendido por temor a ser acusado de una posesión ilegal.

c Zaida Lima Ramos, su secretaria y amante, *tiene entre veinticinco y treinta años, los ojos grandes y negros, y la boca carnosa y amplia de mulata bien hecha, tanto que, incluso despeinada y sin maquillaje es decididamente hermosa*. Trabaja desde hace nueve años con Rafael, quien los ha ayudado muchísimo a ella y a su hijo, desde que su marido, marielito[1], está radicado en Miami. Como sabe todo lo que Rafael maneja, dólares y contratos con empresas extranjeras, ella se considera su única persona de confianza.

d Alberto Fernández-Lorea, viceministro de Industrias, se acerca a los cincuenta años, pero sigue siendo bien parecido. Está convencido de que Rafael ha utilizado las dietas y los gastos de representación durante sus viajes al extranjero de manera correcta, aun si los montos se los asigna él mismo. No quiere ni imaginar que Rafael ha obrado como el anterior director de la empresa, despedido por un uso indebido de las dietas y despilfarros internos. Con un caso basta, dos no tienen perdón y comprometen su carrera política.

e Zoila Amarán Izquierdo, 23 años, *su piel dorada tiene un brillo de animal saludable y lo más significativo de su cara, la boca, es impúdica y carnosa*. Le gusta vivir bien y para hacerlo no le importa rayar en la ilegalidad. Cuando la policía le muestra la foto del desaparecido, afirma que ha salido varias veces con él, pero sin saberlo, porque Rafael le ha ocultado su verdadero nombre. Haciéndose pasar por René Caciques la ha llevado a los mejores hoteles y restaurantes. Jura que, con lo mal que van las cosas en Cuba, a ella solo le preocupa disfrutar de su juventud.

[1] «Marielito» es el término que se aplica a las 125 000 personas que llegan desde el puerto de Mariel (Cuba) a los Estados Unidos en 1980, y que forman parte de un éxodo de refugiados.

Mariel, Cuba.

5 Haz una lista de los aspectos positivos y negativos de la realidad social cubana que esta novela pone al descubierto.

6 Crea tu protagonista de novela policíaca (nombre, edad, sexo, profesión: detective privado, policía u otro, características físicas, rasgos psicológicos, costumbres…), sitúa la acción en tu país y saca a la luz un delito inherente a tu sociedad.

patrimonio · arte · tradiciones · empresas · productos · mercado · personalidades · mestizaje · migraciones · historia · ciencia · sociedad

1 Lee esta entrevista con Carla González de Cutrí, fundadora de la empresa BioCare®. Subraya los verbos en imperfecto y clasifícalos en regulares e irregulares.

BioCare®: una empresa 100% mexicana de productos biológicos

BioCare® es una empresa 100 % mexicana que elabora productos de alta calidad para preservar la belleza y mantener el cuidado de la piel. Cuenta con cuatro balnearios en diferentes puntos del país. BioCare® ofrece asimismo cursos de capacitación y servicios de consultoría profesional.

¿Qué significa BioCare®?

Bio por biológico y *Care* por cuidado, cuidado biológico.

¿Cuál es la historia de la empresa?

Desde niña prestaba especial atención a las revistas donde aparecían consejos de belleza basados en productos naturales como, por ejemplo, «mezclar yogurt con unas gotitas de limón para evitar la aparición de espinillas y acné». Después de estudiar la carrera de Químico Farmacéutico Biólogo (QFB) y la de esteticista y cosmetóloga, soñaba con crear mis propios productos. BioCare® es mi propia marca registrada.

¿Por qué deseabas ser empresaria?

Porque creía en lo que estaba haciendo e intuía que era algo muy bueno para mi futuro. Por otra parte, anhelaba dar lo mejor de mí misma; quería hacer una supercrema que primero iba a utilizar yo y luego poner al alcance de las mujeres que desean lucir bien.

¿Cuál es el problema más grande al que te has enfrentado como emprendedora?

Al principio no sabía promocionar mis productos, estaba concentrada en crearlos. Gracias a los consejos de mi padre, me he dado cuenta de que resulta tan importante la promoción como la creación.

En tu opinión, ¿qué cualidades debe tener todo emprendedor para triunfar?

Lo principal es armarse de valor para enfrentar los diferentes escollos que se te van presentando en el camino. Mucha constancia, porque el día a día, el hora a hora, se vuelven a veces muy duros. Asimismo debes estar convencido de que obras por el bien de los demás y el tuyo propio, obviamente. Tienes que sentirte comprometida con toda la gente que cree en ti, tanto clientes como colaboradores, y al final de la jornada recargar las pilas, pues cada mañana trae nuevas experiencias.

No debemos frenar ni el talento ni la creatividad. Todo trabajo es solo un medio de vida, pero si lo haces sin pasión, sin empuje, pierdes la fe y la convicción en lo que estás haciendo.

Adaptado de: *www.ideasparapymes.com*

2 Inspirándote en lo que dice Carla González, haz una lista de las cualidades que debe tener un emprendedor

3 ¿Qué opinas?

	Sí	No	Depende
a Cualquier persona puede ser emprendedora.			
b Es más importante la idea que el capital, cuando queremos crear una empresa.			
c Un emprendedor no nace, se hace.			
d Prefiero ser asalariado que emprendedor.			
e Los emprendedores solamente piensan en su propio beneficio.			
f La aventura empresarial es la solución contra el desempleo.			

4 Busca en internet, qué diferencia a un emprendedor de un empresario.

5 ¿En qué tipo de aventura empresarial te gustaría lanzarte?

6 ¿Sabes quién es Carlos Slim? Busca su biografía y preséntala.

7 Empresas mexicanas viran de Estados Unidos a China. Lee el texto.

Muchas empresas mexicanas que en el pasado vivían del comercio con Estados Unidos apuntan ahora a China. Algunas de las más prominentes, cuyos horizontes se limitaban a las Américas y Europa, han abierto sucursales en dicho país.

La entrada de China en la Organización Mundial del Comercio supuso la instalación de numerosas firmas japonesas, europeas y estadounidenses en su territorio, así como el incremento en flecha de las importaciones de materias primas procedentes de países latinoamericanos, ricos en recursos naturales.

No faltan quienes ven en China un rival que despoja a México de puestos de trabajo y capital extranjero. Sin ir más allá, el coloso asiático lo ha desplazado del segundo lugar en la lista de principales vendedores de artículos a Estados Unidos. El primero es Canadá. Por otra parte, los mexicanos acusan a China de inundar su mercado con telas y juguetes baratos. Hasta las populares estatuillas de la venerada santa patrona de México, la Virgen de Guadalupe, llevan el marbete «Hecho en China».

Sin embargo, más de una docena de grandes empresas mexicanas no consideran al milenario país como un enemigo en el mundo de las finanzas y están intentando penetrar su mercado. China, por su parte, ha invertido mucho dinero en México, decidida a explotar las posibilidades que ofrece ese mercado latinoamericano y a asegurarse recursos naturales para alimentar su crecimiento.

El Grupo Jinchuán, empresa minera del noroeste chino, por ejemplo, ha adquirido los derechos de un depósito de cobre en el estado de Chihuahua, en tanto que el Grupo FAW, fabricante de automóviles, proyecta abrir una planta en el estado de Michoacán.

8 Conjuga los verbos en imperfecto y completa las frases a partir del texto.

a Antes, las empresas mexicanas (exportar) _____ casi exclusivamente a _____ .

b Antes, las empresas mexicanas no (tener) _____ _____ en China.

c Antes, China no (ser) _____ el segundo proveedor de _____ a _____ .

d Antes, las naciones latinoamericanas no (comerciar) _____ con _____ .

e Antes, las estatuillas de la Virgen de Guadalupe (hacerse) _____ en _____ .

9 Según el texto, ¿México y China son socios o rivales comerciales?

10 Escucha la grabación y haz una lista de las empresas mexicanas en China y de los productos que venden.

11 Escucha estos comentarios y haz una lista de las dificultades y de las bazas que ofrece el mercado chino.

12 ¿Es tu país un socio comercial de China? ¿Qué productos intercambian los dos países?

13 ¿Crees que se debe temer a China en la situación actual de la economía?

patrimonio · arte · tradiciones · empresas · **productos** · mercado · **personalidades** · mestizaje · **migraciones** · historia · ciencia · sociedad

1 Lee el siguiente texto.

Un «crisol de naciones»

Más del 80 % de la población uruguaya desciende de inmigrantes europeos o de Cercano Oriente. Se habla de esta sociedad como de un «crisol de naciones». La inmigración comienza en el último tercio del siglo XIX y termina en la década de los 50 del pasado siglo XX. Estos inmigrantes o refugiados provienen de una gran variedad de lugares: España, Italia, Francia, Inglaterra, Alemania, Austria, Suiza, Armenia, Rusia, Turquía, Hungría, Polonia, República Checa, Grecia, Yugoslavia, Rumania, Portugal, Holanda, los países bálticos, Siria, Líbano y Egipto.

Dos contingentes muy diferentes de judíos llegan al Uruguay: uno antes del ascenso del nazismo en Alemania y el otro tras su posterior expansión territorial. Ambos procedían de lugares tan dispares como Cercano Oriente, norte de África y Europa.

2 Los sefardíes. Conjuga el verbo entre paréntesis en imperfecto o pretérito perfecto

Sefardí es el nombre hebreo que reciben los descendientes de los judíos oriundos de España, expulsados de la península en 1492 por los Reyes Católicos. Algunas familias sefardíes, procedentes fundamentalmente de Francia e Inglaterra, llegan a Uruguay a finales del siglo XIX. Sin embargo, estas no logran consolidar núcleos comunitarios. Lo que no es el caso de los sefardíes que llegan durante las primeras décadas del siglo XX procedentes de Turquía, Grecia, Chipre, Rodas, Malta, Bulgaria, Yugoslavia, Siria y Líbano, quienes (inmigrar) _____ por motivos económicos y la creciente inestabilidad social imperante en sus países de origen. La mayoría de los sefardíes no (tener) _____ problemas con el idioma, pues (hablar) _____ ladino, el castellano del siglo XV. En cambio, los que (venir) _____ de Siria o Líbano (encontrar) _____ más dificultades, debido a que el árabe (ser) _____ su idioma de comunicación.

Hasta hoy, muchos de ellos (dedicarse) _____ al comercio minorista de artículos de mercería, ropa y telas. Las casas más importantes de Montevideo en este ramo siempre les (pertenecer) _____ a ellos o a sus hijos nacidos ya en Uruguay. El origen de estos comercios se debe al arduo trabajo que los vendedores ambulantes (realizar) _____ en el medio rural y en los diferentes barrios de la capital. Son precisamente estos vendedores ambulantes judíos, bien sefardíes o asquenazíes, quienes introducen la venta a plazos en el país.

3 Los asquenazíes. Completa el texto con los verbos del recuadro conjugándolos en pretérito perfecto.

> abrir   romper   hacer   poner   ver   volverse   lograr

Los asquenazíes son judíos procedentes de Europa oriental. Junto con los sefardíes forman parte de la diáspora que se asienta en Uruguay en las primeras décadas del siglo XX. Hoy, esta comunidad constituye el 60 % de la población judía radicada en el país.

Dado que el antisemitismo existente en esa parte de Europa los mantenía marginados económicamente y viviendo en guetos, los asquenazíes poseían un limitado bagaje cultural aunque no religioso. Eso los lleva a acentuar su tradición religiosa y reforzar los vínculos familiares y comunitarios de su *shtetl*, es decir, de su comunidad judía de origen. En Uruguay, país en el que nunca se los (1) _____ de lado, (2) _____ ascender económica y culturalmente. Muchos (3) _____ importantes negocios e industrias y gran número de sus descendientes (4) _____ profesionales de renombre. En un ▸▸

principio se dedicaban a las mismas actividades artesanales que en sus lugares de origen: a la sastrería, la relojería... y a la práctica del pequeño comercio a plazos puerta por puerta. A estos vendedores se les daba el nombre de *klapers,* que precisamente significa «los que llaman a la puerta», o de *cuentenikes,* «los que llevan cuentas». Otros (5) _____ carrera en la industria textil y en la de confecciones. Los asquenazíes llegan al Uruguay no solo con sus tradiciones religiosas y su forma de organización, sino también con su lengua. La primera generación asquenazí hablaba únicamente en *yiddish,* lengua en la que escribían libros, artículos de prensa y emitían programas radiales. Pasados los años, y con el propósito de no convertirse en un grupo sumamente cerrado, resuelven aprender el español. La sociedad uruguaya (6) _____ la paulatina integración de los judíos en todos los ámbitos del país, tanto a nivel individual como familiar. Sin embargo, estos nunca (7) _____ los vínculos con su identidad colectiva.

4 Relaciona los términos de la cultura judía de la primera columna con las definiciones de la segunda.

a	Sefardíes ____	1	vendedor puerta a puerta.
b	Asquenazíes ____	2	lengua hablada por los asquenazíes.
c	Shtetl ____	3	aquel que hace cuentas.
d	Yiddish ____	4	judíos originarios de Europa Oriental.
e	Ladino ____	5	comunidad originaria.
f	Klapers ____	6	judíos expulsados por los Reyes Católicos.
g	Cuentenike ____	7	castellano del siglo XV.

5 Responde a las preguntas.

a ¿Por qué se considera al Uruguay como un «crisol de naciones»?

b ¿Qué razones han tenido los judíos para inmigrar a ese país?

c ¿En qué sector de la economía han tenido éxito y por qué?

d ¿Cómo ha sido el proceso de integración de los asquenazíes en la sociedad uruguaya?

6 Completa el texto con el imperfecto, el presente o el pretérito perfecto.

El «gaucho judío» que llega al Muro de las Lamentaciones

Hace más de cien años, el escritor Alberto Gerchunoff (dar) _____ a conocer su célebre obra *Los gauchos judíos*, un texto de costumbres que (narrar) _____ la inserción de los primeros inmigrantes judíos en la pampa uruguaya y argentina. Ahora, casi un siglo después, un gaucho (revivir) _____ el cruce de esas dos culturas: (recorrer) _____ alrededor de 33 000 km para llegar al Muro de las Lamentaciones. (Hacer) _____ su viaje a caballo. Eduardo Díscoli, quien en realidad (profesar) _____ el cristianismo, no (dudar) _____ en cabalgar esa enorme distancia con el único fin de lanzar al mundo un mensaje de paz y de reencontrarse consigo mismo. En palabras del gaucho, peregrinar hasta Jerusalén y cabalgar frente al Muro (culminar) _____ un sueño que (llevar) _____ en lo más profundo de su ser. El aventurero no (pensar) _____ terminar su periplo en la Ciudad Santa. Lo (esperar) _____ una travesía de Jordania a Marruecos, desde donde (planear) _____ embarcarse rumbo a Brasil y, pasando por Paraguay, llegar a la pampa.

7 ¿Por qué, en tu opinión, esta peregrinación le ha permitido al gaucho reencontrarse consigo mismo?

patrimonio   arte   tradiciones   empresas   productos   mercado   personalidades   mestizaje   migraciones   ciencia   sociedad

historia

1 Lee el texto y observa cuidadosamente los complementos directos e indirectos.

Matilde Hidalgo de Procel
(1889-1974): la primera sufragista latinoamericana

Matilde Hidalgo Navarro nace el 25 de junio de 1889 en Loja (Ecuador). Tras terminar la enseñanza primaria, única instrucción a la que tenían derecho las mujeres, solicita su admisión en un colegio de varones, único plantel de enseñanza secundaria que existía en su ciudad natal. El rector accede a su petición después de reflexionar**lo** durante un mes. Todo un bombazo en esa pequeña ciudad del interior. Las madres **les** prohíben a sus hijas frecuentar**la** y sus compañeros de clase **le** hacen la vida imposible.

Bachillerato en mano, decide proseguir la carrera de Medicina. La Universidad Central de Quito **le** niega el ingreso. Incluso el rector en persona **le** aconseja estudiar Obstetricia o Farmacia, profesiones más acordes con el sexo femenino. Se entrevista entonces con el rector de la Universidad de Cuenca, quien le concede sin problema alguno la tan ansiada matrícula. Nuevamente sufre el rechazo social: **la** insultan en las calles y sus compañeros de carrera **la** ridiculizan. El 29 de junio de 1919 se gradúa con honores y recibe el título de Licenciada en Medicina. Viaja a Quito para hacer su internado en los servicios de Clínica y Cirugía del Hospital San Juan de Dios, pero el médico responsable se opone a tener**la** de ayudante. Ante esta situación, otro médico **le** ofrece el internado en su maternidad privada.

El 21 de noviembre de 1921 obtiene el título de Doctora en Medicina y se convierte en la primera mujer ecuatoriana graduada de médico. En 1922 contrae matrimonio con Fernando Procel Lafebre,

un excompañero de bachillerato. Dos años después protagoniza un hecho histórico sin precedentes. Matilde acude a los Registros Electorales del cantón Machala para inscribirse, aprovechando que la Constitución de 1827 hablaba en general de los derechos ciudadanos sin especificar ninguna prohibición respecto al sufragio femenino. Sorprendido, el presidente del Consejo Electoral solicita la autorización al Consejo de Estado. El Ministro de Gobierno **le** responde que la demandante puede sufragar el día de las elecciones de senadores y diputados, visto que en la Ley de Elecciones existe un vacío jurídico a ese respecto. Matilde se vuelve así la primera mujer en ejercer formalmente el derecho al voto político en América Latina. Gracias a aquel gesto precursor, el Ecuador aprueba en 1929 el sufragio femenino sin restricciones.

Hasta avanzada edad, Matilde alterna su participación en la vida política con sus labores catedráticas y el ejercicio de la medicina.

2 Si quieres conocer otros datos de la vida de Matilde Hidalgo de Procel, completa las siguientes frases utilizando adecuadamente el complemento directo o indirecto.

a   Siendo Matilde huérfana de padre, su madre trabaja como costurera para mantener ____ (a ella y a sus cinco hermanos).

b   En 1941, Matilde se presenta a diputada por Loja y sale elegida. Sin embargo, sus coidearios ____ escamotean su puesto de primera mujer diputada en la historia del Congreso Nacional en razón de su sexo.

c   En 1946 celebra sus Bodas de Plata profesionales y la Junta de Asistencia Pública de la provincia de El Oro ____ otorga su máxima condecoración.

d   En 1954 funda y dirige la Cruz Roja Femenina de El Oro y cinco años después esta institución ____ condecora.

e   En 1974 sufre un ataque de apoplejía que paraliza su cuerpo y ____ deja inconsciente. Ingresa en el hospital y ____ amputan una de las piernas. Muere el 20 de febrero de 1974, a los 85 años.

3 Intenta relacionar los países con el año en que se le concede a las mujeres pleno derecho de sufragio.

a Nueva Zelanda _____   **1** 1933

b España _____   **2** No existe el sufragio femenino

c Sudáfrica _____   **3** 1937 (ganado en 1935 con un referéndum, 95 % a favor)

d Kuwait _____   **4** 1994 (desde 1930 podían votar solo las mujeres de piel blanca)

e Dinamarca _____   **5** 2005

f Portugal _____   **6** 1971 (desde 1931 podían votar las mujeres con escuela secundaria completa)

g Arabia Saudita _____   **7** 1893

h Filipinas _____   **8** 1915 (desde 1908 podían votar las mujeres de más de 25 años si pagaban impuestos)

4 Si no lo sabes, investiga en qué año se les concede el voto a las mujeres en tu país y explica las circunstancias.

5 Escucha la grabación sobre estas presidentas latinoamericanas y toma notas.

Isabel Martínez de Perón

Lidia Gueiler Tejada

Violeta de Chamorro

Rosalía Arteaga

Mireya Moscoso

Sila María Calderón

Michelle Bachelet

6 En la lista anterior faltan presidentas. ¿Quiénes son? Elabora una breve biografía sobre una de ellas y preséntala.

1 Completa el texto con las preposiciones que faltan (*a, ante, bajo, con, contra, de, desde, en, entre, hacia, hasta, para, por, según, sin, sobre, tras*).

Estado de la ciencia en España

Observatorio de Canarias

En los extremos de la geografía española y en ámbitos de investigación opuestos, dos equipos de científicos se dedican a la astrofísica. El uno, desde el observatorio de Canarias, descubre las «enanas marrones» en la constelación de las Pléyades; el otro, enterrado (1) _____ los Pirineos, en los pasadizos subterráneos de la estación de Canfranc, busca entender los neutrinos, la esencia de la materia oscura que conforma el 95 % del universo.

¿(2) _____ qué sirve descubrir esas «no estrellas ni planetas» llamadas «enanas marrones» o entender una partícula como el neutrino, (3) _____ carga eléctrica y masa cercana a cero? Son avances científicos que no siempre se aplican de inmediato, pero que permiten y alimentan los descubrimientos (4) _____ punta.

Varios equipos de científicos se dedican a la biología (5) _____ diversos lugares del planeta. El más alejado busca la génesis de la Tierra o del océano en la Antártida, a bordo del buque investigación Hespérides; el más próximo analiza en los laboratorios del Real Jardín Botánico de Madrid los efectos de las «autopistas del viento» en el mundo vegetal. Al correlacionar las medidas de velocidad y dirección de los vientos oceánicos, que toma el satélite QuikSCAT de la NASA, (6) _____ la distribución de ciertas plantas del hemisferio sur, los científicos han comprobado que puntos separados entre sí (7) _____ unos 8000 km tienen más especies vegetales en común que zonas geográficas prácticamente vecinas. Semillas, esporas y fragmentos de plantas recorren largas distancias gracias a las rutas que siguen las corrientes de aire.

Entre la astrofísica y la biología se despliega toda una gama de investigaciones: (8) _____ el proyecto del yacimiento de Atapuerca, (9) _____ los primeros pasos del *homo sapiens* en Europa, pasando por el rescate de la fauna sahariana en Almería, (10) _____ los estudios de Historia, textos andalusíes, Arqueología y Arquitectura islámica que imparte la Escuela de Estudios Árabes de Granada.

España se ha convertido en la quinta economía de la UE y, sin embargo, ocupa el decimocuarto lugar en desarrollo tecnológico. Esto se explica porque es el país europeo que menos invierte en ciencia[1] y el que destina la mayor parte de esos fondos (11) _____ la investigación militar. Tal situación provoca una casi rebelión de la comunidad científica (12) _____ finales de 2004. Centenares de investigadores firman un comunicado denunciando este desequilibrio presupuestario en el momento en que los ciudadanos estaban (13) _____ la participación de las tropas españolas en la guerra de Irak. (14) _____ el retiro de las tropas, la ecuación (pocos fondos disponibles y un tercio invertido en fines militares) sigue siendo la misma. (15) _____ los científicos españoles, (16) _____ el desafío que representa la nueva década, solo le queda al país dar un salto definitivo y lograr un compromiso (17) _____ ciencia y sociedad.

Fuente: *Ecos de España y Latinoamérica.*

[1] El 1,03 % de su PIB (Producto Interior Bruto), la mitad del promedio europeo.

2 ¿Cuáles son los «extremos de la geografía española»?

3 ¿Qué utilidad inmediata tienen los descubrimientos astrofísicos?

4 Explica qué son las «autopistas del viento».

5 ¿Por qué España, siendo la quinta economía de Europa, solo ocupa el decimocuarto lugar en el desarrollo tecnológico.

6 Relaciona cada lugar con el tipo de investigación.

a	Islas Canarias _____	1	Estudios Árabes
b	Estación de Canfranc _____	2	Las «enanas marrones»
c	Granada _____	3	Rescate de la fauna sahariana
d	Atapuerca _____	4	Los neutrinos
e	Madrid _____	5	Los primeros pasos del ser humano en Europa
f	Almería _____	6	Autopistas de viento por las que migran las plantas

7 Lee el siguiente texto y relaciona cada edificio con la foto correspondiente.

Ciudad de las Artes y las Ciencias

La futurista Ciudad de las Artes y las Ciencias de Valencia, el mayor complejo cultural y científico de Europa, ocupa una superficie de 350 000 m². El gran proyecto del arquitecto Santiago Calatrava se compone de cinco impresionantes edificios y un gran puente.

El Museo de las Ciencias Príncipe Felipe, cuya estructura se asemeja al esqueleto de un dinosaurio, presenta exposiciones interactivas e innovadoras relacionadas con la evolución de la vida y la divulgación científica y tecnológica.

L'Hemisfèric tiene forma de ojo. Se trata de un espacio donde se proyectan, sobre una pantalla cóncava de 900 m², tres tipos de espectáculos audiovisuales: representaciones de fenómenos astronómicos en el Planetario, películas en gran formato, sistema IMAX y Láser Omniscam de última generación.

L'Umbracle es un paseo ajardinado cubierto, que alberga una galería al aire libre con esculturas de artistas contemporáneos.

L'Oceanogràfic, su superficie de 110 000 m² lo convierte en el acuario más grande de la UE y el tercero del mundo. Mueve 42 millones de litros de agua salada y 11 millones de litros de agua dulce. Su cubierta, en forma de nenúfar, es obra del arquitecto Félix Candela.

El Palau de les Arts Reina Sofía, concebido para espectáculos de ópera, danza y teatro, cuenta con una arquitectura simbólica que se presta a todo tipo de interpretaciones, desde la boca de un pez hasta un enorme escarabajo.

El Puente de l'Assut de l'Or puede considerarse la cima de Valencia, debido a que su curvo mástil alcanza los 125 m de altura.

a _____

b _____

c _____

d _____

e _____

f _____

8 Acude a internet y busca información sobre los grandes y pequeños inventos españoles, escoge uno de ellos y preséntalo.

Chile

SUPLEMENTO

CONDORITO: EL PÁJARO MÁS POPULAR DEL CONTINENTE LATINOAMERICANO

En 1941, Walt Disney y su equipo viajan durante dos meses por América Latina recolectando material a fin de producir una nueva serie de películas. Los primeros cuatro cortometrajes dan como resultado la película *Saludos Amigos*, estrenada en Brasil y Argentina en 1942 y en Estados Unidos en 1943. *El lago Titicaca* presentaba al Pato Donald como un turista norteamericano que vestía traje local. *Pedro* era la historia de un avioncito chileno de correo que a duras penas cruzaba la cordillera de Los Andes. En *El gaucho Tribilín*, el personaje, un vaquero tejano, se integraba en la vida de la pampa argentina. Y en *Acuarela del Brasil*, el pato Donald trababa amistad con un nuevo personaje, José Carioca, un loro brasileño.

Un destacado dibujante de la época, René Ríos Boettiger, –Pepo– (1911-2000), indignado al ver que un minúsculo avión incapaz de cruzar la cordillera representaba su país, crea un personaje que muestra realmente la identidad chilena. Es así como nace Condorito. Del escudo nacional toma el

cóndor, le calza ojotas[1], le pone un sombrero de guaso[2] y lo hace hablar y vivir en el mundo de los humanos. Pepo declara en una entrevista que ha inventado a su personaje teniendo en mente al chileno medio: pícaro, ingenioso, con la talla[3] en la boca, medio patiperro[4], efectuando mil y un trabajos diferentes para sobrevivir. En cada historieta, de hecho, su oficio varía: médico, sepulturero, soldado, árbitro, jugador de fútbol, cazador

de fieras en África, brujo caníbal, astronauta, psiquiatra de manicomio o loco en el mismo asilo.

Este tebeo se caracteriza por la utilización de la onomatopeya ¡PLOP! al final de cada historia, cuando uno o varios personajes caen al suelo tras ser víctimas de una situación absurda o incomprensible. René Ríos Boettiger, cuyo seudónimo «Pepo» viene de la transformación de la palabra «pipón» (barrigudo), mote que de niño se le daba al dibujante por su gordura, poco a poco empieza a poblar este mundo con personajes inspirados en gente de su entorno.

El mundo mítico de Pelotillehue y sus diferentes personajes: Yayita, su eterna novia; doña Tremebunda y don Cuasimodo Vinagre, sus suegros; Pepe Cortisona (el «Saco de plomo»), su eterno rival; don Chuma, su compadre; Cabellos de Ángel, Garganta de Lata, Comegato, Huevoduro, sus amigos del barrio, hoy pertenecen a la editorial mexicana Televisa, cuyo mercado cubre 82 millones de lectores en Latinoamérica y parte de Estados Unidos.

---

[1] Sandalia que usan los campesinos de algunas regiones de América del Sur.
[2] El sombrero de paño o paja, alas rectas y copa redonda y aplastada.
[3] (chilenismo): piropo, cortejo, lisonja.
[4] (chilenismo): persona callejera.

---

1 Acude al sitio www.sofoca.cl/condorito/personajes/, escoge uno de los personajes de esta historieta y preséntalo.

2 ¿Te gustan las historietas? ¿Cuál es tu preferida y por qué? ¿Has leído alguna vez un manga japonés? ¿Qué sabes sobre ellos?

3 Relaciona cada onomatopeya con su significado.

a	¡brrrum, brrrum!	1	sueño
b	¡glu, glu, glu!	2	golpe en la puerta
c	¡pum!	3	comer
d	¡ejem, ejem!	4	disparo de cañón o escopeta
e	¡ñam, ñam, ñam!	5	aceleración de motocicleta
f	¡toc, toc!	6	burbujas de agua
g	zzz, zzz, zzz	7	carraspear

La sociedad chilena actual

Los chilenos que residen en el centro histórico de Santiago creen que los vagabundos son una plaga, un mal para la sociedad e incluso para ellos mismos. Más de siete mil personas subsisten en situación de calle en la Región Metropolitana. Esto se suma a las altas tasas de desempleo de los últimos diez años.

Santiago concentra cerca de un 36 % de la población del país y centraliza los principales organismos gubernamentales, culturales, financieros, judiciales y comerciales. Se le atribuye la mejor calidad de vida, después de Montevideo y Buenos Aires. Ocupa el lugar 52 de las ciudades con mayores ingresos del mundo.

A lo largo de la Alameda, entre la plaza Baquedano y la plaza Los Héroes, podemos ver un reflejo exacto de la sociedad. Allí conviven todas las clases sociales y todas las tribus urbanas, pandillas juveniles, minorías sexuales y revolucionarias: desde neonazis hasta travestis.

Basta con darse una vuelta temprano en las mañanas por el Parque Forestal o la ribera del Río Mapocho. Al norte de estos emblemas capitalinos, la dicotomía se hace evidente: mientras algunos salen de bares, discotecas y restaurantes, otros son parte habitual del paisaje y duermen en bancas o en el suelo, tapados con cartones y sin más compañías que sus fieles perros.

Resulta difícil entender cómo tal diversidad puede coexistir en un lugar tan reducido. Santiago, al igual que muchas otras capitales, presenta múltiples psicopatologías: depresión, fobia social, estrés… Probablemente a causa de las extensas jornadas laborales, los agobiantes trayectos urbanos o los niveles de contaminación ambiental, acústica y visual. ¿Y la vida familiar? Si alcanza el tiempo: el fin de semana.

Tenemos una economía estable, una democracia consolidada, el estado de derecho funciona, los niveles de pobreza bajan. Sin embargo, somos un país en vías, y solo en vías, de desarrollo.

Adaptado de: *http://neperutic.blogspot.com*

1. ¿Cuál es la situación de Santiago en el país y en el mundo?

2. ¿Qué tipo de población se junta en el centro histórico de la capital chilena?

3. ¿Te parece Santiago una ciudad como cualquier otra en el mundo? ¿Por qué?

4. ¿Existe en tu ciudad alguna zona similar a la que describe el texto?

5. ¿Qué te gusta y te molesta de tu ciudad? ¿Cómo imaginas la ciudad de tus sueños?

AMÉRICA LATINA UN NICHO PARA LAS EMPRESAS CHILENAS DE PRODUCTOS GASTRONÓMICOS FINOS

Sueñan con triunfar en Greenwich Village, Nueva York; obtener un espacio en una tienda de especialidades de Shibuya, el ultracaro barrio de Tokio; o vender en un supermercado en el no menos exclusivo Notting Hill, en Londres. Las empresas chilenas de alimentos, desde las de uva de mesa hasta las de carne de cerdo, creen que su mercado natural está en los países desarrollados. Se entiende: allá se encuentran los consumidores de mayores ingresos en el mundo.

Para muchos, hablar de Ciudad de México, Bogotá o São Paulo, en la industria chilena de los alimentos, suena más a una escala de avión rumbo a los mercados ricos del hemisferio norte que a una veta de negocios importante. Todo apunta a que en América Latina el interés tiende a cero. Craso error. «Latinoamérica representa un nicho muy interesante. Hay una demanda fuerte en algunos países, además de una cercanía cultural y geográfica, lo que facilita el crecimiento de las empresas pequeñas y medianas», afirma Sebastián Dib, vicepresidente de la Asociación de empresas *gourmet* (Asogourmet).

En México, por ejemplo, existe un mercado potencial de siete millones de consumidores nativos con altos ingresos y un cuantioso número de turistas adinerados que llegan a las costas aztecas. «Cancún, con su cerca de cuarenta mil camas en hoteles de lujo, y Vallarta, con sus dieciocho mil, generan una importante masa de población flotante que consume alimentos de altísima calidad», afirma Rossy Cherem, directora comercial de Tendencia Gastronómica, una de las mayores importadoras de productos gastronómicos de México. Por su parte, Ricardo Moyano, encargado de ProChile en São Paulo, estima en cuarenta millones los consumidores brasileños con ingresos superiores a los nueve mil dólares.

Indudables son las ventajas que ofrece Latinoamérica frente a los países desarrollados como blanco de los productos chilenos de alta calidad. En primer lugar, el país no necesita tarjeta de presentación y, en segundo lugar, goza ya de una imagen de seriedad y fiabilidad. Sin olvidar el creciente gusto por la gastronomía fina que ha generado el consumo de sus vinos.

Patricia Concha, dueña de Mickelsen, una empresa productora de mermeladas y conservas, no duda de que ha llegado el momento de lanzarse a su conquista. «Pese a que hemos tenido éxito en EE UU, nuestro principal mercado es Colombia. Creo que las empresas gastronómicas deben primero ganar experiencia en el mercado interno antes de exportar. Asimismo, la calidad de los productos tiene que ser excelente; no se puede pensar en Latinoamérica como un destino de alimentos de calidad inferior».

Adaptado de: *Revista del Campo*.

1 ¿Por qué los productos chilenos de gastronomía fina pueden tener cabida en el mercado latinoamericano?

2 Eres un importador de productos alimenticios. Busca información sobre productos chilenos de gastronomía fina: caviar, salmón, aceite de oliva o vino y presenta sus perspectivas comerciales en tu país. Acude a www.prochile.cl, un sitio de asesoría para los exportadores chilenos, y a www.elpaladar.cl, www.rayenlemu.cl, www.southwind.cl, tres sitios de promoción y venta de productos gastronómicos finos.

3 Crea un sitio en internet para la promoción y venta de los productos gastronómicos finos de tu país (página de bienvenida: nombre del sitio, texto introductorio, sumario, enlaces de interés; una o varias páginas: productos con las indicaciones comerciales y un pequeño texto explicativo).

EL COA, LENGUAJE DEL DELITO

Aun chileno le resultan muy familiares expresiones como «condorearse» (cometer un error), «no estar ni ahí» (ser indiferente), «mina» (mujer de atributos agradables) o «flaite» (delincuente de poca monta o persona ordinaria).

Su común denominador es que todas pertenecen al coa, el lenguaje utilizado por los delincuentes. Esta palabra procede del término gitano español «coba», que significa «embuste» o «adulación» y cuyo origen quizás está en el caló, una jerga de los grupos gitanos ibéricos. Sin embargo, otros afirman que viene de una jerga delictiva española del siglo xv llamada germanía y, en esa medida, puede ser una deformación de «boca». De cualquier manera, la palabra «coba» se ha transformado en «coa».

Para Ambrosio Rabanales, miembro de la Real Academia Española (RAE) y de la Academia Chilena de la Lengua, «la mayoría de las jergas hispanoamericanas tienen su origen en España, al igual que nuestra lengua, si bien han sido enriquecidas o aumentadas por otras influencias». En su opinión, el coa no es ni bueno ni malo y en general presenta los mismos fenómenos que el habla culta.

A menudo decimos palabras que no se encuentran en el diccionario de la Real Academia, pero que entendemos perfectamente: «luca» (billete de mil pesos), «copete» (cualquier tipo de bebida alcohólica) o «cuico» (persona de apariencia acomodada y modales afectados).

Herencia de la dictadura

Ricardo Candia, autor de los diccionarios *El coa, o el arte del chamullo* (mentira) *y la movida* (tráfico) y *El coa y el lenguaje de la calle*, atribuye su difusión a los 17 años de dictadura pinochetista, pues miles de personas que no eran delincuentes terminaban en la cárcel: políticos, artistas, intelectuales, gente de todo tipo que, cuando recobraba la libertad, diseminaba esa jerga. Su propio conocimiento del coa remonta a 1986, época en que se hallaba preso: «Sobrevivir en ese medio implicaba comprenderlo e incorporarlo en nuestra comunicación. Estas palabras, hoy mal vistas por muchos, representan tal vez lo más chileno que nos queda en tiempos confusos y globales».

Adaptado de: *enPunto*

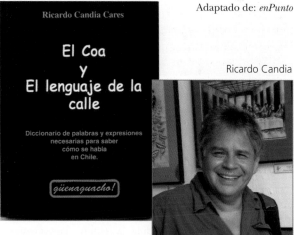

Ricardo Candia

1. ¿Cuál es el origen del coa y quiénes lo utilizaban?

2. ¿Por qué esta jerga se disemina en la sociedad chilena?

3. ¿Crees, como Ricardo Candia, que las jergas representan el último bastión contra la homogeneización progresiva de la cultura?

4. Escribe una historia utilizando algunos de estos términos del coa.

Armarse: Hacer fortuna, lograr éxito económico empezando con muy poco.	**Hacer la muela:** Quedarse con parte del botín.	**Sacarla barata:** Salir prácticamente ileso de alguna riña o con muy poco daño.
Carne amarga: Sujeto muy malo.	**Huiro:** Cigarrillo de marihuana.	**Sobre:** Cama.
Coña: Marihuana.	**Jai:** Persona adinerada y de buena educación.	**Tallarín:** Cicatriz en la cara.
Chocolate: Sangre.	**Jutre:** Patrón.	**Torta:** Botín, dinero.
Chorear: Robar.	**Lechugas:** Dólares.	**Yunta:** Compañero de andanzas.
Daga: Arma blanca.	**Mula:** Estafa.	**Zabeca:** Cabeza.
Despachar: Matar.	**Paco:** Funcionario de carabineros o Gendarmería.	**Zapallazo:** Golpe de suerte.
Encanar: Caer preso.	**Pilsoca:** Cerveza.	**Zetear:** Dormir.
Fiambre: Cadáver.	**Quemado:** Con mala suerte.	
Fierro: Arma de fuego.		

Chile

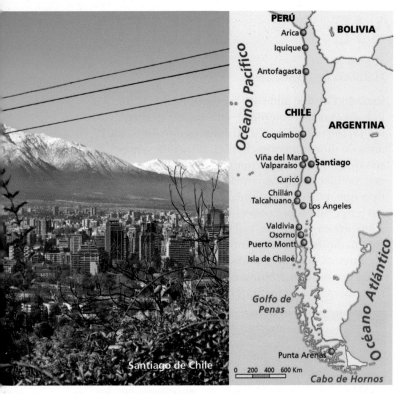

Santiago de Chile

Cabo de Hornos

Orígenes del nombre: El ají (picante) y el país tienen el mismo nombre, pero el origen es diferente. Ají o «chile» procede del náhuatl *chilli*, mientras que Chile proviene del quechua *chili* (confín), nombre que los incas daban a la parte sur de su imperio.

Capital: Santiago

Superficie: 756 630 km²

Población: 16 598 074 habitantes

Moneda: peso chileno

Gentilicio: chileno

Santiago de Chile

Organización administrativa

Chile posee 53 provincias, que se agrupan en 15 regiones.

Economía

La economía chilena reposa sobre las exportaciones. Su perfil exportador está conformado por un 45 % de productos industriales, otro 45 % de mineros y un 10 % agrícolas, aproximadamente. Entre ellos destacan el cobre, de cuyas ventas al exterior depende en gran medida, la celulosa, la madera, el metanol y los productos agroalimentarios como los hortofrutícolas, lácteos y pesqueros. Chile proyecta convertirse en uno de los 15 mayores proveedores mundiales de alimentos. La industria forestal, mobiliaria, salmonera y vitivinícola han adquirido gran importancia en la última década. El país goza de un acceso preferencial a la casi totalidad de los mercados de bienes y servicios, gracias al número de tratados de libre comercio firmados con zonas económicas que representan cerca del 90 % de la población mundial.

Lenguas

La lengua oficial es el español. El pueblo mapuche tiene su propia lengua. El nivel de competencia comunicativa en mapudungun varía considerablemente entre sus hablantes, cuyo número se estima en 400 000. Se habla aymara y quechua, sobre todo en las zonas limítrofes con Perú y Bolivia. Existen unos 2500 hablantes de rapanui, 2000 en la propia isla de Pascua y el resto en el Chile continental y otras partes del mundo. En vías de extinción se encuentran el kahuéskar, que cuenta con unos veinte hablantes, y el yámana, con solo uno. Se trata de una mujer de edad avanzada que vive en la aldea de Ukika (Antártica chilena) y ha trabajado en la elaboración de un diccionario para conservar los registros de su lengua.

Religión

La mayor parte de la población practica el catolicismo. En orden de importancia le siguen el protestantismo, los Testigos de Jehová y la Iglesia de los Santos de los Últimos Días. Una minoría profesa el judaísmo, el cristianismo ortodoxo y el islam.

Industria en Chile

Viña del Mar

Minas en desierto de Atacama

> Dominio de internet: www.cl
> Gobierno: www.gobiernodechile.cl/
> Directorio de empresas: www.puntoempresas.cl/
> Cámara de comercio: www.cnc.cl/
> Servicio nacional de turismo: www.sernatur.cl/
> Diarios: www.elmercurio.com, www.lanacion.cl, www.latercera.com, www.lahora.cl, www.df.cl

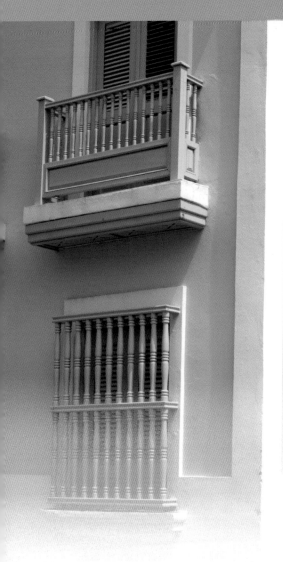

unidad 3

34 UNIDAD 3

Guatemala

patrimonio · arte · tradiciones · empresas · productos · mercado · personalidades · mestizaje · migraciones · historia · ciencia · sociedad

1 Lee el siguiente texto, subraya los verbos en pretérito indefinido, luego clasifícalos y conjúgalos de acuerdo con su terminación.

El pasado de Petén se estira como un chicle

Si usted es de los que maldice a sus contemporáneos cada vez que se le pega un chicle en la suela del zapato, seguramente desconoce que la necesidad humana de mordisquear algo nació en la Prehistoria. En el norte de Europa se han encontrado trozos de alquitrán con impresiones dentales humanas que datan de 7000 a 2000 años antes de nuestra era.

La historia del chicle moderno empieza, sin embargo, en los bosques tropicales de la península de Yucatán y la región de Petén (norte de Guatemala). Tanto los mayas como los aztecas utilizaban la resina natural extraída del recio árbol de chicozapote para limpiarse los dientes, aunque socialmente dicha práctica estaba mal vista porque las prostitutas llamaban la atención de los posibles clientes masticando de manera ostentosa.

No se sabe cómo se extraía el chicle en tiempos prehispánicos ni se tienen datos sobre las técnicas empleadas. Por el contrario, está demostrado que, a raíz de las primeras concesiones forestales, llegaron a Guatemala trabajadores mexicanos con experiencia en la extracción comercial de la resina. Los recolectores trepaban a los árboles, hacían incisiones en la corteza y recogían el látex para convertirlo en pasta.

Se cuenta que en 1839 Thomas Adams, fotógrafo e inventor estadounidense, importó una gran cantidad de esa resina con la idea de utilizarla para fabricar neumáticos, pero su idea no funcionó. Decidió entonces patentarla y lanzarla al mercado como una alternativa a las pastillas de cera de parafina que en la época se masticaban. Las primeras bolitas de chicle sin sabor se vendieron en una droguería de Nueva Jersey en febrero de 1871, al precio de un penique la unidad.

Cuatro años después, John Colgan, un farmacéutico de Kentucky, aromatizó el chicle con un jarabe medicinal que corrientemente se daba a los niños cuando tenían tos. Su éxito alentó la aparición de otras gomas de mascar aromatizadas. En la década de los 80, Adams instaló los primeros aparatos de bolas de chicle con sabores de *tutti fruti* en los andenes del metro de Nueva York.

Entre 1890 y 1970, el llamado «oro blanco» constituyó la principal actividad económica de Petén. La producción comenzó a decaer hacia finales de la década de los 50, pues los polímeros derivados del petróleo iban reemplazando al chicle natural. Actualmente, más de 2500 familias de esta región norteña viven de la recolección del chicle, cuya producción en gran parte se comercializa a través de dos compañías japonesas: la Mitsui & Co. y la Sumitomo Corporation. Se estima que el ingreso bruto guatemalteco generado por las exportaciones de la milenaria gomorresina supera los dos millones de dólares anuales.

VERBOS EN -*AR*	VERBOS EN -*ER*	VERBOS EN -*IR*
é	í	í
aste	iste	iste
instaló	ió	**decid**ió
amos	imos	imos
asteis	isteis	isteis
aron	**vend**ieron	ieron

2 Conjuga el verbo *constituir* (Recuerda que los verbos terminados en –*UIR* reemplazan la «i» por una «y» en la tercera persona del singular y del plural).

3 ¿Crees que estas informaciones son verdaderas o falsas?

a Bust up es una goma de mascar japonesa que, según sus fabricantes, aumenta el tamaño de los senos al mismo tiempo que mejora y tonifica el cuerpo de las consumidoras. _____

b En 1964, la NASA proporcionó a los astronautas varias cajas de la goma de mascar Trident para ayudarles a mantener sus dientes saludables durante la larga misión espacial. _____

c Los científicos están elaborando un tipo de goma de mascar que se puede disolver en agua y que resulta fácil de despegar del pavimento o de la ropa. _____

d Un grupo de arqueólogos egipcios ha hallado recientemente papiros donde se aconsejaba masticar la resina del arbusto de lentisco para prevenir los problemas de sobrepeso. _____

e En Singapur solo se permite el consumo de la goma de mascar con fines terapéuticos (específicamente los fumadores que quieren abandonar el hábito). Siempre hay que llevar consigo la receta para evitar ir a la cárcel. _____

Pared con chicles en Seattle (USA)

4 ¿Y tú qué opinas?

Sí No Depende

a Debe evitarse mascar chicle durante una ceremonia religiosa.

b Una persona de buenos modales nunca masca chicle cuando conversa con otra, incluso si se trata de su mejor amigo/a.

c Hay que multar a las personas que escupen chicles en las calles.

d Imponer un gravamen sobre los chicles es una buena idea porque así se sufragan los costos de limpieza correspondientes.

Un operario limpia de chicles la calle

5 A juicio de los científicos, estamos en los albores de una nueva generación de chicles: anticáncer, anticaries, antiobesidad… ¿Qué tipo de chicle te gustaría crear?

6 «Sofocleto» es el nombre de pluma del gran humorista peruano Luis Felipe Angell de Lama. Cuando falleció, estaba reeditando 27 tomos de los 162 volúmenes que comprenden sus obras completas, entre ellas, un diccionario de frases pseudocélebres de personajes famosos de la historia. A Agripina, la emperatriz romana, la convierte en la precursora de la gripe y le atribuye la inmortal frase: ¡Atchíss…! Con este mismo espíritu irreverente, relaciona cada «frase célebre» con el personaje que la pronunció.

a Y esta tiene cuatro dormitorios, con jardín, cochera y piscina…   1 Adams

b ¿Tan poquito…? ¡Qué miserables!   2 Franco

c ¿Dónde era…a la izquierda…de frente… o la derecha…?   3 Juana la Loca

d Efectivamente, mi cocina no es eléctrica…   4 Bartolomé de las Casas

e ¡Malditos…sé que me mascan pero no me tragan…!   5 Víctor Hugo

f ¡Qué barbaridad, señora, cómo se ha puesto de vieja, gorda y fea…!   6 Confucio

g ¡Y a partir de hoy todos los españoles van a trabajar…!   7 Degas

patrimonio · arte · tradiciones · **empresas** · productos · **mercado** · personalidades · mestizaje · migraciones · historia · ciencia · sociedad

1 Lee el siguiente texto, subraya los verbos con formas irregulares en el pretérito indefinido y da su infinitivo.

El auge de pequeños negocios rentables

La franquicia entró en el mercado venezolano en los años 80, cuando empresas transnacionales de comida rápida como KFC, Burger King y Pizza Hut comenzaron a operar en el país. Estas empresas tuvieron que luchar por abrirse camino, pues los consumidores locales preferían sus restaurantes tradicionales de comida de paso. Con el tiempo se impusieron, e incluso un grupo de emprendedores venezolanos decidió imitar el concepto.

En 1982 abrió sus puertas Chip-a-Cookie, un negocio que bajo el régimen de franquicias vendía dulces y galletas. Tres años después, Caracas vio la instalación del primer restaurante Mc Donald's y su rápida expansión.

A principios de los 90 se establecieron en el país empresas franquiciadas con conceptos distintos a la comida rápida. Hicieron su aparición en el momento en que el 70 % de las existentes eran franquicias gastronómicas. Esta forma de organización empresarial siguió ganando mercado porque a los venezolanos les seducía cada vez más la idea de invertir en negocios dinámicos. Se organizaron conferencias, se editaron revistas especializadas, se tradujeron libros sobre el tema, se incluyeron materias en programas universitarios…

El despegue se dio en 1998. Hubo un verdadero auge y su crecimiento alcanzó el 20 % anual. De las setenta empresas franquiciadas, casi todas extranjeras, que operaban en 1996, se llegó a cerca de doscientas en 2002, de las cuales el 55 % pertenecía a emprendedores nacionales. Esto convirtió a Venezuela en uno de los mercados de mayor importancia en este sector, junto con Brasil, México y Argentina. El peligro vino de la propia efervescencia. Se produjo el nefasto encuentro entre potenciales inversionistas enormemente interesados en beneficiarse de ese crecimiento y una proliferación de emprendedores que no querían dejar pasar la oportunidad de vender franquicias, incluso las llamadas franquicias «chatarra»[1]. Los ingenuos inversionistas estuvieron llenos de sueños y durmieron tranquilos en el corto lapso que estas funcionaron. Tras la inevitable quiebra, muchos anduvieron de pleito en pleito intentando recuperar su capital. Frente a aquella situación, los consultores financieros se dijeron que debían educar a los ciudadanos y les advirtieron de los riesgos que conllevaba invertir antes de investigar. Mediante la creación de las «franquicias de baja inversión», los venezolanos supieron cómo hacer frente a la crisis económica del país. Se trataba de negocios de poca inversión y alta rentabilidad. Unidades móviles de venta, pequeñas instalaciones o quioscos, que manejaban dos empleados en promedio, ofrecían al consumidor productos de la gastronomía tradicional, preparados con normas internacionales de higiene, presentación y distribución. Fue así como las franquicias pudieron sortear la terrible coyuntura económica. Tal logro trajo a diferentes sectores de servicios al ámbito de las franquicias: telecomunicaciones, lavanderías y tintorerías ecológicas y puestos de venta de revistas, periódicos, golosinas y servicio de telefonía pública, entre otros.

Tras su consolidación en el mercado nacional, algunas franquicias gastronómicas quisieron exportar su concepto a otros países. Algunas lo lograron. Churromanía, una cadena que vende churros[2] rellenos de manjar blanco desde 1998, puso tiendas en Europa, Norteamérica, Centroamérica y el Caribe. La chicha venezolana[3] de la empresa Juan Chichero fue a Miami, Guayaquil, Quito, Tenerife, Costa Rica y Santo Domingo y se quedó.

[1] Franquicia que entra en un mercado sin poseer los conocimientos técnicos ni el apoyo suficiente para garantizar el éxito de sus franquiciados, quienes por lo general pierden su inversión.
[2] Buñuelos de forma cilíndrica que pueden tener relleno o estar bañados de azúcar, dulce de leche o chocolate.
[3] Bebida refrescante hecha con arroz, leche y especias.

2 Di si las afirmaciones siguientes son verdaderas o falsas.

V F

a El éxito de las primeras franquicias extranjeras en Venezuela fue inmediato.

b Los emprendedores nacionales se midieron al reto y abrieron cientos de negocios franquiciados a inicios de los años 90.

c El creciente interés de los venezolanos por las franquicias se tradujo en un desarrollo que colocó al país entre los primeros del mundo dentro de este sector.

d El crecimiento del sector atrajo a empresarios poco escrupulosos.

e Los empresarios invirtieron en las denominadas «franquicias de bajo costo» a fin de sortear una nueva crisis económica del país.

f Hoy la mayor parte de las franquicias gastronómicas venezolanas compite en mercados extranjeros.

3 Agrupa los verbos que subrayaste de acuerdo con su irregularidad.
Recuerda que estos verbos (salvo *ser, ir* y *dar*) tienen las terminaciones siguientes:

VERBOS EN -*AR*		VERBOS IRREGULARES	VERBOS EN -*ER* e *IR*	
é	→	e (sin acento)	í	
aste		iste	←	iste
ó	→	o (sin acento)	ió	
amos		imos	←	imos
asteis		isteis	←	isteis
aron		ieron	←	ieron

Verbos que en el radical toman una -*UV*	Verbos que en el radical toman una -*U*	Verbos que en el radical toman una -*J*	Verbos que en el radical toman una -*I*
Tener → tuv-	*Poder* → pud-	*Decir* → dij-	*Hacer* → hic-
		*Estos verbos pierden la «i» en la terminación de la tercera persona del plural. En lugar de «ieron», se usa «eron»	*Cuidado la «c» se transforma en «z» en la tercera persona del singular: *hizo*

4 Busca cómo se conjugan los verbos *ser, ir* y *dar*. ¿Qué particularidades presentan?

5 Los verbos de diptongo (*E→IE, O →UE*) que terminan en −*ir*, y los de radical débil (*E→I*) se conjugan con las terminaciones de los verbos regulares en −*ir*, pero cambian la «e» del radical por una «i» y la «o» por una «u» en la tercera persona del singular y del plural. Conjuga en el pretérito indefinido los verbos de diptongo terminados en −*ir* y los de radical débil que encontraste en el texto.

6 ¿Recuerdas qué tipo de irregularidad tiene el verbo *incluir* y todos los verbos que terminan en −*UIR*?

7 Crea tu propia franquicia de baja inversión, desarrollando un concepto diferente. Decide el nombre, el producto, los precios, el sector, la inversión, el tipo y la dimensión del local, el número de empleados, la mejor forma de promoción, el grupo social al que va dirigido…

patrimonio · arte · tradiciones · empresas · productos · mercado · personalidades · mestizaje · migraciones · historia · ciencia · sociedad

1 Lee el siguiente texto, encuentra el verbo en pluscuamperfecto y justifica su utilización.

Jopara: ¿la tercera lengua del Paraguay?

Jopara sintetiza en tres sonidos un fenómeno muy complejo y entrelazado en Paraguay: la mezcla del guaraní con el español. Este término designa también a la vez un plato a base de maíz y porotos y la forma de plantar dichos granos. He aquí la primera imagen: el maíz (amarillo) y el poroto (rojo) se plantan, crecen y se consumen juntos. Se trata de una mezcla particular en la que los elementos no se confunden, en los que cada uno conserva su color y su identidad.

En sentido estricto, el *jopara* escapa a la condición de lengua por su falta de normalización, si bien su estructura corresponde más a la del guaraní que a la del español. A este respecto resulta muy ilustrativa la denuncia que formula Augusto Roa Bastos (1917-2005) en su novela *El fiscal*. El célebre escritor califica el *jopara* de «horrendo dialecto […] que parece el habla idiota de la senilidad colectiva, el *ñe'e tavy*[1] del débil mental».

Paraguay es el único país latinoamericano donde una lengua indígena se ha mantenido como «lengua general», aunque la triste y contradictoria realidad nos muestra que pocos hablantes originarios han

sobrevivido a su propio idioma. Existen en la actualidad núcleos de población indígena, numéricamente muy reducidos: los pai tavyterã, los ava katu ete y los mbya.

Entre los dialectos indígenas y el guaraní paraguayo se ha abierto un abismo tan grande que a un guaraní-hablante un discurso mbya puede sonarle ininteligible. En primer lugar, porque los dialectos han conservado vocablos que el guaraní paraguayo ha suplantado por hispanismos y, en segundo lugar, porque la riqueza de la morfología y sintaxis arcaicas contrasta con las simplificaciones de la lengua mestiza.

En 1989, la escritora Margot Ayala de Michelagnoli publicó la novela

Ramona Quebranto, el primer texto narrativo de cierta extensión redactado en *jopara*. A través del discurso de Ramona y de otros personajes de su entorno retrata la existencia llena de quebrantos de los moradores de la Chacarira, barrio pobre de Asunción, refugio de la gente venida del campo en busca de pan y trabajo. Su obra se construye a partir de lo que propone en el prólogo: un explícito intento «de contribuir a elevar el jopara a nivel literario y, al mismo tiempo, un tímido aporte para la comprensión del bilingüismo paraguayo».

De 1994 a 1998, el Ministerio de Educación y Cultura, en el marco de la Reforma Educativa, promovió la enseñanza del guaraní, y de 1999 a 2007, la del *jopara*. David A. Galeano Olivera, Fundador y Director general del Ateneo de Lengua y Cultura Guaraní, en un artículo publicado en 2007, afirmaba que ese giro de 180 grados no había aportado nada positivo, pues el *jopara*, ese guaraní mal hablado, era el sinónimo de la mediocridad paraguaya, la fiel demostración de una pereza lingüística y mental.

[1] Ñe'e = lenguaje, tavy = idiota, tonto. Ñe'e tavy = el lenguaje del tonto, del idiota.

Los datos del último Censo Nacional de Paraguay (2002) muestran que un 50 % de la población es guaraní-hablante, un casi 25 % bilingüe (guaraní-español) y menos del 10 % hispanohablante.

2 ¿Qué es el *jopara*? ¿Cuáles son las diferentes acepciones de este término?

3 ¿Por qué un paraguayo que habla guaraní no puede entenderse con un indígena que habla el mismo idioma?

4 ¿Qué razones impulsaron a Margot Ayala de Michelagnoli a escribir su novela *Ramona Quebranto*?

5 ¿Qué piensa David A. Galeano Olivera sobre el *jopara*?

6 ¿Crees que enseñar el guaraní «puro» constituye el mejor medio de preservar la integridad de la lengua o te parece más adecuado enseñar el *jopara*?

7 Lee el siguiente fragmento de *Ramona Quebranto*, subraya las palabras que comprendas (no olvides que el *jopara* es una mezcla de guaraní y español) e intenta determinar quiénes son los personajes y de qué hablan.

Tereho Paraguaýpe emba'apo, che memby! Che apytáta kokuépe. Mientra tengo salú, via atender por tu criatura, dame nomá sapy'a py'a un poco de pirapire. Mandyju cosecha ha soja opa… no hay ete porvení. ¡Si te quedá aquí nemomembyjevýta pe bandido hína!

—Ndahaséi niko, mamita, che ko avy'a ko'ápe. Ajahe'óta mante ahejávo che valle pe.

—¡Paciencia! Tené que ir, campaña ndovaléi, todo tu prima etá todo en ciudá otrabaja porã.

8 Hoy en día existen numerosos fenómenos lingüísticos similares al del *jopara*. Por ejemplo: el llanito de Gibraltar (español andaluz e inglés), el papiamento de Curazao y Bonaire (español, portugués y holandés)… Estas lenguas de transición, fruto de diferentes colonizaciones, inmigraciones o circulaciones transfronterizas toman el nombre de pidgins. La Promotora Española de Lingüística ha localizado y catalogado 83 pidgins del mundo («pidgin» proviene de la palabra «business», derivado a su vez del pidgin anglo-chino).
Acude al sitio www.proel.org, pulsa en «lenguas del mundo» y luego en «pidgins». Escoge uno de tu interés y preséntalo

9 El término *spanglish* proviene del inglés *spanish* más *english*. No solo consiste en utilizar palabras en inglés en medio de frases en español, sino también en tomar una palabra inglesa y darle formas gramaticales españolas. Acude al diccionario del sitio http://members.tripod.com/~nelson_g/spanglish.html y crea tu propia frase en *spanglish*.

10 Un estudiante te va a leer la entrevista que *The Barcelona Review* le hace a Ilán Stavans, profesor de cultura latinoamericana en Amherst College (Massachussets) y traductor al *spanglish* del primer capítulo de *Don Quijote de La Mancha*. Después, elige la opción correcta.

En la grabación se dice que:

☐ a Ilán Stavans mezclaba el *yiddish* y el español cuando era niño.

☐ b El *franglais*, el *spanglish* o el *portuñol* son meras corrupciones lingüísticas.

☐ c El español del siglo XIII es una modalidad similar al *spanglish* actual.

Según la grabación, el *spanglish*:

☐ a Es una jerga callejera de escaso valor.

☐ b Es una lengua «loca» utilizada principalmente por los indocumentados.

☐ c Es una lengua despreciada por los intelectuales.

En la grabación se afirma que Ilán Stavans:

☐ a Va a traducir todos los capítulos de *Don Quijote de La Mancha*.

☐ b Piensa escribir un libro sobre los diccionarios.

☐ c Quiere crear la primera Real Academia de *Spanglish*.

Ilán Stavans
Fotografía: Jacqueline Zilberberg

1 Lee el siguiente texto.

Una medicina ancestral

Los kallawayas, grupo étnico cuyos orígenes se remontan a la cultura tiwanaku –600 a. de J. C. - 100 d. de J. C.–, viven hoy entre los habitantes de la comunidad aymara de la provincia Bautista Saavedra del departamento de La Paz (Bolivia). El término *kallawaya* significa «el que lleva las plantas curativas», derivación de *Qollasuyu*, que quiere decir «país de médicos y medicinas», nombre dado por los incas al territorio

Francisco Ninaconde, sanador kallawaya

comprendido entre el lago Titicaca, el norte de Chile, el noroeste de Argentina y la actual Bolivia.

Esta medicina ancestral se fundamenta no solo en un extraordinario conocimiento de la botánica (dominan las propiedades curativas de 980 plantas), sino también en rituales y ofrendas a la Pachamama (la Madre Tierra) y a los Achachilas (espíritus protectores de los antepasados que viven en las montañas, los lagos y los ríos).

Un aprendiz comienza a observar las plantas a la edad de siete años. Debe estudiar diez años con un médico-curandero, quien le enseña a distinguirlas, sus usos, el lugar donde crecen, la época de recolección y la manera de conservarlas. Los viajes desempeñan un papel preponderante en el complejo sistema kallawaya de transmisión y aprendizaje; y se planifican conforme al calendario aymara, cuyo primer día del año (21 de junio) coincide con el inicio de un nuevo ciclo agrícola. Estos largos periplos a pie, en burro o en llama, que pueden durar entre 3 y 4 meses, cumplen una doble finalidad: por un lado, maestro y discípulo profundizan y perfeccionan su ciencia y, por otro lado, ponen su saber al servicio de lejanas comunidades carentes de asistencia médica. Si bien en ocasiones aceptan dinero, ellos prefieren recibir hospedaje y comida a cambio de la ayuda terapéutica que brindan. Su radio de acción abarca regiones de Perú, Ecuador, norte de Chile y Argentina. Datos históricos afirman sin embargo que, en calidad de médicos itinerantes, llegaron a Panamá en 1914, durante la construcción del canal interoceánico. Realizaron una travesía de 4 meses, llevando en sus chuspas (pequeñas bolsas tejidas) hierbas y ungüentos a fin de ayudar en la lucha contra la malaria, enfermedad que ya en 1905 había causado 25 000 muertos entre los trabajadores de la primera fase de las obras.

En la medicina kallawaya se expresa una visión andina del mundo. Desde esta cosmovisión, el ser humano surge de la unión de tres elementos vitales: el *athun ajayu*,

fuerza divina que otorga las facultades de pensar, sentir y moverse; el *juchui ajayu*, cuerpo astral o anímico; y el cuerpo físico, donde se encuentran encarnados ambos *ajayus*. La pérdida del *athun ajayu* o del *juchui ajayu* entraña el desequilibrio y, como consecuencia, la enfermedad. El médico-sacerdote debe recurrir tanto a las plantas medicinales como a las ceremonias religiosas para lograr el retorno del *ajayu* y restablecer la unidad.

La hoja de coca ocupa un lugar de privilegio en los rituales de curación, pues desde tiempos remotos se la considera sagrada. Dicha terapia ha mostrado su eficacia en el tratamiento de la tuberculosis, los reumatismos y las diarreas; así como en problemas de hígado, riñones y corazón, y en un grupo de variadas dolencias que los kallawayas denominan «enfermedades del viento y de los relámpagos».

A lo largo de los siglos, los padres han transmitido oralmente su saber a los hijos varones, dejando en manos de las mujeres la atención de los partos y la salud infantil.

En 2004, en la ciudad de Curva, se realizó el acto de entrega del Hospital Kallawaya Boliviano-Español, creado con fondos de la Agencia Española de Cooperación Internacional (AECI) y el Ministerio de Salud boliviano. Médicos autóctonos y médicos de formación occidental lo comparten en condiciones de igualdad. La UNESCO declaró en 2003 la cosmovisión y la medicina kallawaya Patrimonio Oral e Inmaterial de la Humanidad. Se trataba de un reconocimiento a sus creencias, mitos, rituales, valores y prácticas curativas.

2 Completa las siguientes afirmaciones con las preposiciones *para* o *por* y luego di si son verdaderas o falsas.

V F

a La medicina kallawaya resulta adecuada _____ todo tipo de enfermedades.

b Los médicos y aprendices kallawayas prestan sus servicios _____ dinero.

c Según la cosmovisión andina, uno se enferma _____ haber perdido los ajayus.

d El Hospital Kallawaya Boliviano-Español es compartido _____ médicos autóctonos y médicos españoles.

e _____ tener solo siete años de edad, los aprendices kallawayas saben mucho sobre las plantas: las distinguen, conocen sus usos, la época de recolección y la manera de conservarlas.

f _____ su original visión del mundo, se le otorgó a la medicina kallawaya reconocimiento mundial.

g Los kallawayas viajan _____ 3 o 4 meses a pie, en burro o en llama a lo largo del continente sudamericano.

h Los médicos kallawayas salieron _____ Panamá porque querían extender su radio de acción y no limitarse a los países cercanos.

i _____ los kallawayas, el primer día del ciclo agrícola marca el inicio del cultivo de sus plantas medicinales.

j Los médicos kallawayas recorrieron la enorme distancia que separa Bolivia de Panamá _____ solidaridad.

k Los kallawayas viajaron hasta el canal interoceánico _____ ayudar a los 25 000 trabajadores que estaban enfermos de malaria.

l Todo debe estar listo _____ el 21 de junio, pues tienen que emprender su viaje _____ las regiones de Perú, Ecuador, norte de Chile y Argentina el primer día del año nuevo aymara.

3 ¿Estás a favor o en contra de la articulación de las medicinas tradicionales a la salud pública?

4 Investiga qué es la biopiratería.

5 ¿Piensas que la coca y la cocaína son la misma cosa?

6 Explica la diferencia entre estas dos frases.

a **Para mí**, la coca dejó de ser una planta sagrada cuando los occidentales extrajeron de ella la cocaína.

b **Por mí**, coca y cocaína pueden existir o desaparecer. Existen problemas más graves en el mundo.

7 Las comunidades indígenas de los países andinos están dedicadas a dar a conocer y promocionar la verdad sobre la milenaria hoja de coca, planta que consideran sagrada por sus propiedades nutritivas y espirituales.

Investiga en internet sobre la CocaColla y otros productos fabricados a partir de hojas de coca. Escribe un breve artículo sobre este tema. Utiliza la mayor cantidad posible de las preposiciones *para* y *por*.

Los Yungas, Bolivia

Hojas de coca

patrimonio   arte   tradiciones   empresas   productos   mercado   mestizaje   migraciones   historia   ciencia   sociedad

personalidades

1 Lee el siguiente texto, encuentra los adjetivos y pronombres posesivos y completa el cuadro que te damos a continuación

Corín Tellado: la reina de la novela rosa

Decía de sí misma que escribía como hablaba, sin utilizar el diccionario, y renegaba de los libros que no se entendían. Quizás por ello Corín Tellado, fallecida el 11 de abril de 2009 a los 81 años en su Asturias natal, mantuvo durante décadas, con sus cuatro mil títulos publicados y cuatrocientos millones de ejemplares vendidos, el título de escritora más leída en castellano después de Miguel de Cervantes.

María del Socorro Tellado López, verdadero nombre de Corín Tellado, era conocida de pequeña con el apodo de *Socorrín*, de donde surgió *Corín*. Los problemas económicos de la familia comenzaron a la muerte del padre. Su librero, al enterarse de que su joven clienta escribía novelas, la puso en contacto con la Editorial Bruguera. En 1946, *Atrevida apuesta* le permitió ganar tres mil pesetas, una cantidad importante en la época. Esta narración de los 18 años roza hoy las 36 reimpresiones. En 1951, cuando ya había escrito un centenar de historias de amor, firmó un contrato con la revista *Vanidades*, de gran difusión en toda Hispanoamérica, por el que se comprometía a entregar dos novelas cortas e inéditas al mes: la tirada de la revista pasó inmediatamente de 16 000 a 68 000 ejemplares quincenales.

La reina de los finales felices solo se enamoró una vez en su vida. De un marino, como su padre y muchos de sus personajes, que se casó con otra. El despecho la llevó a contraer matrimonio en 1959 con un hombre al que apenas quería y soportaba. Se separó de él cuatro años más tarde, pero no se divorció porque no tenía la intención de volverse a casar nunca más. Tuvieron dos hijos: Begoña y Domingo.

A fines de 1966 apareció *Corín Ilustrada*, colección quincenal de fotonovelas. De la primera, *Eres una aventurera*, se vendieron 750 000 ejemplares en una semana. En 1968, el ensayista y crítico literario Andrés Amorós publicó *Sociología de una novela rosa*, basándose en diez títulos suyos, y la obra de la autora se tradujo a numerosas lenguas. *Tengo que abandonarte* y *Mi boda contigo* fueron llevadas al cine en 1970 y en 1984, respectivamente. Una parte de su producción se convirtió también en seriales radiofónicos, como la famosa *Lorena*, que comenzó a emitirse en 1977. Entre 1978 y 1979, bajo el seudónimo de Ada Miller Leswy y Ada Miller, Corín publicó en la Editorial Bruguera 26 novelas eróticas de bolsillo. En 1986 la editorial se vino abajo y la escritora quedó libre de su contrato de exclusividad, que la había tenido presa durante 24 años. Empezó entonces a escribir cuentos infantiles y juveniles. En 1991 publicó su primera novela larga, *Lucha oculta*, que la autora consideraba su favorita. En el año 2000 publicó su primera obra en internet, *Milagro en el camino*. Pese a su delicado estado de salud, que desde 1995 la obligaba a someterse a tres sesiones de diálisis por semana, Corín Tellado siguió escribiendo hasta el final. A lo largo de su carrera obtuvo el reconocimiento de instituciones políticas y sociales.

ADJETIVOS POSESIVOS		PRONOMBRES POSESIVOS	
SINGULAR	PLURAL	SINGULAR	PLURAL

2 ¿Te gustan las novelas rosa? ¿Piensas que una escritora de novelas rosa es una verdadera escritora?

3 Aquí tienes algunos títulos de las novelas de Corín Tellado: *A ti te quiero más, Nos separaron los celos, Marcada para siempre, Disculpo tus pecados, Amargos sentimientos, Mi marido es un extraño.* Escoge uno de ellos, escribe una sinopsis de la historia y crea un diálogo donde utilices los adjetivos y pronombres posesivos.

4 Relaciona cada fragmento de la columna A (preguntas del periodista que aparecen ordenadas) con un solo fragmento de la columna B (respuestas del entrevistado que aparecen desordenadas).

COLUMNA A

1 ¿Era una «atrevida apuesta» su primera novela?

2 ¿Siempre ha intentado ser una mujer independiente?

3 ¿Cómo ve Corín Tellado la liberación de la mujer?

4 Más de 4000 novelas escritas, ¿la imaginación no tiene fin?

5 ¿Hay algo de Corín en sus novelas?

COLUMNA B

A No estoy en contra del hombre, pero la mujer está brincándole encima, solo hay que mirar las facultades universitarias. Las mujeres están empeñadas en subir por encima del hombre. Yo no. El hombre tiene su papel y la mujer el suyo.

B No, debo de tener mucha suerte. Hilvano un argumento en 5 minutos. Las historias de la vida cotidiana me inspiran. Ahora estoy metida en la historia de una chica que se separa y nadie sabe muy bien el porqué. Yo recopilo las vivencias de la calle y las acoplo a mis cosas.

C A Corín le ha tocado sufrir mucho y yo siempre escribo de gente de la alta sociedad rodeada de lujos. No es mi caso. Yo me meto en el personaje, pero nunca escribo sobre mí ni sobre mi estado de ánimo. Puedo llegar a narrar la escena más sensual y erótica que te puedas imaginar y estoy sentada en el despacho de mi hijo, tapadas las rodillas con una manta, tomando un chocolate.

D Sí, porque tenía 18 años. Era además una historia de marinos donde ponía besos y nadie los había puesto en aquella época. Sigo preguntándome de dónde saqué todas esas ideas.

E Desde los 17 años fui libertaria sin llegar a extremos, no fui frívola, era seria y sigo siéndolo. Creo que el dinero no es para tanto, te da poder, yo lo tenía. Cuando murió mi padre empecé a publicar. Lo más importante es que conseguí esa independencia, esa forma de vivir en la que ya no necesitas de nadie.

SUPLEMENTO

CULTURA SOCIEDAD ECONOMÍA LENGUA DATOS

LAS FASCINANTES LAGUNAS LUMINISCENTES

Puerto Rico cuenta con tres de las aproximadamente siete lagunas luminiscentes que existen en el mundo. Estas lagunas se encuentran en la bahía de Puerto Mosquito (isla de Vieques), en la bahía de Fajardo y en la bahía de La Parguera (costa este y costa sur puertorriqueñas, respectivamente).

Los microorganismos acuáticos llamados dinoflagelados son los que originan este fenómeno lumínico en las bahías boricuas[1]. Los dinoflagelados producen una reacción química cuando se agitan, bien acariciados por un pez volador, por las infinitas sardinas que desovan, por las hélices de un bote motorizado o por los nadadores.

En la bahía de Puerto Mosquito, una de las más brillantes del mundo, al punto de que se puede leer el periódico sentado en un bote, se ha registrado hasta un millón de dinoflagelados por galón, mientras que en la de La Parguera, cuya luminiscencia se ha reducido en un 88 % en los últimos años a causa de la contaminación, las concentraciones tope alcanzan solo ciento veinte mil por galón.

Estudios realizados coinciden en señalar que las condiciones idóneas se dan gracias a la existencia de bosques marinos. Los mangles funcionan, en efecto, como zonas de transición o filtros entre lo marino y lo terrestre, lo cual facilita la permanencia de los dinoflagelados dentro de las bahías.

Otros requisitos fundamentales para la preservación del ecosistema son: salidas angostas al mar, poca profundidad, escasa precipitación, elevado índice de evaporación, salinidad, altas temperaturas y ausencia de contaminantes. Lamentablemente, el acceso desmedido y sin control de embarcaciones de motor, el desarrollo urbano y hotelero, la tala del mangle, la intensidad de la iluminación artificial y la pobre planificación en el uso de los terrenos en las zonas cercanas amenazan este tesoro biológico.

Si desea salvaguardarlo, debe visitar las lagunas en canoa y no bañarse, pues el sudor, los perfumes, las cremas de protección solar o los productos repelentes de mosquitos afectan a estos microorganismos.

[1] Boricua: sinónimo de puertorriqueño. La palabra proviene de «Borikén», como llamaban los indios taínos a la isla.

1 La Oficina de Turismo de Puerto Rico te ha encargado una campaña publicitaria para sensibilizar al público sobre la salvaguardia de estas lagunas. Decide las estrategias que se pueden aplicar y elabora un cartel o una página web con información, imágenes y un lema.

2 Acude a internet, busca la Lista del Patrimonio Mundial y selecciona un bien del patrimonio natural de América Latina, España o tu país de origen, y preséntalo.

3 Los indios taínos fueron la cultura amerindia prehispánica más importante de las Antillas Mayores (Cuba, La Española –Haití y la República Dominicana–, Puerto Rico, Jamaica y las Bahamas). De esta cultura subsisten algunos términos que la Real Academia de la Lengua Española incluye en su diccionario. ¿Cómo se dicen estas palabras en tu lengua?

ají	canoa	guayacán	mamey	barbacoa	carey
huracán	maní	caimán	enagua	maíz	yuca

Escultura taína

«El *reguetón* ha perdido realidad»

Entrevista con René Pérez, líder del mítico grupo puertorriqueño **Calle 13**

¿Qué tipo de música hace Calle 13?

Mira, Calle 13 hace música urbana, lo que hacía en su origen el *reguetón*, cuando decía cosas que pasaban en los barrios. Había un mayor compromiso con el pueblo, más allá de mover la cintura. Hoy el *reguetón* se ha vuelto completamente pop, el *reguetón* ha perdido realidad. Nosotros no, por eso digo que Calle 13 hace música urbana.

¿Calle 13 dice en voz alta lo que los demás piensan y se callan?

Calle 13 dice lo que quiere, y si los demás no lo dicen es porque no se atreven, porque no quieren tener problemas con el apoyo que les dan las disqueras o porque pueden perder aficionados. Es verdad que con las cosas que digo me he buscado mil problemas, pero soy auténtico. No son muchos los artistas que se atreven a tomar una postura.

¿Qué crítica le haces a la sociedad puertorriqueña de hoy?

Puerto Rico es mi país, y no te imaginas el orgullo que me produce ser puertorriqueño. Tengo, eso sí, una tristeza: carecemos de un contacto más directo con los latinoamericanos. Somos Puerto Rico, la isla dominada por los Estados Unidos y estamos contagiados con lo que pasa allá y no con el resto del continente.

¿Te gusta más actuar ante el público latinoamericano que, por ejemplo, actuar en Nueva York?

Al revés, yo quiero llegar a los latinos que viven en Nueva York porque quizás ellos también desconocen lo que pasa más allá de sus fronteras.

A raíz de tu trabajo recibiste críticas de la derecha y de la Iglesia, ¿eres un artista de izquierda?

No, porque eso me parece encasillarme. Soy simplemente alguien que no pierde la oportunidad de decir lo que piensa cuando está ante un micrófono. Mi sensibilidad me permite captar hechos que a otros les pasan desapercibidos. A ciertas personas les molestan mis letras, pero yo no las escribo. Son ellas quienes lo hacen, yo solo repito sus palabras.

Adaptado de: *El Astillero*

 Lee estos versos de *La Perla*, una canción de Calle 13 en honor a Puerto Rico. ¿Cuáles son los temas evocados? Explícalo.

La Perla

Un arco iris con sabor a piragua, gente bonita rodeada por agua
Los difuntos pintados en la pared con aerosol…
Y los que quedan jugando basquetbol,
Un par de gringos que me dañan el paisaje
Vienen tirando fotos desde el aterrizaje…
La policía que se tira sin pena rompiendo mi casa pa'[1] cobrar la quincena
Aquí nació mi mai[2], hasta mi bisabuela… este es mi barrio, yo soy libre como Mandela

---

[1] para
[2] mami, mamá

 Escribe una estrofa de *reguetón* en honor a tu barrio, evocando los problemas sociales —si los hay—, las costumbres y el paisaje.

La biotecnología «made in» Puerto Rico y la bioética

A finales de la década de los 70 comenzó el auge de la industria farmacéutica en Puerto Rico. No se trataba de un desarrollo fundamentado en recursos locales, más bien en la continuación del llamado «modelo de industrialización por invitación», es decir, incentivos contributivos al capital, disponibilidad de mano de obra barata, libre acceso al mercado norteamericano y moneda común. En 2006, la biotecnología asumió un carácter protagónico en las políticas públicas, al punto de que el gobernador de Puerto Rico anunció recientemente su intención de hacer de la isla la «Meca de la Biotecnología». Este objetivo plantea interrogantes bioéticos a los que la sociedad debe responder. Los ciudadanos tienen que saber cuáles son los productos que van a elaborarse en el país y sus efectos positivos o negativos a corto y largo plazo para decidir si los aceptan o no.

La historia humana ha demostrado que no podemos vivir sin algún tipo de biotecnología. Necesitamos domesticar la naturaleza y ponerla a nuestro servicio. La primera versión de la biotecnología, la «biotecnología de primera generación», hizo posible la confección de quesos, la manufactura mediante fermentación de la cerveza y otras bebidas espiritosas. Se ensayó el cruce de animales y plantas para producir mejores especímenes e incrementar el rendimiento de las prácticas agrícolas. Desde hace unos 10 000 años, la agricultura supone el manejo y alteración de los terrenos, así como el uso de abonos orgánicos que aumentan la calidad de las cosechas. Tal inventiva ha producido industrias, empresas familiares, prestigio entre los enólogos y un sinfín de redes de intercambio de productos y servicios.

Hasta hace poco la ciencia biológica se limitaba a describir, explicar y predecir los fenómenos relacionados con la vida de las especies. Ahora no solo describe sino que, gracias a las técnicas de la biotecnología, altera, modifica, corrige rasgos hereditarios e incluso crea nuevos seres inéditos en la naturaleza –animales y plantas transgénicos–.

La Iglesia católica y otras confesiones religiosas se oponen a la clonación de las células madre y su puesta al servicio de la salud y la extensión de la vida humana, así como a las nuevas tecnologías de «reprogenética[1]»: fertilización *in vitro,* uso de vientres sustitutos… Algunos ecologistas sostienen que la biotecnología puede alterar peligrosamente el equilibrio logrado por la naturaleza a lo largo de millones de años y, de ese modo, romper la continuidad de la vida en todas sus manifestaciones. Muchos ciudadanos piensan que el orden «natural» de las cosas es bueno en sí mismo, un orden superior, legítimo, y que modificarlo constituye el colmo de la soberbia humana. En esto coinciden con los activistas de la ecología profunda y su rechazo a toda alteración, modificación y manipulación del mundo biológico.

Fuente: *Biotecnología y ethos puertorriqueño*

[1] Término que hace referencia a la unión de tecnologías de reproducción asistida e ingeniería genética.

---

1 La clase se coloca en círculo, elige un moderador, quien deberá conceder la palabra en el orden de solicitud, fijar los tiempos de participación (no más de 2 minutos), centrar el tema si hay divagaciones y enunciar una conclusión general. El debate se centrará sobre si ¿Es éticamente lícito…

a elegir el sexo de los bebés valiéndose de los conocimientos genéticos de que ya disponemos?

b destruir los embriones sobrantes que se obtuvieron por la técnica de fertilización *in vitro* en clínicas de fertilización?

c decidir tener un hijo para utilizarlo como donante de médula ósea con el fin de salvar la vida a un hermano con leucemia?

d diagnosticar precozmente enfermedades genéticas de evolución fatal, cuando la persona está todavía sana e ignora su destino?

e permitir pruebas genéticas para determinar la compatibilidad entre parejas y así evitar el nacimiento de criaturas con enfermedades neurodegenerativas?

f clonar seres humanos?

g limitar el desarrollo de la ciencia porque va en contra de los principios de una parte de la sociedad?

LITERATURA «NEORRIQUEÑA»

Desfile del día de Puerto Rico en Nueva York

A los franceses no les cabe duda de que cuando hablan de literatura francesa, esta se escribe en francés. Para los españoles se vuelve un poco más complicado, ¿por qué?, porque en el territorio de España coexisten varias lenguas (catalán, euskera, gallego y español) con sus propias literaturas. ¿Un escritor que escribe en catalán contribuye con su obra a la literatura de España? Claro que sí. En Puerto Rico pasa algo similar, aunque no con una lengua nativa del país[1], sino con una extranjera: el inglés, y con un código lingüístico que desafía toda normalización: el *spanglish*. Esto es tema de debate entre los intelectuales: ¿El concepto de literatura puertorriqueña debe abarcar los textos producidos por escritores de origen boricua que viven y escriben en Estados Unidos?

Existen básicamente tres puntos de vista bien diferenciados:

1 Muchos intelectuales de la isla consideran que aquellos textos no pueden formar parte de la literatura puertorriqueña. Incluir dentro de ese corpus una literatura escrita en inglés significa claudicar, ignorar la lucha que Puerto Rico ha librado para mantener el español como lengua oficial frente al inglés.

El escritor Miguel Algarín

2 Algunos intelectuales «neorriqueños» –puertorriqueños nacidos o radicados en Estados Unidos– afirman que el ir y venir entre dos culturas e idiomas diferentes vuelve a esa producción literaria única y difícilmente encasillable.

3 Otros intelectuales de la isla y «neorriqueños» sostienen que tanto los textos escritos en español como en inglés o *spanglish* integran la literatura puertorriqueña, dado que una nación se define más por su historia que por la lengua. La historia de Puerto Rico no puede comprenderse sin su estrecha relación con los Estados Unidos.

La literatura «neorriqueña» ha logrado una forma de expresión literaria propia. Es una literatura de rescate y de afirmación colectiva, pero también de intersección de identidades. Y cómo no iba a ser de esta manera, si lo que nutre a esos textos es la realidad de una comunidad que se desarrolla entre dos mundos y culturas diferentes dentro de la ya multicultural sociedad norteamericana.

[1] El taíno fue desapareciendo a medida que los aborígenes morían diezmados a causa de enfermedades desconocidas antes de la conquista española o como resultado de sus bárbaras condiciones de explotación.

---

1 El poeta Jaime Carrero fue quien utilizó por primera vez el término «neorriqueño», en un poemario bilingüe que publicó en 1964. ¿Qué palabras, en tu opinión, han sido unidas para crear este término?

2 Resume los tres puntos de vista sobre el concepto de literatura puertorriqueña.

3 ¿En tu país existen literaturas de este tipo?

4 ¿Crees que la literatura «neorriqueña» forma parte del patrimonio literario de América Latina o del mundo anglosajón? ¿Por qué?

5 ¿Conoces cuáles son las razones de la proximidad entre Estados Unidos y Puerto Rico? Escucha la grabación.

Puerto Rico

CULTURA SOCIEDAD ECONOMÍA LENGUA **DATOS**

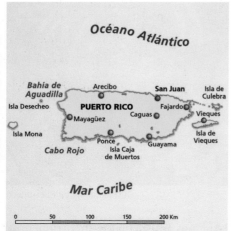

Océano Atlántico

Bahía de Aguadilla · Arecibo · San Juan · Isla de Culebra
Isla Desecheo · **PUERTO RICO** · Fajardo · Vieques
Isla Mona · Mayagüez · Caguas · Isla de Vieques
Cabo Rojo · Ponce · Isla Caja de Muertos · Guayama

Mar Caribe

0   50   100   150   200 Km

Orígenes del nombre: Cristóbal Colón, quien llegó a la isla de Borikén – denominada así por los nativos de la tribu taína– durante su segundo viaje, la llamó San Juan Bautista. Al puerto se lo bautizó Puerto Rico, en referencia a las riquezas que de allí partían. Con el pasar de los años se intercambiaron los nombres: Puerto Rico pasó a ser San Juan y San Juan, Puerto Rico.

Capital: San Juan

Superficie: 8870 km²

Población: 3 958 128 habitantes en la isla y más de cuatro millones de origen puertorriqueño en Estados Unidos

Moneda: dólar estadounidense

Gentilicio: puertorriqueño

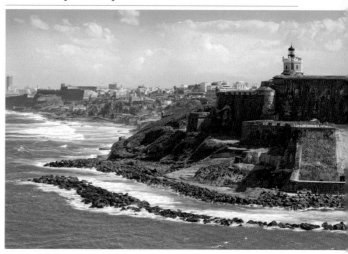

Situación política

Puerto Rico, oficialmente Estado Libre Asociado de Puerto Rico, es una nación (en el sentido de identidad sociocultural) cuyo ordenamiento jurídico corresponde al de un territorio no incorporado de los Estados Unidos. Eso significa que Puerto Rico pertenece a Estados Unidos, pero no forma parte de él. La moneda, la defensa, las relaciones exteriores y en gran medida el comercio entre estados caen bajo la jurisdicción del Gobierno Federal. Puerto Rico tiene autonomía fiscal y el derecho de cobrar impuestos locales. Los puertorriqueños son ciudadanos estadounidenses desde 1917 (Ley Jones), aunque no votan en las elecciones presidenciales porque solo los estados y territorios incorporados gozan de la prerrogativa de celebrarlas. Pueden hacerlo si poseen residencia legal en uno de esos estados o territorios.

Economía

Puerto Rico tiene una de las economías más dinámicas y diversas de América Latina. Existen numerosas empresas multinacionales en el sector farmacéutico, electrónico, textil, petroquímico y biotecnológico. La manufactura y la industria de servicios (incluido el turismo) han reemplazado a la agricultura como principal generador de ingresos. El ganado y la producción de artículos lácteos sustituyeron a la industria azucarera.

Lenguas

Si bien el español comparte el estatus de idioma oficial con el inglés, la totalidad de la población utiliza el español como lengua de comunicación. Menos de un 3 % es bilingüe.

Religión

La Iglesia católica cuenta con el mayor número de seguidores. Un grupo religioso que muchos califican de secta, la congregación Mita, gana cada día más feligreses. Los «mitas» afirman que el Espíritu Santo se manifestó nuevamente a la humanidad a través de Juanita García Peraza, una mujer puertorriqueña. También se practica la santería, un sistema de cultos que surge cuando los esclavos africanos tienen que identificar a sus deidades con santos católicos para poder seguir venerándolos.

> Dominio de internet: www.pr
> Gobierno: www.gobierno.pr
> Directorio de empresas: www.directoriodepr.com
> Cámara de comercio: www.camarapr.org
> Compañía de Turismo de Puerto Rico: www.gotopuertorico.com
> Diarios: www.elnuevodia.com, www.vocero.com, www.claridadpuertorico.com

unidad 4

60 | UNIDAD 4

Honduras

arte · tradiciones · empresas · productos · mercado · personalidades · mestizaje · migraciones · historia · ciencia · sociedad

patrimonio

1 Lee el siguiente texto.

La «Ciudad Blanca»: una ciudad precolombina perdida en la selva tropical

En algún lugar, perdida en la impenetrable y extensa selva tropical del noreste de Honduras, existe una ciudad milenaria de color blanco refulgente.

Según las narraciones orales de los indios pech[1], la llamada «Ciudad Blanca» fue construida por los dioses, y en aquella ciudad de grandes columnas de piedra y figuras esculpidas vivían sus ancestros.

Hernán Cortés, en la Quinta relación (1526) que envió al emperador Carlos V, declara tener noticias de una ciudad, a ocho o diez jornadas de la villa de Trujillo, que iguala en población y riqueza al propio Tenochtitlán.

En 1544, Cristóbal Pedraza, obispo de Honduras, reseña en una carta dirigida al emperador su expedición al este de la selva Mosquitia y menciona que desde lo alto de una montaña se podía divisar un extenso territorio, cuya ciudad principal, se decía, estaba llena de tesoros.

Siglos después, en 1939, el estadounidense Theodore Morde se internó en la selva y, al cabo de cinco meses, descubrió las ruinas de un templo.

En el libro que publicó años más tarde, *The city of the monkey god*, el explorador dice que encontró un vasto complejo amurallado, en cuyo centro se alzaba una estructura piramidal. Dos inmensas estatuas (la de una araña a la derecha y la de un cocodrilo a la izquierda) flanqueaban la escalinata por la que se accedía a la plataforma superior, donde se erguían la colosal figura de un mono y un altar de sacrificios.

Theodore Morde decidió guardar en secreto el emplazamiento exacto de la «ciudad perdida del dios Mono», como la denominó, a fin de evitar posibles saqueos. De hecho, nadie nunca pudo saber dónde se hallaba, pues un vehículo atropelló al explorador mientras se dirigía al instituto londinense que iba a financiar su nueva expedición a la selva.

En noviembre de 1997, bajo los auspicios de la Sociedad para la Exploración y la Protección de la Historia de las Américas (SEPHA), se emprendió un proyecto para localizar e identificar con precisión las ruinas de la «Ciudad Blanca». La Agencia Espacial Europea (ESA/ESRIN) en Italia y la Agencia Nacional de Desarrollo Espacial de Japón (NASDA) asumieron la parte del proyecto correspondiente a la teledetección. Privateers N.V., una compañía privada de expertos en Teledetección y Agrometeorología, registrada en la Cámara de Comercio de San Martín (Sint Maarten, Antillas holandesas), afirma que el 3 de abril de 1999 una expedición SEPHA alcanzó, junto con su propio equipo, el área de «Ciudad Blanca» y confirmó definitivamente la existencia de la ciudad precolombina.

[1] El origen de los indios payas resulta desconocido. Hablan la lengua pech, nombre bajo el cual también se los conoce.

2 Completa los espacios en blanco con el pretérito perfecto o el pretérito indefinido.

a   Los saqueadores (huir) _____ cuando la estatua del dios Mono comenzó a hablarles.

b   La nitidez de las imágenes SAR[1] (mejorar) _____ en los últimos años, tras la incorporación de nuevos filtros de realce.

c   Theodore Morde (entrever) _____ similitudes entre el prehistórico dios Mono y el dios mono Hanuman, adorado desde hace decenas de siglos en la India.

d   A la muerte del explorador (surgir) _____ rumores de asesinato, sin embargo no (hacerse) _____ hasta ahora ningún intento por iniciar una investigación.

[1] El SAR (Radar de Apertura Sintética) permite obtener imágenes terrestres de alta resolución desde satélites, incluso a través de cielos nublados.

3 Escucha la siguiente grabación, toma notas y di cómo se llama cada personaje y qué lo caracteriza.

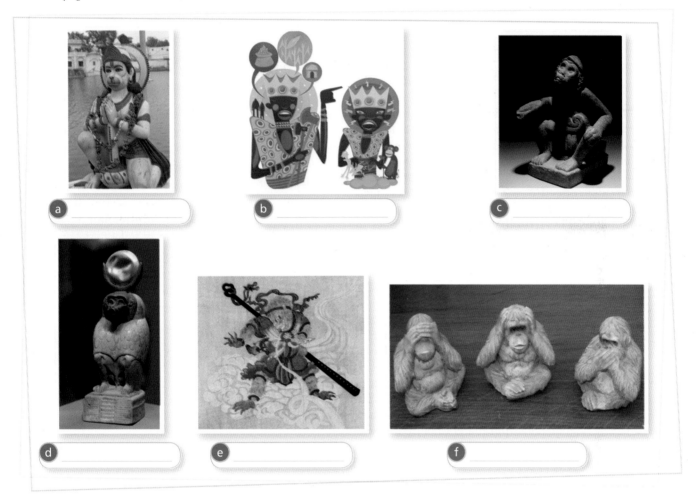

a _____

b _____

c _____

d _____

e _____

f _____

4 ¿A qué religión pertenecen estos símbolos?

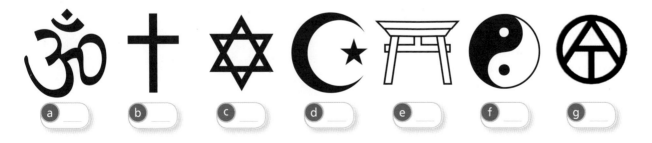

a ____   b ____   c ____   d ____   e ____   f ____   g ____

1 cristianismo   2 islam   3 ateísmo   4 hinduismo   5 taoísmo   6 judaísmo   7 sintoísmo

5 Prepara una breve exposición sobre una de estas religiones u otra que te interese.

patrimonio · arte · tradiciones · empresas · **productos** · mercado · personalidades · mestizaje · migraciones · historia · ciencia · sociedad

1 Lee este artículo. Observa el uso del pretérito indefinido y del imperfecto.

El oro en El Salvador

El suelo salvadoreño guarda en sus entrañas importantes yacimientos de oro. La reciente crisis financiera y la reducción de la producción minera en el mundo ha disparado el precio del metal. El Ministerio de Medio Ambiente y Recursos Naturales de El Salvador **concedió** en 2002 un permiso de prospección a la empresa canadiense Pacific Rim Mining Corporation. Esta **invirtió** más de ochenta millones de dólares en estudios y excavaciones para determinar la viabilidad de la extracción minera. Se estima que los yacimientos del departamento de Cabañas (centronorte del país) encierran 1,2 millones de onzas de oro de alta pureza y más de 7,5 millones de onzas de plata, lo que representa cerca de dos mil millones de dólares de ganancias. En 2008, el gobierno **se negó** a otorgarle los permisos de explotación minera ante la presión de los pobladores, que **temían** la contaminación del río Lempa y de sus tierras, de ecologistas, de organizaciones civiles e incluso del clero. Los obispos católicos **publicaron** una declaración donde **advertían** que ninguna ventaja material **superaba** el valor de una vida humana. Pacific Rim **inició** entonces un juicio contra El Salvador en el Centro Internacional de Arreglo de Diferencias Relativas a Inversiones (CIADI) del Banco Mundial. La empresa **alegó** que el país había violado el tratado de libre comercio que existe entre la República Dominicana, Centroamérica y los Estados Unidos (DR-CAFTA, por sus siglas en inglés) y la ley salvadoreña de inversiones. Como Canadá no forma parte de ese tratado, Pacific Rim **presentó** la demanda a través de su empresa subsidiaria Pacific Rim Cayman LLC, radicada en Nevada, Estados Unidos. Por ello, esperan recibir un pago compensatorio de cien millones de dólares y la emisión de la licencia de explotación minera.

En palabras de Pacifc Rim, la explotación de la mina de El Dorado puede desempeñar un papel muy importante en la expansión económica de El Salvador, cuanto más porque la tala desmedida y la quema extensiva que deja la actividad agrícola de subsistencia ha devastado la mayor parte del territorio nacional. **Insistió** además en que sus operaciones no **implicaban** ninguna amenaza ambiental, pues su procesamiento del oro se **ajustaba** a los requerimientos de la minería verde. Según los expertos ambientales, el cianuro, que se emplea en la extracción del oro y la plata de las rocas, va a contaminar el río Lempa, la fuente más importante de agua potable del país. Por otra parte, quienes **apoyaban** la explotación minera salvadoreña piensan que **se cometió** un grave error al no haber concedido los permisos necesarios a Pacific Rim. Con tal actitud **se creaba** un ambiente hostil a las inversiones extranjeras, motor de desarrollo económico y social.

2 ¿Qué llevó al gobierno salvadoreño a negarle los permisos de explotación minera a la empresa Pacific Rim?

3 ¿Cómo reaccionó la empresa? ¿De qué subterfugio se valió para presentar su demanda?

4 A tu parecer, ¿resulta favorable o desfavorable para El Salvador la explotación de sus yacimientos auríferos?

5 La clase se divide en dos grupos. Uno representará los intereses de la empresa Pacific Rim y el otro defenderá la posición del gobierno salvadoreño. Ambos grupos de abogados deben presentarse ante la CIADI y exponer sus argumentos. Con el fin de prepararte mejor, busca información en internet sobre la minería verde, la Mesa Nacional frente a la minería, la empresa Pacific Rim.

6 Rechazo internacional a la explotación minera. Completa las frases con pretérito indefinido o imperfecto.

a En 2005, cinco años después de la firma de la Declaración de Berlín contra la minería que utiliza cianuro, 22 organizaciones de la sociedad civil internacional (hacer) _____ un severo llamado de atención a los gobiernos y a las compañías mineras porque (seguir) _____ teniendo prácticas mineras irresponsables que (destruir) _____ el medio ambiente.

b Costa Rica (anular) _____ la concesión a Industrias Infinito S.A., para desarrollar el proyecto minero Crucitas. La empresa subsidiaria de la canadiense Vannessa Ventures (pretender) _____ extraer 656 000 onzas de oro en diez años.

c En Argentina, durante el referendo que el pueblo de Esquel (organizar) _____ en marzo de 2003, el 81 % de los votantes (oponerse) _____ a la mina a cielo abierto que la empresa canadiense Meridian Gold (querer) _____ explotar.

d En noviembre de 1998, la población de Montana (rechazar) _____ la minería a cielo abierto y a partir de 1999 (quedar) _____ prohibida en ese estado de los Estados Unidos.

7 La minería: explotación no sustentable. Clasifica las palabras subrayadas según las siguientes categorías.

Minerales	Medioambiente	Productos tóxicos

La minería a cielo abierto es una actividad industrial de alto impacto ambiental, social y cultural. Los minerales se obtienen deforestando y removiendo la capa superficial de la tierra, que da vida a la flora y la fauna. A través de esta destrucción se llega a extensos yacimientos de minerales contenidos en rocas, las cuales hay que pulverizar, aplicarles cianuro, agua y zinc para sacar el oro y la plata. La explotación minera modifica la morfología del terreno, apila grandes cantidades de material estéril, contamina la capa freática, destruye bosques, áreas cultivadas, viviendas… Puede alterar el curso de los ríos, destruir la pesca y crear lagunas o pantanos con aguas tóxicas. El polvo, los combustibles tóxicos y vapores de cianuro, mercurio o dióxido de azufre contaminan el aire. En la explotación se utilizan enormes cantidades de agua, el equivalente al consumo de 30 000 familias.

8 ¿Qué opinas?

	Sí	No	Depende
a Se tiene que prohibir definitivamente la extracción minera.	○	○	○
b Anular las concesiones mineras perjudica la imagen internacional del país y disminuye las inversiones extranjeras.	○	○	○
c La existencia de los tribunales internacionales pone en tela de juicio la soberanía de un país sobre sus recursos naturales.	○	○	○
d La total preservación de los recursos naturales pone en riesgo nuestra supervivencia.	○	○	○

1 Lee el siguiente texto. Observa los verbos en negrita.

Jorge Eliécer Gaitán: el caudillo del pueblo

Colombia **entró** en el siglo xx con la llamada Guerra de los Mil Días (1898-1902). Aquel conflicto bélico **significó** la hegemonía del Partido Conservador hasta la década de los 30. La crisis mundial de 1929 **generó** una serie de cambios en la situación interna económica, política y social colombiana. En 1930 **llegó** al poder un presidente liberal, quien **reconoció** a los sindicatos e **introdujo** el derecho a la huelga. Hacia 1946, el ambiente se volvía cada vez más tenso y polémico porque el programa reformista no **había respondido** a las demandas del sector popular y de los trabajadores. Esto **conllevó** el resurgir del Partido Conservador y su triunfo en las elecciones. Cabe señalar que cada elección presidencial generaba un ambiente de violencia partidista. Las diversas oligarquías regionales ejercían una imposición de voto a través del soborno, la represión e incluso el asesinato.

Jorge Eliécer Gaitán, político nacido en un medio modesto, disidente del partido liberal e influido por el socialismo, **encabezó** uno de los movimientos populares más importantes del siglo xx. En sus discursos denunciaba la ineptitud e ineficacia de los gobernantes y del régimen bipartidista, que a lo largo de 150 años **había**
consumido al país. La oligarquía, tanto liberal como conservadora, **había arrastrado** al pueblo a la intolerancia y al sectarismo. Contaba con el apoyo de miles de obreros y campesinos, porque proponía transformaciones económicas y sociales para lograr una sociedad más justa.

En la tarde del 9 de abril de 1948, poco después de salir de su oficina, Jorge Eliécer Gaitán **fue** asesinado. Este hecho **desató** el llamado «Bogotazo», un levantamiento popular espontáneo que **causó** cientos de civiles muertos, saqueos, incendios en todo el país y la casi total destrucción del centro de la capital.

A juicio de muchos historiadores colombianos, el 9 de abril de 1948 constituye el inicio y el fin de un periodo. Antes de ese año existía una violencia ligada a las redes clientelistas de los dos partidos políticos; después **empezó** la violencia que **hizo** tomar a Colombia rumbos muy complejos. Por un lado, **se consolidaron** las guerrillas liberales y comunistas y, por otro lado, el ejército **se sumó** a este escenario de tradicional hegemonía bipartidista, cuando el general Gustavo Rojas Pinilla **dio** un golpe de Estado en 1953 y **creó** una tercera fuerza política.

2 Conjuga los verbos en pretérito indefinido o pretérito pluscuamperfecto.

El asesinato de Gaitán (ocurrir) _____ el 9 de abril de 1948 a la 1.05 de la tarde, le (disparar) _____ tres tiros por la espalda. En su agenda figuraba que (conceder) _____ una cita a la 1.30 de ese mismo día a un joven estudiante cubano, Fidel Castro, que obviamente nunca (darse) _____ . El asesinato (provocar) _____ una violenta reacción popular y una terrible represión gubernamental. Al supuesto asesino, Juan Roa Sierra, lo (linchar) _____ y (arrastrar) _____ . Nadie (poder) _____ contener a la turba, que (armarse) _____ y atacaba las ferreterías y las tiendas donde se vendían armas de caza. Algunos oficiales de policía (entregar) _____ sus armas. La guardia presidencial y
francotiradores apostados en los edificios más altos cercanos al Palacio de la Carrera (en ese entonces residencia de los presidentes de Colombia) impedían el avance de la multitud. (Surgir) _____ cinco tanques. La gente (creer) _____ que venían a apoyar la insurrección, pero no era así: al llegar a la plaza, (girar) _____ y (disparar) _____ contra ella. (Morir) _____ unas 300 personas. Los amotinados (reaccionar) _____ replegándose en las calles y almacenes, destruyendo todo lo que encontraban a su paso. La violencia (expandirse) _____ por el resto del país. Actualmente, el cuerpo de Gaitán reposa en su última residencia, convertida en museo, situada en la calle 42, n.º 15-52 de Bogotá.

3 Si quieres saber más sobre la historia del «Bogotazo», busca este reportaje en YouTube: *El Asesinato De Gaitán. Historia Secreta Bogotá*.

4 Aquí tienes dos personalidades que aparecen en los billetes colombianos. Completa su respectiva biografía con los verbos del recuadro conjugándolos en pretérito indefinido.

> realizar merecer obtener bloquear viajar ocupar gozar prohibir abrir nacer uniformar especializarse ser emprender implantar municipalizar crear surgir

Jorge Eliécer Gaitán (1) _____ el 23 de enero de 1898. (2) _____ sus estudios superiores en la Universidad Nacional de Colombia, donde (3) _____ el título de Doctor en Derecho y Ciencias Políticas. (4) _____ a Italia y en la Real Universidad de Roma (5) _____ en Jurisprudencia. Su tesis (6) _____ la máxima calificación. (7) _____ presidente de la Cámara de Representantes en 1931 y alcalde de Bogotá en 1936. Cuando (8) _____ esa función, (9) _____ los servicios públicos. No todas sus iniciativas (10) _____ de una gran acogida, porque (11) _____ el uso de la ruana (una suerte de poncho) y de las alpargatas y (12) _____ a los lustrabotas y taxistas, quienes (13) _____ las vías en señal de protesta. Desde su cargo de Ministro de Educación (14) _____ una campaña de alfabetización, (15) _____ el zapato escolar gratuito, (16) _____ restaurantes escolares y cines educativos ambulantes y (17) _____ las puertas al arte con el Salón Nacional de Artistas, de donde (18) _____ figuras como la de Fernando Botero.

> ordenar venir descubrir aprender trasladarse pedir condenar partir organizar comenzar morir estar regresar conocer marchar arrodillarse

«La Heroína» o «La Pola», como se conoce a Policarpa Salavarrieta, (1) _____ al mundo en 1795 en la población de Guaduas. (2) _____ a leer y escribir, algo poco común en las mujeres de aquella época. En 1810 (3) _____ a Bogotá, donde (4) _____ a colaborar con los partidarios de la emancipación americana. (5) _____ de costurera en casa de una familia realista porque eso le permitía enterarse de información confidencial y transmitirla a sus compañeros de lucha. (6) _____ a Guaduas en 1816 y allí (7) _____ a su único amor, Alejo Sabaraín. Bajo una falsa identidad (8) _____ nuevamente hacia la capital. (9) _____ destacamentos militares de apoyo a Simón Bolívar y Santander. Los españoles finalmente (10) _____ sus actividades conspirativas y la (11) _____ a muerte. «La Pola» (12) _____ con paso firme hasta la plaza principal de Bogotá. Le (13) _____ subir en un banquillo y ponerse de espaldas porque así debían perecer los traidores; ella (14) _____ permiso y (15) _____, pues consideraba que esa posición resultaba más digna para una mujer. (16) _____ a los 22 años. Sus restos se encuentran en el Panteón de los Héroes de la Independencia.

"BOGOTAZO"

El 9 de abril de 1948 fue asesinado el caudillo liberal Jorge Eliécer Gaitán en el centro de Bogotá. El hecho desató el "Bogotazo", un levantamiento popular que destruyó el centro de la capital colombiana, sacudió el Gobierno conservador de Mariano Ospina y abrió un ciclo de violencia política cuyos ecos llegan hasta hoy.

Gaitán tenía entonces 50 años, era el político colombiano de mayor predicamento y su liderazgo popular no reconocía fronteras partidarias.

9 de abril de 1948

Bogotá era escenario de la IX Conferencia Panamericana, que dió paso a la creación de la Organización de los Estados Americanos (OEA).

El presidente Mariano Ospina asiste a una exposición en la Feria Agropecuaria.

Presidente Mariano Ospina

El presunto homicida fue identificado posteriormente como Juan Roa Sierra, un joven albañil desempleado.

Juan Roa Sierra

La Guardia Presidencial dispersa a los manifestantes, que se repliegan hacia la Plaza de Bolívar.

Grupos de manifestantes inician saqueos e incendios en el centro de la ciudad. Los desórdenes y enfrentamientos contra policías y militares se extienden por la ciudad y otras poblaciones del país.

Una muchedumbre enfurecida asalta la droguería, saca a Roa Sierra, lo golpea y arrastra hasta el Palacio Presidencial, donde arrojaron su cuerpo destrozado y desnudo contra la puerta principal.

13.05 hs. Gaitán, abogado penalista, es abatido por tres disparos frente al edificio Agustín Nieto, donde tenía su despacho, cuando se dirigía a almorzar al Hotel Continental en compañía de 4 amigos

Edificio Agustín Nieto

Sus amigos llevan a Gaitán en taxi a la cercana Clínica Central donde, a pesar de los esfuerzos, fallece a 13.55 hs.

Transeúntes atraídos por los disparos persiguen al asesino mientras un grito se extiende por la ciudad: "¡Mataron a Gaitán!".

A pocos metros del lugar, dos policías capturan a un hombre señalado como asesino y lo recluyen en el interior de la droguería Granada, para proteger su vida.

Edificio Agustín Nieto — Av. Jiménez — Av. 13 — Plaza de Bolívar — Carrera 7 — Carrera 10 — Droguería Granada — Clínica Central — Calle 10 — Palacio presidencial — Calle 7 — Av. 6 — BOGOTA (centro) — 200 m

Decenas de edificios, algunos de ellos emblemáticos, fueron destruidos, un centenar de negocios fueron saqueados y un tercio de la flota de tranvías fue incendiada, pero nunca se hizo un listado exacto de los cientos de muertos y heridos.

La muerte de Gaitán abrió un período de violencia que trazó un surco sangriento cuyos rastros llegan hasta la actualidad.

La oratoria de Gaitán ganaba la simpatía de los humildes, ya fueran liberales o conservadores...

A LA CARGA!

5 Muestra un billete de tu país (fotocopia) y presenta algunos aspectos de la vida del personaje que lo ilustra.

patrimonio · arte · tradiciones · empresas · productos · mercado · **personalidades** · mestizaje · migraciones · historia · ciencia

socieda

1 Lee el siguiente texto del periodista Paco Gómez Nadal.

> Panamá se independizó de España el 28 de noviembre de 1821 y se unió voluntariamente a la Gran Colombia, cuya superficie comprendía los territorios de las actuales Repúblicas de Colombia, Venezuela y Ecuador. El 3 de noviembre de 1903 se separó de la Gran Colombia y se declaró nación libre y soberana. En el artículo que vas a leer, Paco Gómez Nadal habla de una tercera independencia. Se refiere a la ocurrida el 31 de diciembre de 1999, cuando Estados Unidos devolvió el canal interoceánico a Panamá.

Independencia e identidad

Panamá ganó dos veces (pienso que tres) su independencia formal; la que aparece en papeles y permite tener una ficha de Wikipedia como país. Sin embargo, aún le queda por dar la batalla de independencia contra los modelos ajenos, impuestos. En esa lucha no está sola Panamá. Varios países del continente latinoamericano han aprovechado que Estados Unidos se halla ocupado en otros frentes para reafirmarse y dejar de avergonzarse de ser lo que son. Han buceado en su genética cultural para encontrar un espejo en el cual mirarse y comenzar a querer ser ellos mismos.

Este proceso no se ha dado todavía en Panamá. Las comparaciones frecuentes con Dubai o con Singapur son preocupantes, porque Panamá no quiere ser Panamá y busca aguas ajenas en las cuales reconocerse o a las cuales imitar. En este entorno de supuesta globalización, lo que nos salva no es la homogeneidad –de eso ya se encargan las grandes marcas–, sino la singularidad. Debemos conocer Panamá preguntándonos en qué se diferencia de otros países y no tratando de encontrar las similitudes.

La independencia real (cultural, política y económica) se vislumbra lejana. Tengo la impresión de que están conformándose dos Panamá: la de los restaurantes internacionales de pescado crudo y vinos costosos y la del Rincón Tableño 35[1]; la de la capital en fiebre de rascacielos y fiestas con nombres en inglés y la de la cantadera[2] o el seco[3] bien seco en el interior; la de los muchachos y muchachas que estudian en colegios bilingües, pero no saben dónde queda Darién[4] y la de los pobres estudiantes que aspiran a ser peluqueros o conductores del nuevo metro…

En esa dicotomía, la identidad corre el peligro de diluirse, y el país de convertirse en una especie de zona franca, donde hacer negocios resulta una maravilla para inversionistas locales y foráneos, y vivir un infierno para los que habitan la periferia.

No se trata de estar en contra del llamado desarrollo o de la inserción de Panamá en el mundo global. A lo que hoy los invito es a pelear por los elementos que nos definen. Panamá no puede volverse Cancún, ni un emirato árabe desunido o un «wallstreetcito» cualquiera. La riqueza humana y natural de este territorio sigue siendo un patrimonio inestimable. Regalarlo o perderlo suena a torpeza.

Adaptado de:
www.panamaprofundo.org

[1] Restaurante de la clase trabajadora panameña.
[2] Competencia de cantadores de décimas -combinación métrica de diez versos octosílabos- con acompañamiento de guitarras.
[3] El seco se puede considerar una bebida alcohólica puramente panameña. Se trata de un ron que no ha sido envejecido.
[4] Provincia del este de Panamá.

2 ¿Cuál es la dicotomía de identidad que vive actualmente Panamá?

3 ¿Por qué el periodista compara Panamá con Dubai, Singapur, Cancún o Wall Street?

4 ¿Cuál es la «cuarta» independencia que debe ganar ese país?

5 Responde a las siguientes preguntas.

   a ¿Qué elementos en tu opinión definen la identidad nacional?

   b ¿Crees que los inmigrantes deben integrarse a la nueva sociedad olvidando su país de origen y tradiciones? ¿Te molesta la práctica de otras costumbres, religiones, formas de vivir, de vestir o de pensar en tu propio país?

   c ¿Qué piensas de los matrimonios interreligiosos? ¿Las diferencias pueden superarse o invariablemente causan y exacerban tensiones?

   d ¿La globalización es una formidable mezcla que enriquece a todos los seres humanos o una uniformidad empobrecedora contra la cual hay que luchar para preservar la cultura, la identidad y los valores propios?

6 Elabora una lista de los valores que compartes con tus compatriotas por el hecho de proceder del mismo país. Escribe una reflexión sobre la identidad ayudándote de los siguientes adverbios:

Inmigrantes hispanos manifestándose en EE UU

CANTIDAD	
tanto (tan)	más
mucho	menos
muy	apenas
poco	bastante
algo	todo
	nada

TIEMPO	
ahora	pronto
entonces	tarde
hoy	todavía
ayer	aún
antes	siempre
después	nunca
temprano	jamás
	luego

MODO	
así	deprisa
bien	despacio
mal	(y la mayoría acabados en –mente)

LUGAR		
aquí	abajo	fuera
ahí	detrás	cerca
allí	dentro	lejos
acá	arriba	atrás

EXCLUSIÓN	
exclusive	salvo

DUDA	
quizás	tal vez

AFIRMACIÓN	
sí	claro

INCLUSIÓN	
también incluso	además

NEGACIÓN	
no	jamás

7 Coloca los siguientes adverbios en su respectiva casilla.

Debajo, peor, regular, mañana, enseguida, casi, mejor, anoche, demasiado, ya, delante, anteayer, tampoco, ciertamente, acaso.

patrimonio   arte   tradiciones   empresas   productos   mercado   personalidades   mestizaje   migraciones   historia   ciencia   sociedad

1 Lee el siguiente texto.

¿Cómo negociar con éxito en España?

El sentido del honor y el orgullo son algunos de los rasgos más típicos del carácter español. Hay que tener cuidado para no herir sensibilidades. Una vez que los españoles han adoptado una posición, difícilmente se vuelven atrás.

Entorno empresarial

- El eje del desarrollo español no es el tradicional norte-sur, sino más bien el este-oeste. Es la parte oriental del país (Cataluña, Aragón, Valencia) la que tiene mejores perspectivas de crecimiento.

- Los dos centros de negocios más importantes son, con diferencia, Madrid y Barcelona. Madrid es la capital financiera, sede de las grandes empresas del sector de la construcción, energía y servicios en general –aglutina más del 50 % de la inversión extranjera que recibe España–. Barcelona es el centro del sector industrial (automóvil, químico, farmacéutico, maquinaria…) y de las nuevas tecnologías.

- Además de estos dos centros de negocios, existe una fuerte especialización sectorial por regiones (mueble

Hombre de negocios en el aeropuerto de Barajas

y calzado en Valencia, máquina-herramienta en el País Vasco, alimentación en Andalucía, vino en Castilla-La Mancha y Rioja…). Como resultado, las empresas compiten directamente entre sí. Esta concentración geográfica facilita la estrategia comercial de las empresas extranjeras que visitan el país.

- La industria nacional es el turismo, que representa más del 10 % del PIB. España es el segundo destino turístico del mundo, después de Francia.

Estrategias de negociación

- Las citas deben establecerse con al menos una semana de antelación y reconfirmarlas uno o dos días antes. Hay que procurar entrevistarse con las personas de mayor rango en la empresa. Para llegar a ellas es crucial la figura de las secretarias de dirección, que controlan las agendas de los directivos.

- Al principio de la reunión se mantiene una charla informal sobre el viaje, el tiempo climatológico, las costumbres del país, algún tema de actualidad…, que da paso a la conversación de negocios.

- Bien por desconfianza o por un carácter reservado, a los españoles no les gusta dar información sobre su empresa, el sector en que trabajan o los competidores. Es mejor no hacer preguntas directas sobre estos temas, ya que puede aumentar el recelo.

- El ambiente de la negociación es formal, pero distendido. El español mantiene una actitud seria cuando se negocian los aspectos clave, pero se comporta de una manera muy cordial y alegre en el transcurso de la conversación. Es muy corriente utilizar el sentido del humor y contar chistes a personas que apenas se conoce.

- La argumentación es una parte esencial del proceso negociador. Si bien, al principio, los españoles pueden adoptar una posición pasiva, a lo largo de la ▸▸

Rascacielos, Madrid

conversación se van motivando y terminan por acaparar la palabra. Llegado este momento, se les debe interrumpir, ya que de lo contrario se refuerza su posición –en España tiende a pensarse que el que más habla defiende mejor sus argumentos–.

- Debe dejarse margen para hacer concesiones, aunque la práctica del regateo no está demasiado bien vista en una negociación comercial. Es habitual hacer dos o tres concesiones, amplias en la medida de lo posible, pero si se regatea con exceso se puede poner en peligro el éxito de la negociación.

- Al finalizar una entrevista comercial se utiliza mucho la expresión «lo estudiaremos», que tiene un significado ambiguo; generalmente, se quiere transmitir que no interesa demasiado, por lo menos, a corto plazo.

Normas de protocolo

- El apretón de manos a la presentación y a la despedida es la forma de saludo más habitual. Los abrazos o las palmadas en la espalda se reservan para los amigos.

- Cuando un hombre saluda a una mujer que ya conoce, o en el saludo entre dos mujeres que se conocen, se suelen dar dos besos en las mejillas –en realidad se toca una mejilla y se besa al aire–.

- El uso de las tarjetas está muy generalizado. Se suelen entregar al principio de la reunión a todas las personas presentes. Conviene llevar tarjetas suficientes ya que, si se recibe una y no se entrega otra a cambio, causa mala impresión.

- Es normal presentar a las personas por el nombre y el primer apellido. A diferencia de América Latina, los títulos de doctor, ingeniero o abogado rara vez se utilizan.

- Existen dos formas de hablar: la informal («de tú», el tuteo) que se utiliza entre gente que ya se conoce o entre gente de una edad similar, y la formal («de usted»), en las primeras conversaciones o entre personas con una cierta diferencia de edad. Cuando se está con gente de mayor edad o de rango superior, ellos inician el tuteo y se pregunta si no les molesta ser tratados «de tú».

- En España las apariencias son importantes. Por ello es recomendable ir bien vestido. En las grandes ciudades el traje y la corbata son obligados. Ropa de marca, bien planchada, y zapatos de calidad relucientes, atraen la mirada y proyectan una imagen social favorable. En ciudades pequeñas o cuando se visitan empresas localizadas en polígonos industriales, la indumentaria es más informal.

Adaptado de: *Cómo negociar con éxito en 50 países.*

Viñedo en Castilla-La Mancha

2 La clase se divide en grupos de 4 personas. Cada grupo se pondrá de acuerdo sobre qué producto va a comercializar en España y en qué ciudad. Luego se decide quiénes interpretarán el papel de empresarios españoles y quiénes de comerciantes de otra nacionalidad. A continuación, el grupo elaborará un guion (apunte de algunas ideas y acciones) tomando como base las pautas expuestas en «estrategias de negociación» y «normas de protocolo» (no es indispensable tomar todas). Por último, cada grupo lo escenificará ante el resto de la clase. Tras cada escenificación, el público señalará si el grupo hizo o no una negociación exitosa en España.

3 Escribe un informe a tu jefe exponiéndole los pormenores de la negociación. Debes utilizar el mayor número de las siguientes locuciones adverbiales:

Loc. adverbiales de afirmación	Loc. adverbiales de cantidad	Loc. adverbiales de modo	Loc. adverbiales de tiempo
Desde luego	A lo sumo	A ciegas	Acto seguido
En efecto	Alrededor de	A sabiendas	Cuanto antes
En verdad	Poco menos de	En debida forma	A la vez
Por supuesto	Por ciento	A regañadientes	Por ahora
Sin duda	En promedio	A la perfección	Mientras tanto

4 Acude al sitio www.spainselecta.com/secciones1/empresas.htm, escoge una empresa, producto o servicio y preséntalo.

Ecuador

El pasillo «rockolero»

Existen diferentes opiniones sobre el origen y evolución del pasillo ecuatoriano. Algunos historiadores lo relacionan con géneros musicales europeos (una versión nacional del lied alemán o del carácter nostálgico del fado portugués); otros, con la música indígena (lenta y quejumbrosa). La versión más aceptada es, sin embargo, que el pasillo se deriva del vals europeo, música popular que los soldados colombianos y venezolanos, enviados a apoyar las luchas independentistas, llevaron a principios del siglo XIX al actual Ecuador.

Tras la guerra peruano-ecuatoriana de 1941, el sentimiento patriótico propició la amplia difusión de pasillos y otros géneros musicales mestizos. A mediados de los años 50 surgió un estilo propio e inédito. Fueron Olimpo Cárdenas y Julio Jaramillo los pioneros en la ejecución de la música «rockolera», nombre que deriva de ese viejo e inolvidable aparato que en Ecuador se conoce como «rockola», aunque en realidad es una de las tantas marcas de tocadiscos operados con monedas. Se dice que la primera «rockola» pública llegó a finales de los años 40 y ocupó desde los 50 una esquina en casi todos los bares y cantinas[1]

del país. Cabe añadir que, paralelamente a ese suceso, se producía una ingente oleada migratoria de campesinos hacia la ciudad. Su asentamiento en sectores marginales influyó en la propagación de la música «rockolera», pues en su búsqueda de identificación escogieron los códigos de lenguaje básico de este estilo. Musicalmente es un género popular que tiene como base el pasillo y se funde con el bolero y los ritmos tropicales; y literariamente expresa el desarraigo del terruño, el amor y desamor, la traición y el olvido, el valor de la vida frente a un final inevitable.

Aladino, nombre artístico de Norberto Enrique Vargas Mármol, se ha convertido en su máximo representante. Lleva grabadas quinientas canciones, escritas setenta, y ha ofrecido más de tres mil conciertos en Ecuador y en el extranjero, incluso en Alaska. Su consagración llegó en 1977 con *Mujer bolera*[2], de esa canción una de las estrofas perdura en la memoria colectiva: «Para ti, colorada[3] súper infiel, por el daño que me hiciste».

[1] Tipo de bar solo frecuentado por hombres.
[2] Mujer perdida.
[3] Rubia.

Guayaqu

1 Lee la siguiente estrofa de *La colorada infiel*, otro de los grandes éxitos de Aladino. ¿Existe algo parecido en el panorama musical de tu país?

«Una cosa sí te voy a decir, tú sabes las veces que nosotros fuimos a la discoteca, y ahora tú me vienes con una mente de cumpleaños a decirme que te vas, te vas. ¿Qué es eso? Tú te acuerdas cuando el camión me lanzó con la motocicleta, que yo tuve que seguir a pie vendiendo de noche. Y si te acuerdas cómo decía: "vea, hable, diga, maní salado, queso, mortadela...". Yo no te deseo nada malo, te voy a decir algo, una cosa muy buena, que te va a gustar ¿sabes? ¡Que te lleve el diablo!».

2 Escucha la canción *Salva a mi hijo*, de Aladino, y completa los espacios en blanco.

Porque alguien lo engañó que era de (1) _____

usar la (2) _____ y cocaína

Señor, se está muriendo mi (3) _____

y (4) _____ de ti quien lo asesina.

Virgen María tú también fuiste (5) _____

no permitas que lo mate la (6) _____ marihuana

Virgen María, es un (7) _____ como fue tu niño

castiga al que vende el maldito (8) _____ .

Salva a (9) _____ , Virgen María.

CULTURA **SOCIEDAD** ECONOMÍA LENGUA DATOS

El regionalismo

Se llama regionalismo en el Ecuador a la lucha que libran las ciudades de Guayaquil y Quito y, de manera más amplia, la Costa con la Sierra; la una, históricamente más emprendedora, más exportadora, desde donde salen al extranjero los productos nacionales, y la otra, más burocrática, la capital, donde se ejerce el poder político. Los gobiernos, comenzando por el presidente y el vicepresidente, siempre buscan un equilibrio entre Sierra y Costa; a un presidente serrano le tiene que acompañar un vicepresidente costeño y viceversa. Cuando unos viajan a la región de los otros frecuentemente comentan que es como viajar a otro país. No solamente cambia la vegetación, pasando del trópico al páramo, del mar a la alta montaña, sino que también varía el clima; al intenso calor de la Costa le sucede el frío penetrante de la Sierra. Se transforma también el acento, los costeños hablan más rá-pido, los serranos más lento. No se tienen las mismas costumbres alimenticias, en la primera, abundan los pescados y los mariscos, en la segunda, los puercos y los cuyes. Los serranos son hinchas de sus equipos de fútbol y los costeños de los suyos. Cada ciudad posee su propia bandera, su propio escudo y su propio himno. Más aún, los ritmos escolares difieren: mientras que en la Sierra las vacaciones largas[1] van de finales de junio a principios de septiembre, en la Costa comienzan en diciembre y terminan en abril; los unos van con los ritmos del hemisferio norte y los otros con los del hemisferio sur. Es por eso que el turismo interno en el Ecuador ocupa dos momentos diferentes del año, lo que resulta una ganga para esta industria. Pero, ¿les une algo? El Ecuador entero vive del petróleo, cuyos yacimientos se encuentran en el Oriente, y como dicen algunos «sobrevive a los malos gobiernos nacionales o locales».

Tradicionalmente, la agricultura costeña es exportadora y la serrana, de consumo interno, pero los productos de una u otra región circulan por todo el país, y todos los ecuatorianos se jactan de que el mejor plátano y las mejores rosas del mundo son los nacionales, sin precisar su lugar de cultivo. Los ecuatorianos admiran la literatura del guayaquileño Demetrio Aguilera Malta y la del quiteño Jorge Icaza. En opinión de algunos estudiosos, el problema del regionalismo se puede resolver sacándolo a la luz, replanteando la organización del Estado ecuatoriano y su modelo centrado en sus dos ciudades principales Quito y Guayaquil. Se debe promover una mayor autonomía regional sin perder la unidad, aunque con la diversidad que caracteriza al país.

[1] Así se llaman en Ecuador a las vacaciones que marcan el final de un año escolar.

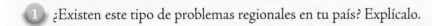

1 ¿Existen este tipo de problemas regionales en tu país? Explícalo.

2 Lee este extracto de *Huasipungo*[2], de Jorge Icaza. Se trata de un terrateniente que discurre con otro sobre el carácter de los indios. Respóndele con tus propios argumentos.

Los indios se aferran con amor ciego y morboso a ese pedazo de tierra que se les presta por el trabajo que dan a la hacienda. Es más, en medio de su ignorancia, lo creen de su propiedad. Usted sabe. Allí levantan las chozas, hacen sus pequeños cultivos, crían a sus animales.

[2] *Huasipungo*: («huasi»: casa; «pungu»: sitio): pedazo de tierra que un patrón le daba a sus indios por el trabajo que ellos realizaban en su hacienda.

3 Lee este extracto de *El cholo*[3] *que se vengó*, de Demetrio Aguilera Malta. Un personaje le habla a su exmujer. El autor ha reproducido el habla del interior de la Costa, transforma el diálogo en un español normativo.

Tei amao como nadie ¿Sabes vos? Por ti mei hecho marinero y hei viajao por otras tierras… Por ti hei estao a punto e ser criminal y hasta hei abandonao a mi pobre vieja: por ti que me habís engañao y te habís burlao e mí… Pero mei vengao: todo lo que te pasó ya lo sabía yo dende antes. ¡Por eso te dejé ir con ese borracho que hoy te alimenta con golpes a vos y a tus hijos!

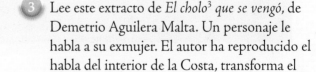

[3] Cholo: término peyorativo que designa a un mestizo.

Ecuador

Iniciativas y economía solidaria en Salinas de Bolívar

En el Ecuador existen tres lugares que llevan el nombre de «Salinas», debido a la producción de sal que hubo allí en algún momento de su historia. La «Salinas» de la provincia de Bolívar vivió en una situación de extrema miseria hasta los años 60. El territorio de la actual Salinas estaba dividido en tres partes: una, controlada por la familia Cordobés, otra, en poder de la Iglesia, y la última pertenecía a la comuna Matiaví Salinas. Su superficie se extendía desde el páramo del Chimborazo (a más de 4000 m de altitud) hasta Ventanas (en la costa). La Iglesia inició la desamortización de tierras antes de la primera reforma agraria de 1964. Treinta y tres mil hectáreas comenzaron a ser vendidas a crédito, gracias a la iniciativa de monseñor Leónidas Proaño, aunque el ejecutor de esa idea fue monseñor Cándido Rada. A principios de los 70 llegó al lugar el misionero italiano Antonio Polo y encontró una situación dramática: 45 % de mortalidad infantil, 90 % de analfabetismo, desnutrición e indigencia. Además de brindar su apoyo espiritual, el padre Polo descubrió que se podía emprender una actividad económica con lo poco que tenían los miembros de la comunidad. Empezaron reuniendo la producción de leche de unas cuantas vacas y, con la ayuda de voluntarios italianos y suizos y la participación de los pobladores, se lanzaron a la fabricación de quesos. Así nació la cooperativa Gruppo Salinas, escrito con dos *p*, como en italiano, la lengua materna del padre salesiano. Actualmente, la cooperativa de Salinas es un ejemplo de desarrollo sostenible en todo el Ecuador. Está integrada por unas treinta microempresas que elaboran quesos, hilos de lana, ropa tejida a mano, chocolates, embutidos, hierbas aromáticas, aceites esenciales, entre otros productos, bajo la marca El Salinerito. Del pueblo ya nadie emigra; al contrario, mucha gente de los alrededores va a trabajar allí y todos los campesinos de la zona producen para la comunidad. Las ganancias se reinvierten en servicios públicos, educación y salud. No todo es color de rosa, por supuesto, pero si se observa el camino recorrido, Salinas de Bolívar resulta un ejemplo de espíritu emprendedor y solidario.

En 2003, el Gruppo Salinas creó una estructura que favorecía la exportación de sus productos al extranjero; hoy llegan al mercado italiano, alemán, suizo y japonés. Las ventas siguen en aumento tanto a nivel nacional como internacional. En cualquier supermercado del país se pueden encontrar los quesos El Salinerito al igual que muchos otros productos de esta marca. La facturación asciende a más de tres millones y medio de dólares, de los cuales casi un millón procede de las exportaciones.

1 ¿Cómo era Salinas antes de la llegada del padre Polo?

2 ¿Crees que la «economía solidaria» es una marca más del mercado o un verdadero sello de calidad que respeta los derechos humanos y el medioambiente?

3 ¿Es lo mismo «economía solidaria» que «comercio justo»?

4 Investiga en internet y crea una canasta de productos alimenticios ecuatorianos de comercio justo.

Padre Antonio Polo

Aprender español en el Ecuador

Los extranjeros no hispanoparlantes consideran que el Ecuador es un excelente lugar para aprender español porque los ecuatorianos hablan despacio, pronuncian claramente y carecen de un marcado acento. Las escuelas de español aseguran que se puede hablar fluidamente después de seis a ocho semanas de clases intensivas (cuatro horas diarias de lunes a viernes). Algunas ofrecen servicios adicionales sin costo, como clases de baile o de cocina, o excursiones de fin de semana a bajo precio.

Imagina que has decidido tomar un curso intensivo de español durante tus vacaciones escolares. De las tres escuelas que te presentamos debes escoger la que mejor se adapte a tus expectativas. Visita el sitio web, busca en internet fotos de las ciudades o poblaciones donde se imparten las clases y cualquier otra información que te ayude a realizar una mejor elección. Luego dirige un correo electrónico a la escuela solicitando la información que aún te haga falta.

Estudio Hispánico

Te proponemos descubrir los innumerables tesoros coloniales de Cuenca, una ciudad cuyo centro histórico fue declarado Patrimonio de la Humanidad por la UNESCO. Nada mejor para practicar lo aprendido que hablar con los lugareños en las concurridas plazas coloniales o en los mercados de artesanías. La ciudad te ofrece durante el día una gran cantidad de museos donde puedes profundizar en la historia de los incas y las culturas preincaicas, y modernos bares y discotecas durante la noche. Estudio Hispánico ocupa un bonito edificio colonial y cuenta con siete salas de clases, un jardín, una sala de estudiantes, una sala de video, biblioteca y balcones que dan hacia el río. La escuela organiza prácticas de trabajo. Puedes enseñar inglés, cuidar a ancianos, brindar asistencia a personas sin techo o trabajar de guía en un parque nacional.

www.estudiohispanico.com/es/
aprender-espanol-en-cuenca.html
(info@estudiohispanico.com)

Spanish by the beach

Hoy es el momento de aprender español en una hermosa casa frente al mar. La amplia playa de la localidad de Olón se caracteriza por la belleza de sus paisajes. Ofrecemos cursos intensivos, que incluyen hospedaje y tres comidas diarias preparadas con productos frescos de la tierra, del mar y de nuestro jardín. Si lo deseas, podemos impartirte cursos de cocina, así como de cultura, historia, arte y cine españoles y latinoamericanos. Entre nuestras atracciones locales, sobresalen el Parque Nacional de Machalilla y el bosque tropical de Colonche. Esto significa que puedes admirar las ballenas jorobadas desde Puerto López, visitar el sitio arqueológico de Agua Blanca, adentrarte en santuarios de la vida silvestre y observar especies endémicas de pájaros y otros animales. La escuela de niños y adultos de Olón necesita tus conocimientos de inglés y computación para seguir desarrollándose.

www.spanishbythebeach.com   (information@spanishbythebeach.com)

Centro de español Vida Verde

Con nuestro programa aprendes español en lo más profundo de la Amazonía. Una canoa motorizada parte desde Coca y te lleva corriente abajo del río Napo por 25 km. Te alojamos en cabañas cerca del Parque Nacional Yasuní, en medio de una exuberante e interminable vegetación. Dirigimos uno de los centros de rescate de la vida silvestre más afamados de la selva ecuatoriana. Gracias a nuestro atractivo programa de estudios, recibes clases de español, aprendes sobre plantas medicinales autóctonas, conoces a una familia local, haces caminatas, observas la peculiar flora y fauna amazónicas, aprendes a usar una lanza... Las actividades pueden variar de acuerdo con los deseos del participante. Aconsejamos realizar antes un programa de estudios de dos semanas en Quito, la capital, porque así se aprovecha al máximo esta singular experiencia.

http://www.vidaverde.com/es/aprende/en-la-selva/coca.html (info@vidaverde.com)

Ecuador

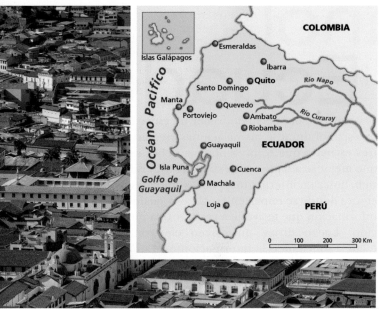

Orígenes del nombre: Se llama así por el ecuador terrestre, línea imaginaria que atraviesa el país y que divide la superficie del planeta en dos partes, el Hemisferio Norte y el Hemisferio Sur. En 1736 llegó a esos territorios la Misión Geodésica Francesa para resolver un desacuerdo existente entre los científicos franceses e ingleses de la época: la Tierra era esferoide, achatada en los polos u oblonga achatada en el ecuador. De esas mediciones y cálculos astronómicos derivó el Sistema Métrico Decimal, ya que el metro es la diezmillonésima parte (1/10 000 000) de la distancia que separa el polo de la línea del ecuador terrestre.

Capital: Quito

Superficie: 256 370 km^2

Población: 13 500 000 habitantes

Moneda: dólar estadounidense

Gentilicio: ecuatoriano

Organización territorial

Se divide en 24 provincias, distribuidas en cuatro regiones naturales: Costa, Sierra, Oriente (Amazonía) y Región insular (Islas Galápagos).

Economía

Desde los años 70, la extracción petrolera ha contribuido a mantener una balanza comercial positiva. Tiene un sector agrícola muy importante: primer productor y exportador de bananos a nivel mundial y uno de los mayores de flores y cacao. Produce además camarón, caña de azúcar, arroz, algodón, maíz, palmitos y café. Su riqueza maderera comprende grandes extensiones de eucalipto en todo el país, así como de manglares. La producción industrial está dirigida principalmente al mercado interno, por lo que existe una limitada exportación de productos elaborados o procesados industrialmente. Esta actividad se concentra ante todo en las ciudades de Guayaquil (el puerto principal y la ciudad más grande del país), Quito y Cuenca. Es miembro de la Comunidad Andina de Naciones (CAN), de la Unión de Naciones Sudamericanas (UNASUR) y de la Organización de países exportadores de petróleo (OPEP).

Lenguas

El Ecuador se reconoce como un país pluricultural y multiétnico, donde coexisten 11 nacionalidades indígenas y sus respectivas lenguas. La Constitución Política vigente dice: «El Estado respeta y estimula el desarrollo de todas las lenguas de los ecuatorianos. El castellano es el idioma oficial. El kichwa, el shuar y los demás idiomas ancestrales son de uso oficial para los pueblos indígenas en los términos que fija la Ley».

Religión

La mayoría de ecuatorianos profesa la religión católica. Los protestantes, evangélicos, mormones y Testigos de Jehová representan el 10,8 %, y los musulmanes, judíos, ortodoxos y espiritualistas el 0,2 %. Un 5,4 % no adhiere a ninguna religión.

❯ Dominio de internet: www.ec

❯ Gobierno: www.presidencia.gov.ec

❯ Directorio de empresas: http://ecuadatos.com/

❯ Cámara de comercio: www.ccq.org.ec (Cámara de comercio de Quito), www.lacamara.org, (Cámara de comercio de Guayaquil)

❯ Oficina de Turismo: www.ecuador.travel

❯ Diarios: www.telegrafo.com.ec, www.eluniverso.com, www.elcomercio.com, www.hoy.com.ec

unidad 5

patrimonio · arte · tradiciones · empresas · productos · mercado · personalidades · mestizaje · migraciones · historia · ciencia · sociedad

1 Lee el siguiente texto y subraya el verbo conjugado en futuro.

Arte urbano chileno: del mural político al grafiti[1]

A mediados de los años 60, en Filadelfia (Estados Unidos), el *bombing* sienta los antecedentes del grafiti. Estos primeros artistas se dedicaban a bombardear, de ahí el término *bombing*, las paredes de la ciudad con su nombre o apodo a fin de llamar la atención de la prensa y la comunidad. Este movimiento se extendió a Nueva York, y Taki 183 se convirtió en uno de los grafiteros más conocidos. Se trataba de un chico de origen griego llamado Demetrios (su diminutivo «Taki» era una abreviación de Demetraki, un nombre alternativo de Demetrios), que vivía en el número 183 de Washington Heights y ponía su firma en forma de garabato en los vagones del metro. A principios de los 70 surgió el grafiti *hip hop*. Consistía en rayados hechos con pinturas en aerosol, altamente codificados y complejos, que resultaban indescifrables para quienes no manejaban sus códigos.

En el clima revolucionario de los años 60 apareció en Chile el primer mural de propaganda política. Durante la campaña previa a las elecciones de 1963, el equipo del candidato Salvador Allende tuvo que idear fórmulas propagandísticas distintas y de bajo costo para po- der competir con los cuantiosos medios financieros de Eduardo Frei, el candidato contrincante, y su grupo de especialistas de la comunicación.

Entre 1970 y 1973, años en que gobernó la Unidad Popular[2], brigadas de pintores, pobladores, estudiantes, obreros y personas comprometidas con el nuevo proceso social transformaron este muralismo de propaganda política en un medio de expresión popular y de práctica artística. Tras el Golpe Militar, el muralismo brigadista desapareció. Sin embargo, se siguieron pintando murales clandestinos en poblaciones de Santiago. Su mensaje era claro: denunciar la cesantía, el hambre y la tortura. No duraban mucho, ya que las autoridades los borraban o destruían rápidamente.

En los años 80, las pintadas volvieron a aparecer bajo una forma expresiva diferente: el grafiti. Gracias a la serie de televisión *Breaking away* y la película *Beat street* los jóvenes comenzaron a entrar en la cultura *hip hop*. Una nueva «retórica de los muros» se manifestó en los 90. El término «arte urbano o callejero» o, de forma más específica, *Post-Grafiti*, se utiliza para describir el trabajo de un conjunto heterogéneo de artistas que utilizan diversas técnicas (plantillas, carteles, pegatinas, murales...) cuando toman posesión de la ciudad. En los últimos años, el grafiti chileno ha estado presente en varias exposiciones internacionales: en Noruega con los escritores[3] Hes e Inti; en Estados Unidos con Cekis y Vazco; en Francia con Nebs y Sick888; en España con Cn6 y 78; en Alemania con Kelp, por nombrar solo algunos. Su institucionalización plantea un problema mayor: los puristas creen que si el grafiti deja su lugar de origen –la calle– y la ilegalidad que le es consustancial perderá su razón de ser.

[1] La Real Academia Española recomienda el uso de la palabra grafito o, en su defecto, grafiti, ya que en español no existe la grafía ff.

[2] Coalición electoral de partidos de centro-izquierda e izquierda que llevó a Salvador Allende a la Presidencia de la República.

[3] Se llama «escritores» a los artistas del grafiti.

2 Explica la historia del grafiti.

3 ¿Cómo nació el primer mural chileno de propaganda política?

4 ¿Qué son las brigadas muralistas?

5 ¿Crees, como los puristas, que si el grafiti deja la calle y entra en las galerías y museos no subsistirá?

6 ¿Y tú qué opinas?

Sí   No   Depende

a El grafiti es una práctica legítima cuando se realiza en ciertos lugares y una «contaminación» ilegítima cuando se hace en otros.

b Prefiero los muros pintados con grafitis a los paneles publicitarios y propagandas políticas que se han apropiado del espacio urbano.

c Poner muros a disposición de los jóvenes para canalizar esta expresión equivale a institucionalizar un arte suburbano.

d La práctica del grafiti es una válvula de escape que permite a los jóvenes expresarse artísticamente, adquirir notoriedad y escapar a la violencia que reina en ciertos barrios populares.

7 Completa la siguiente noticia utilizando el futuro.

EL MURO POR LA PAZ MÁS GRANDE DEL MUNDO

El próximo 13, 14 y 15 de noviembre la comunidad de Peñalón, junto con organizaciones de distintas partes de Chile y el mundo, (pintar) _____ el Muro por la Paz en la Avenida Los Presidentes. Los 1800 metros que comprende este muro (dividirse) _____ entre las distintas agrupaciones participantes. El evento (estar) _____ auspiciado por el nuevo producto para grafiteros StreetArt de Marson y pinturas Sherwin Williams, empresas que (aportar) _____ 3800 aerosoles y 100 recipientes de pinturas de colores.

Esta es una iniciativa pionera que no se ha llevado a cabo en ninguna ciudad del mundo, aunque a nivel internacional existen países que han avanzado bastante en el desarrollo del grafiti. Se calcula que (haber) _____ 700 artistas, la mayoría jóvenes escritores y muralistas, procedentes de muchas regiones chilenas, además de Canadá, Francia, Costa Rica, España, Argentina, Paraguay y Brasil. Los motivos de las pinturas (reflejar) _____ la visión que los artistas callejeros tienen sobre el uso de las armas, la destrucción del medio ambiente, el armamento nuclear, la intoleran-

cia racial… Este caleidoscópico mensaje que, sin duda, (hacer) _____ reflexionar a quienes diariamente transitan por sus casi dos kilómetros, (postular) _____ al récord Guiness, ya que el mural más extenso del mundo hasta la fecha se pintó en España en 2007 y cuenta solo con 700 metros.

8 Determina a qué movimiento pertenecen los siguientes grafitis: *hip hop*, muralismo social, *postgrafiti*.

a. _____

b. _____

c. _____

patrimonio arte tradiciones empresas productos mercado personalidades mestizaje migraciones historia ciencia sociedad

1 Lee el siguiente texto y observa los verbos en negrita.

Inversiones en Nicaragua

El gobierno nicaragüense promulgó en 1991 la ley de Zonas Francas Industriales de Exportación, dando por descontado que las inversiones extranjeras **harían** una entrada decisiva en la economía, pues, gracias a dicha ley, las empresas **obtendrían** muchos beneficios fiscales como, por ejemplo, la exención del 100 % del impuesto sobre la renta o sobre la importación de maquinaria, equipos, herramientas y otros utensilios necesarios para su funcionamiento. Para la administración exclusiva de las zonas de dominio estatal **se crearía** una corporación, al mando de la cual se **encontrarían** el Ministerio de Economía y Desarrollo, el Ministerio de Finanzas, el presidente del Banco Central y el Ministerio de Construcción y Transportes. La Presidencia de la Corporación la **ejercerían** alternativamente, cada dos años, el Ministro de Economía y Desarrollo –quien **comenzaría** el primer periodo– y el de Finanzas.

2 Escucha la grabación y rellena el cuadro sobre las oportunidades de inversión en Nicaragua.

Sectores	Productos	Ventajas que ofrece el país

3 Otras inversiones. Conjuga los verbos entre paréntesis en condicional y clasifícalos en regulares e irregulares.

Rusos quieren cacao nicaragüense

La compañía de chocolate y confitería más grande de Europa del Este planea instalarse en Nicaragua. Se trata de la empresa rusa United Confectionary Manufacture (UCM).

Según las previsiones de los empresarios, en los primeros tres o cuatro años, la empresa (invertir) _____ un monto total aún no especificado en diez mil hectáreas de cacao y en la planta que (procesar) _____ el grano que finalmente (ser) _____ enviado a Rusia. De concretarse el negocio, el país centroamericano (duplicar) _____ su siembra de cacao.

Gracias al potencial agrícola nicaragüense y a los acuerdos de cooperación económica entre ambos países, la UCM (poder) _____ cultivar cacao, un producto que en Rusia no se cultiva.

El director de la Corporación de Zonas Francas, Álvaro Baltodano, afirmó que esta inversión (tener) _____ grandes repercusiones en las áreas del Pacífico, centro y el Caribe nicaragüense, donde existen vastas tierras fértiles.

Por otro lado, Eduardo Somarriba, coordinador de investigación del Centro Agronómico Tropical de Investigación y Enseñanza (CATIE), aseguró que para aumentar la capacidad de rendimiento (haber) _____ que dar capacitación y apoyo a los agricultores.

4 Te han pedido que actúes como consejero de inversiones en Nicaragua. Acude a los sitios internet de Pro Nicaragua (www.pronicaragua.org), de la Comisión Nacional de Zonas Francas (www.cnzf.gob.ni) y de la Corporación de Zonas Francas (www.czf.com.ni) y prepara una presentación de las mejores soluciones de inversión en el país.

5 ¿Y tú qué harías? Por escrito u oralmente di en cuál de estos proyectos debería invertir el gobierno de Nicaragua, resaltando las ventajas y los inconvenientes de cada uno.

Hidroeléctrica Tumarín

El consorcio brasileño Queiroz Galvão quiere construir la central hidroeléctrica Tumarín en la zona de La Cruz del Río Grande, provincia de Matagalpa, en la Región Autónoma Atlántico Sur (RAAS). Se trataría de la inversión extranjera más importante en Nicaragua de los últimos tiempos, con un monto de 625 millones de dólares, y se construiría en un periodo de cuatro años. Tendría un potencial de 220 megavatios y una producción anual de unos 1028 GWh. Si se llega a realizar, este proyecto aumentará en un 20,9 % la capacidad eléctrica del país y permitirá un ahorro nacional de 150 millones de dólares de la factura petrolera, lo que significará para los nicaragüenses pagar 10 % menos en energía. Su construcción generará 3000 empleos directos y otros 3000 indirectos, así como un mayor flujo del comercio fluvial. Otros beneficios serán las vías de acceso y la creación de un embalse de 50 km², que creará posibilidades de irrigación, nuevos cultivos y agroindustria. La obra entrañará el desalojo de algunos centenares de familias de sus pueblos. Se prevé indemnizarlas y construir nuevas viviendas, escuelas, centros de salud e infraestructura vial. Asimismo se están determinando las compensaciones que recibirán los dueños de las tierras afectados por la construcción. Algunos temen consecuencias medioambientales catastróficas y los pobladores creen que las promesas de indemnización no se cumplirán.

Parque eólico Amayo

El consorcio Amayo, integrado por inversores nicaragüenses, guatemaltecos y estadounidenses, ampliaría su parque eólico en la provincia de Rivas. En esta nueva fase se instalarían 11 aerogeneradores que producirían 23,1 megavatios de energía. Actualmente, Nicaragua depende en un 80 % de la energía proveniente del petróleo. Los parques eólicos producen 800 megavatios, 150 en la provincia de Chontales, en el centro del país, y 650 en la provincia de Rivas. El actual parque eólico Amayo genera 40 megavatios de energía mediante 19 aerogeneradores de 126 m de altura y 400 toneladas de peso, y abastece a 325 000 hogares que consumen un promedio de 150 kilovatios al mes, lo cual supone un ahorro de 300 000 barriles de petróleo anuales. La segunda fase requerirá una inversión de 55 millones de dólares, y creará empleo para contratistas, albañiles, electricistas, ingenieros y otros profesionales, así como un ahorro suplementario de 150 000 barriles de petróleo. La energía eólica permite, por otra parte, enfrentar la sequía que afecta muy a menudo a la producción hidroeléctrica, y su impacto medioambiental es prácticamente nulo.

6 ¿Qué tipo de energía presentan estas imágenes? ¿Conoces otras fuentes energéticas?

a. _____

b. _____

c. _____

d. _____

e. _____

7 Clasifica las energías convencionales y alternativas de 1 (benéfica) a 5 (nociva), según juzgues su impacto en el medioambiente.

patrimonio arte tradiciones empresas productos mercado personalidades migraciones historia ciencia sociedad

mestizaje

1 Lee el siguiente texto, señala los verbos en condicional y justifica su utilización.

El carnaval en República Dominicana

De acuerdo con la documentación existente, los primeros carnavales de la isla, y de América, se festejaron en lo que hoy se conocen como las ruinas de La Vega Vieja, en febrero de 1520, con motivo de una visita de fray Bartolomé de las Casas. Se tienen noticias de que los habitantes de La Vega Vieja se disfrazaban de moros y cristianos, celebración de gran arraigo en España, durante la cual se rememoran las hazañas y batallas contra el poderío musulmán de la Península Ibérica y la reconquista cristiana. Este carnaval mantuvo durante muchos años una expresión predominantemente españolizada, puesta de manifiesto no solo en su tendencia a la teatralización, sino también en el baile de las cintas y la presencia del Diablo Cojuelo, personaje salido de la pluma de Luis Vélez de Guevara en 1641. Lejos de ser una figura maligna, se trata de un demonio travieso y juguetón, a quien el mismo Diablo arrojó a la Tierra, al verse colmada su paciencia. En la caída se lastimó una pierna y quedó desde entonces cojo o cojuelo.

El disfraz –capa, pantalones anchos de colores vivos y una máscara de gran tamaño con enormes cuernos que representa animales o demonios– ridiculiza a los caballeros medievales. Los diablos cojuelos andan sueltos todos los domingos del mes de febrero en horas de la tarde atemorizando a la población. Armados de vejigas de toro, golpean a todo aquel que osa bajarse de la acera, pero respetan a los que no lo hacen. Roba la Gallina, personaje de probables orígenes africanos que simboliza la fertilidad, también goza de enorme popularidad dentro de las festividades carnavalescas dominicanas. Los hombres disfrazados de mujeres, con busto y trasero abundantes y desplazándose con una sombrilla rota, van de colmado en colmado pidiendo dinero o dulces para sus «pollitos», esto es, los jóvenes del pueblo que los siguen en alborozada procesión. Dicha tradición empezaría cuando, como castigo por robar gallinas, a los ladrones se les

untaba con brea y luego se los sacaba a recorrer el pueblo entero cubiertos de plumas.

Se cree que los primeros cultos, posteriormente llamados Carnaval, se dieron en la antigua Babilonia; sin embargo, su origen más claro estaría en Roma, concretamente en las celebraciones orgiásticas en honor de Baco, dios del vino (bacanales); de Saturno, dios del tiempo (saturnales); y de Pan, dios de la naturaleza y fertilidad (lupercales). Aquellas fiestas se extendieron desde Roma al resto de Europa, y la Iglesia católica, durante la Edad Media, en su afán por adecuarse a las costumbres paganas a fin de conseguir más fieles estableció tres días de distensión autorizada y propuso para el carnaval una etimología de origen latino: *Carne levare*, que significaba «quitar la carne», anunciando con ello la Cuaresma y sus 40 días obligatorios de recogimiento y abstinencia. Los navegantes españoles y portugueses llevaron esta festividad a América en el siglo XV, donde se mezcló con tradiciones indígenas y africanas, lo cual dio como resultado un carnaval de carácter más pintoresco y expresivo.

2 Di si las afirmaciones siguientes son verdaderas o falsas.

V F

a Los carnavales nacieron en la antigua Babilonia.

b En las celebraciones romanas reinaba el desorden y el desenfreno.

c Los carnavales en República Dominicana resultan de la mezcla entre lo indígena y lo africano.

d Los diablos cojuelos golpean a todos los paseantes con vejigas de toro.

e Roba la Gallina reparte el dinero y los dulces que recibe entre sus «pollitos».

3 ¿Cómo se celebran los carnavales en tu país?

4 ¿Sabías que el Carnaval de Oruro (Bolivia), el Carnaval de Barranquilla y el Carnaval de Negros y Blancos (Colombia) fueron declarados Obras Maestras del Patrimonio Oral e Inmaterial de la Humanidad por la UNESCO? Acude a internet, busca la lista de los Patrimonios de la Humanidad, selecciona una obra del patrimonio oral e inmaterial de tu interés y preséntalo.

5 *El juego de la vida.* Contesta las siguientes preguntas utilizando el condicional y explicando el porqué de tu respuesta.

a De poder solucionar un problema del mundo, ¿cuál escogerías?
b De haber podido ser la estrella de una película, ¿qué película sería?
c De haber podido escoger tu nombre de pila, ¿qué nombre, distinto al tuyo, te gustaría?
d De poder definir qué es lo más valioso que has aprendido en la vida, ¿qué dirías?
e De poder eliminar un animal de la tierra, ¿cuál harías desaparecer?

6 Completa *El juego de la vida* con 5 preguntas más y luego escoge a los compañeros que quieres que las respondan.

Carnaval de Oruro

7 Conjuga los verbos en el tiempo adecuado.

Juan Ruiz, Arcipreste de Hita, (ser) _____ el autor del *Libro de buen amor,* obra considerada de forma unánime como una de las cumbres literarias españolas de la Edad Media. La fecha de redacción, (variar) _____ según el manuscrito: en uno el autor afirma que lo (terminar) _____ en 1330 y en otro en 1343, esta última fecha (ser) _____ una revisión de la primera versión, en la que el autor (añadir) _____ nuevas composiciones.

Este poemario narrativo de 1728 estrofas (relatar) _____ las diversas aventuras, la mayoría amorosas, que vive el protagonista. En el episodio «De la pelea que tuvo don Carnal y doña Cuaresma» (enfrentarse) _____ alegóricamente los placeres de la carne (carnavales paganos) y la abstinencia (carnavales cristianos). Don Carnal, armado de un ejército de todo tipo de mamíferos y aves: gallinas, conejos, vacas, lechones, cabritos, faisanes, pavos reales…, quesos y vinos (verse) _____ obligado a librar combate contra doña Cuaresma, que lo (desafiar) _____, y su ejército de animales de mar: sardinas, moluscos, anguilas, truchas, camarones, langostas, pulpos… y puerros. Esta última vence y manda preso a su enemigo, a quien (custodiar) _____ don Ayuno.

8 ¿En cuál ejército te enrolarías? ¿En el de don Carnal, en el de doña Cuaresma, en ambos o en ninguno de los dos?

9 ¿Cuál de estos cuadros sobre el carnaval prefieres y por qué? Escoge uno de estos o busca otro sobre este tema y preséntalo.

Carnaval de Arlequín, Joan Miró

Enamorados, Raimundo de Madrazo y Garreta

Carnaval, Henri Rousseau

72 | UNIDAD 5

Venezuela

patrimonio · arte · tradiciones · empresas · productos · mercado · **personalidades** · mestizaje · migraciones · historia · ciencia

sociedad

1 Lee el siguiente texto.

Venezuela: el reino de las *Miss*

¿Cuáles son los dos principales productos venezolanos de exportación? Todos coinciden en responder que el petróleo y las *miss*. Osmel Sousa, presidente de la Organización Miss Universo, empresa del gran consorcio Cisneros, está ciertamente detrás de cada uno de esos triunfos que tanto enorgullecen a sus compatriotas. Venezuela ha ganado dieciséis concursos de prestigio internacional desde 1979: seis Miss Universo, cinco Miss Mundo y cinco Miss Internacional, una cifra superior a la de cualquier país del mundo; y todas las participantes de 1983 a 2003 quedaron entre las diez primeras finalistas.

Los preparativos para la competición nacional de septiembre comienzan en marzo. Las aspirantes se presentan en los distintos eventos regionales o participan en los *castings* populares, instancia que recorre el país en busca de candidatas. Unas 5000 chicas de 17 a 25 años concurren anualmente a estas pruebas. Tras una primera preselección que reduce su número a 70, Sousa se encierra durante semanas a estudiar detenidamente los videos y a realizar una segunda preselección. En lo que se podría llamar un centro de operaciones, una casa del barrio El Rosal, las 40 chicas escogidas deben someterse a lo largo de cinco meses, de siete de la mañana a once de la noche, a un estricto plan de formación y remo-

delamiento corporal. A las clases de pasarela, inglés y cultura general se añaden horas de gimnasio, yoga, sesiones de solárium, dermatología, mesoterapia y dietética. Sin olvidar las consultas con un psicólogo y con un entrenador de atletismo que las acondicionan mentalmente para la ruda competencia. ¿Dientes imperfectos? ¿Una nariz demasiado

gruesa? Una pequeña visita al odontólogo o al cirujano plástico y el inconveniente desaparece. El propio Sousa declaró en 1991, en presencia de las candidatas, que ese año sería recordado como el de los «gastos operatorios» (se calcula que los organizadores invierten unos 72 000 dólares en la remodelación plástica de cada aspirante). Sin embargo, no todas las elegidas llegarán al concurso nacional. Las

exigencias del programa y los criterios de perfección del «zar de la belleza» dejará a más de una en el camino.

El certamen, de una duración promedio de cinco horas, se lleva a cabo en el Poliedro de Caracas, con un aforo de 13 500 personas sentadas y 20 000 de pie; y Venevisón, otra empresa de la Organización Cisneros, lo transmite en directo a 65 países, lo que representa una audiencia de trescientos millones de personas y ganancias que superan los treinta mil dólares por segundo. La industria del espectáculo se muestra este día en todo su fausto: participación de renombrados artistas nacionales e internacionales, lujosos trajes confeccionados por los mejores costureros del país, quienes se han disputado el honor de vestir a las candidatas. Los espectadores aún recuerdan a Pilín León –Miss Mundo 1981– entrando en el escenario montada en un elefante.

Si bien las reglas del concurso estipulan que las candidatas deben haber nacido en el país, al ser Venezuela una nación de inmigrantes, se han autorizado ciertas excepciones. En 1983, la elección de Paola Ruggieri causó gran controversia. La joven, de origen italiano, podía apenas expresarse en español, lo que, a fin de cuentas, no le impidió ganar el concurso.

2 Completa las siguientes frases con los tiempos adecuados.

a Toni Morrison, escritora norteamericana, premio Nobel en 1993, (decir) _____ que la cirugía estética (ser) _____ el burka de Occidente, pues de alguna manera la cirugía (llegar) _____ a producir el mismo efecto que el velo, tras el que la mujer (esconderse) _____, prisionera.

b (Vivir) _____ en una sociedad inundada por los productos de consumo. Nos (anunciar) _____ cremas que nos (quitar) _____ diez

años, revolucionarias lociones reafirmantes que (dejar) _____ nuestra piel como la de una modelo famosa, champús que (transformar) _____ nuestro pelo estropeado en la melena de una reina de belleza.

c De ser la muñeca Barbie una persona, (tener) _____ unas medidas imposibles de 100-45-80 y no (poder) _____ caminar porque su espalda no (soportar) _____ el peso.

3 ¿Estás de acuerdo o en desacuerdo?

Sí No Depende

a La cirugía estética es el burka de Occidente.

b La agencia Moda Barcelona propuso rechazar a las modelos con una talla menor de 38.

c Los concursos de belleza son certámenes obsoletos porque la mujer moderna es más que un sujeto de exhibición.

d Todo vale, desde eliminar las arrugas de los párpados hasta darle realce y firmeza al trasero, si nos reconciliamos con la imagen que nos devuelve el espejo.

4 Escucha la grabación siguiente y relaciona cada creación con su modisto.

a. _____

b. _____

c. _____

d. _____

e. _____

f. _____

5 Busca en internet una lista de diseñadores de moda, escoge uno de ellos, prepara una breve biografía, acompáñala de imágenes de sus creaciones, y preséntala.

6 ¿Cuál de estas imágenes se acerca más a tu ideal femenino de belleza?

patrimonio · arte · tradiciones · empresas · **productos** · mercado · personalidades · mestizaje · **migraciones** · ciencia · sociedad

historia

1 Observa los pronombres indefinidos en negrita.

La presencia española en el Sahara Occidental

Habría que recordar dos fechas si queremos conocer **algo** sobre la presencia de España en el Sahara Occidental: 14 de enero de 1958, cuando el territorio pasa a ser provincia española, y 26 de febrero de 1976, cuando los últimos soldados españoles lo abandonan. **Nadie** puede negar que su historia también está ligada a Marruecos y Mauritania, que lo han reivindicado como propio, y a Argelia, en cuyo territorio se han replegado los saharauis, **muchos** todavía instalados en campos de refugiados.

Los primeros europeos que exploraron el área fueron los portugueses en el siglo XV, durante sus expediciones en busca de nuevas tierras, minas de oro y esclavos. Los españoles también hicieron algunas incursiones, pero su presencia no llegó a ser tan importante. Con la conquista de Gran Canaria por los Reyes Católicos en 1478, cambió un poco la situación. En aquella época Diego García de Herrera, señor de las Canarias menores, construyó una fortaleza española en el litoral, llamada Santa Cruz de Mar Pequeña y situada, a decir de **unos**, en la boca del río Chebeica, entre el Dra y cabo Juby. La edificación tuvo más bien un carácter defensivo y político, que intentaba crear una zona de influencia y de tráfico comercial; a ella acudían los nativos para trocar ganados, cueros y oro contra el trigo, el azúcar o las telas de Canarias.

La Torre de Santa Cruz de Mar Pequeña mantuvo su influencia hasta su desaparición de la historia entre 1524 y 1527, posteriormente se perdió incluso la memoria exacta de su emplazamiento. Una Real Cédula del rey Felipe II de febrero de 1572 prohibió en el Sahara las cabalgadas propiciadas por muchos señores y caballeros de Canarias. Pese a la prohibición, se produjeron **algunas**. Casi toda relación comercial terminó con la centuria. Unos cuantos pescadores canarios siguieron faenando en el rico litoral saharaui, previo consentimiento de los jefes de la zona. Dicho convenio se deshizo entrado el siglo XIX, en el momento en que España volvió al Sahara.

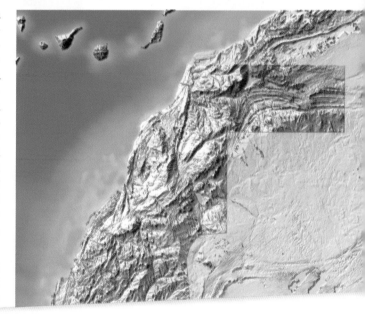

2 Completa las siguientes frases con los pronombres indefinidos del recuadro y di a qué evento histórico se refieren.

ninguno · algunos · otros · nadie · muchos · alguien · cualquiera · todos · unos · varios

1 La construcción de la Torre de Santa Cruz se remonta a finales del siglo XV. Hoy en día (1) _____ sabe a ciencia cierta donde fue edificada.

2 Los españoles viajaron en *La Pinta, La Niña* y *La Santa María*, sin embargo (2) _____ al desembarcar tuvo conciencia de que había pisado un nuevo continente. No (3) _____ eran navegantes, (4) _____ habían purgado penas de prisión, (5) _____ se hallaban presentes en calidad de representantes de la Corona española, (6) _____ solo buscaban fama y riqueza.

3 (7) _____ en el siglo XVI creían que los indios no tenían alma. Bartolomé de las Casas, fraile español era capaz de defenderlos ante (8) _____ .

4 ¿(9) _____ puede decir cuáles fueron las últimas colonias que tuvo España en América?

5 Santiago Carrillo, secretario general del Partido Comunista de España hasta 1982, lo denominó el «Rey Breve». Después de su intervención televisiva desautorizando el intento golpista de Tejero casi todos los españoles empezaron a respetarlo, aunque (10) _____ continuaron añorando los tiempos del franquismo.

3 Transforma el texto al pasado haciendo las concordancias debidas.

Las colonias magrebíes del siglo XIX

La colonización europea del Magreb se inicia con la llegada de los franceses a Argelia en 1830, lo cual provoca en el resto de Europa tensiones geopolíticas. De este proceso surgen en el noroeste de África, la colonia italiana de Libia, las francesas de Argelia, Túnez y Marruecos, y la española del Sahara Occidental y parte de Marruecos. España, que ha perdido la guerra por sus últimas colonias americanas contra Estados Unidos, pretende revitalizar en África su pasado colonial americano. Al finalizar la Segunda Guerra Mundial las poblaciones magrebíes y los líderes nacionalistas árabes empiezan a luchar por su independencia. Tras 44 años en Régimen de Protectorado, Marruecos se libera en 1956 del yugo europeo, y Argelia, después de una terrible guerra, se separa de Francia en 1962, aunque todavía quedan territorios ocupados por España en el Sahara hasta el 76. Hay dos eventos que marcan el dominio español en el Sahara Occidental: el primero es el enfrentamiento militar en la localidad marroquí de Annual en 1921, que constituirá su mayor derrota militar; y el segundo, la Marcha Verde, organizada por Hasán II en 1975, que pondrá fin a la presencia española en territorio saharaui.

Preparativos para la Marcha Verde

4 Escucha la grabación y di si las afirmaciones siguientes son verdaderas o falsas. Si son falsas explica el porqué.

El desastre de Annual

V   F

a   Abd el-Krim era un soldado de un comando rifeño.

b   El ejército español perdió a muchos de sus hombres.

c   La derrota militar supuso un cambio de política colonial para España.

d   Alfonso XIII salió fortalecido de esta experiencia.

e   Primo de Rivera fue elegido presidente de España.

La Marcha Verde

V   F

a   En 1975 miles de marroquíes penetraron en el Sahara español.

b   España no opuso resistencia debido al fin de la dictadura.

c   La ONU no apoyaba al pueblo saharaui.

d   El rey Hasán formó parte de la marcha.

e   Las tropas marroquíes atacaron por el sur a las españolas.

5 Investiga y comenta: «En la actualidad, según Naciones Unidas, el Sahara Occidental es el último territorio de África por descolonizar».

6 Imagina un diálogo entre Mohamed VI, rey de Marruecos, Juan Carlos I, rey de España, y el representante del Frente Polisario ante la Unión Europea. Polisario es acrónimo de Frente Popular de Liberación de Saguia el Hamra y Río de Oro, un movimiento de liberación nacional del Sahara Occidental.

La conversación girará sobre la situación actual de este territorio.

Investiga un poco sobre el tema antes de elaborar el diálogo.

SUPLEMENTO

La lucha libre mexicana

La lucha libre mexicana es el deporte espectáculo más popular en México después del fútbol. Se caracteriza por secuencias acrobáticas de saltos y llaves, y porque la mayor parte de los luchadores oculta su identidad tras una máscara. Estos suelen ponerla en juego cuando se enfrentan a otro luchador enmascarado (máscara contra máscara) o bien a uno no enmascarado (máscara contra cabellera), pero si la pierden no pueden volver a portarla nunca en su carrera deportiva. Existen dos tipos de luchadores: los «rudos» (el mal) y los «técnicos» (el bien). Los primeros hacen honor a su nombre, ya que se valen de cualquier recurso para ganar la lucha: desde golpear al oponente con un objeto externo (silla, cadena, látigo…) hasta efectuar vuelos espectaculares y topés suicidas[1]. Los segundos hacen alarde de jugar limpio y respetar las reglas establecidas. Su vestimenta comprende, además de la máscara –en caso de utilizarla–, botas especiales, calzón o malla y, como toque final, una capa que les permite distinguirse al ingresar en el cuadrilátero.

En la década de los 50 aparecieron en México quienes hoy día se consideran figuras míticas de la lucha libre profesional: Santo «El Enmascarado de Plata», Blue Demon, Mil Máscaras, Cavernario Galindo, el Rayo de Jalisco, Huracán Ramírez y el Dr. Wagner, entre muchos otros. La llegada de luchadores japoneses en los años 80 influyó en este deporte, pues sus homólogos mexicanos incorporaron las artes marciales en su estilo, con lo cual lograron mayor espectacularidad en sus acrobacias.

Cuando el hijo de un luchador continúa la tradición familiar puede adoptar el nombre del personaje del padre, anteponiéndole el genitivo «hijo de», por ejemplo El Hijo del Santo. Si se trata de un familiar, y no de un descendiente directo, añade la palabra «junior». Así, Rey Mysterio Jr. es sobrino de Rey Mysterio.

A ojos de los escépticos la lucha libre mexicana se reduce a un mero espectáculo. Si bien en algunas ocasiones los contrincantes se ayudan para realizar un movimiento, los golpes y los castigos que se infligen son reales. Blue Panther estuvo hospitalizado porque durante un combate le aplicaron «el martinete», una llave prohibida que le lesionó el cuello. El luchador que se la aplicó, Love Machine, fue descalificado y perdió su máscara en esa contienda.

En un principio, solo las clases populares acudían a presenciar estos espectáculos, pues los combates les servían como válvula de escape a sus preocupaciones y angustias de la vida cotidiana. Hoy en día acuden por igual artistas, intelectuales y personas de todas las edades y estamentos socioeconómicos.

[1] Consiste en saltar desde dentro del cuadrilátero a través de las cuerdas o por encima de ellas hacia fuera golpeando al oponente con el cuerpo.

1 Escucha la grabación y haz un breve resumen de la biografía de estos luchadores.

a Blue Demon
b Canek
c Místico
d L. A. Park
e El Cavernario Galindo
f El Enmascarado de Plata

2 Investiga quiénes son las cholitas voladoras. Acude a YouTube y mira un video sobre estas cholitas.

LOS JUEGOS OLÍMPICOS DE VERANO

En la década de los 60 ocurrieron muchos eventos históricos. Unos la recuerdan como la del inicio de la libertad sexual, otros por el primer concierto de rock multitudinario, Woodstock.

En el 69, los Estados Unidos enviaron en el Apolo XI una tripulación a la Luna. Los franceses tuvieron su mayo del 68. Cuba, la crisis de los misiles y la invasión de Bahía de Cochinos. Burundi, Ruanda, Argelia, Jamaica, Uganda, Kenia, Gambia, Botswana, Barbados, Guyana, Guinea Ecuatorial, entre otros países del continente africano, alcanzaron su independencia. México, un país en vías de desarrollo, ¡y latinoamericano!, organizó los primeros Juegos Olímpicos de verano en 1968. En 2016, Brasil será el segundo país de América Latina en organizarlos.

Ceremonia de inauguración de los JJOO de verano de México.

Ciudad de México salió elegida como sede frente a Lyon, Detroit y Buenos Aires. Las primeras críticas provinieron de los mismos atletas y dirigentes deportivos europeos que, tras una visita a la capital, volvieron a sus países espantados por las condiciones en las que el Comité Olímpico quería hacerlos participar. Estaban convencidos de que para poder competir a esa altitud, 2240 metros sobre el nivel del mar, necesitaban una aclimatación de mínimamente medio año. La prensa europea auguró que los deportistas morirían tratando de batir marcas. Sin embargo, el Comité Olímpico Internacional no cedió ante las presiones que lo incitaban a quitarle a México la organización de los juegos. Arguyó que si allí vivían 6 millones de personas sin dificultades, a las cuales visitaban más de un millón de turistas de todo el mundo, no iba a presentarse ningún problema. A fin de demostrar que en la ciudad sí se podía hacer deporte, se realizó la III Semana Deportiva Internacional, lo que puso de manifiesto el infundio de todas aquellas alusiones. Durante los juegos, el atleta James Hines rompió la marca mundial oficial de los 100 metros planos, corriéndolos en 9.95 segundos. Se batieron un total de 22 marcas en atletismo, algunas de las cuales, la de 4 X 400, logró ser superada solamente 22 años después.

Muchos países estuvieron a punto de boicotear las olimpiadas mexicanas en señal de protesta contra la invasión soviética de Checoslovaquia. Algunos deportistas negros de los Estados Unidos decidieron no acudir a causa de la discriminación racial en su país, y dos de los que asistieron, al recibir sus medallas en el podio, levantaron sus puños cerrados, símbolo de los «Black Power».

El 2 de octubre de 1968, diez días antes de la inauguración, el ejército reprimió una manifestación de estudiantes en la plaza de las Tres Culturas, en Tlatelolco. Se habla de trescientos muertos, entre manifestantes y militares, aunque las cifras difieren según la versión oficial y la de los simpatizantes del movimiento estudiantil. Más de mil estudiantes fueron arrestados y algunos pasaron años encarcelados. En el momento de la inauguración de «Los Juegos Olímpicos de la Paz», como los bautizó el presidente, un grupo de manifestantes lanzó sobre el palco presidencial un papalote de color negro en forma de paloma, en repudio por la matanza.

Participaron 5531 atletas en representación de 113 países, compitieron en 18 deportes y 172 especialidades. México ganó nueve medallas.

1 ¿Con cuál de los momentos históricos evocados en el texto relacionarías a estas parejas de personajes?

Tomie Smith y John Carlos, Fidel Castro y John F. Kennedy, Charles de Gaulle y Daniel Cohn-Bendit, Alexander Dubcek y Leonidas Brézhnev, Neil Amstrong y Edwin Aldrin, Luis Echeverría Álvarez y Gustavo Díaz Ordaz, Jimi Hendrix y Carlos Santana.

2 ¿Ha participado tu país en los Juegos Olímpicos? ¿Cómo ha sido su actuación?

14 3 Escucha estos datos. ¿Cuál te sorprende más?

México

EL **maíz**: REGALO DE LOS Dioses

Según el *Popol Vuh*, el libro sagrado de los mayas, los dioses formaron a los hombres a partir de la masa del maíz. El origen americano de esta planta resulta incuestionable, pues no se ha hallado ningún vestigio arqueológico, ni siquiera de otras plantas similares, en los demás continentes. Antes de la llegada de Colón se conocía desde el norte de Canadá hasta la Patagonia, aunque la mayor densidad de su cultivo y diversificación fueron encontrados en México, donde apareció hace unos 8000 años. Los restos más antiguos se localizaron en los valles de Oaxaca y de Tehuacán.

Sustento principal de las culturas prehispánicas, se utilizaba además en ritos y tradiciones religiosas, y sus diferentes variedades tenían significados distintos, todos vinculados a la relación del ser humano con el Universo. El maíz blanco, por ejemplo, representaba el centro del universo.

Los pueblos precolombinos tardaron miles de años en domesticarlo y crearon variedades adaptables a diferentes climas y terrenos.

De la planta se aprovecha prácticamente todo: los granos, como alimento; las hojas, para envolver los tamales o hacer artesanías; con la mazorca seca se elabora una bebida, el atole, a la que se le agregan sabores edulcorantes, incluso se hacen infusiones de los pelos del elote con el fin de combatir las afecciones renales.

En México existen unas sesenta variedades de maíz, generalmente producidas en parcelas que no sobrepasan las cinco hectáreas, sobre todo en los estados de Oaxaca y Chiapas, los más pobres del país. Los campesinos maiceros piden apoyo a las autoridades. El gobierno mexicano afirma, sin embargo, que el sector agrícola es el que ha recibido mayores subsidios en los últimos años. Algunos observadores indican que el problema radica en su desigual distribución, el 75 % va a los agricultores ricos del norte y apenas el 25 % a los productores pequeños.

México dejó de ser autosuficiente desde hace medio siglo y ahora debe importar cada vez más toneladas de maíz amarillo y blanco de su vecino del norte. Según ciertos expertos y activistas de organizaciones no gubernamentales, el maíz y el fríjol se han convertido en una de las principales víctimas de la aplicación del Tratado de Libre Comercio de América del Norte (TLCAN). «El campo se muere», sostiene la Red Mexicana de Acción frente al Libre Comercio (RMALC), a causa de la creciente inmigración hacia Estados Unidos y las pocas perspectivas de futuro. Por el contrario, el Banco Mundial arguye que sin el TLCAN las exportaciones globales del país habrían bajado y el Producto Interno Bruto habría experimentado una importante reducción.

Puesto de elotes y esquites durante la fiesta de la Independencia, Chiapas (México)

---

1 Estos son algunos de los platos mexicanos a base de maíz. ¿Cuál de ellos has probado? Busca sus recetas en internet y explica a tus compañeros cómo se preparan.

> Tortillas, tacos, enchiladas, burritos, chilaquiles, quesadillas, sopes, tlacoyos, huaraches, tamales, atole, pozole…

2 Escucha la grabación y escribe debajo de cada imagen el nombre que se les da a estas diferentes formas del maíz.

a. _____ b. _____ c. _____ d. _____

El chavo del ocho:
una serie de culto de América Latina

En el español mexicano se distinguen cuatro variantes: la del norte, la del centro, la del sur y la de las costas del sur del país, cuya diferencia fundamental radica en el acento. El hispanista sueco Bertil Malmberg señala que, en esta variedad del español, las vocales tienden a perder fuerza mientras que las consonantes siempre se pronuncian bien. Esto se debe a la influencia del complicado sistema de consonantes del náhualt, lengua nativa que aún habla un millón y medio de personas, en situación de bilingüismo con la lengua hegemónica. Asimismo resulta notable la abundancia de nahualtlismos que el español mexicano ha incorporado, a saber, *cuate, petaca, petate, aguacate, tomate, hule, chocolate, tlapalería*… La mayoría de los estados y los medios de comunicación utilizan la manera de hablar del centro porque, desde la época colonial, Ciudad de México ha concentrado los poderes, y en la actualidad es la metrópoli hispanohablante más poblada del mundo.

Todos los latinoamericanos están familiarizados con este español; fenómeno que obedece no solo a la extensión territorial del país, sino además a cuestiones relacionadas con los medios audiovisuales. Cuando se iniciaron los doblajes de las películas hollywoodenses, en los años 20, se propuso este trabajo a los actores mexicanos, pues su acento se consideraba más neutro. Adicionalmente, tanto el cine mexicano como una numerosa cantidad de programas televisivos han sido exportados al resto del continente. Destaca entre los últimos *El Chavo del Ocho*, serial que viene acompañando la infancia de millones de niños latinoamericanos desde 1972 hasta hoy en día, pese a que se dejó de rodar en 1978. Gracias a sus continuas redifusiones, niños de diferentes generaciones han aprendido que una *torta* es un bocadillo, un *cuate* un amigo y un *chamaco* un muchacho. Roberto Gómez Bolaño, su creador, conocido como «Chespirito» (un Shakespeare chiquito) interpreta el papel del Chavo del Ocho, un niño pobre que vive dentro de un barril en el patio de una vecindad. Se lo llamó «del Ocho» porque en sus inicios el programa se trasmitía por el canal 8 de México. En su época de apogeo llegó a tener una audiencia de 350 millones de personas y se tradujo al ruso, hindi y varios otros idiomas. El espectáculo de Chespirito llenó dos días seguidos, en 1977, el estadio de Santiago de Chile, con un aforo de 80 000 puestos; se representó 14 veces ante 25 000 espectadores en el Luna Park de Buenos Aires; y en 1983 mantuvo repleto el Madison Square Garden durante dos días.

1 Mira la fotografía. Identifica a cada uno de los personajes de acuerdo con sus nombres.

El Chavo del Ocho, la Bruja del 71, don Ramón, Quico, la Chilindrina, doña Florinda, el profesor Jirafales.

2 ¿Cuál de estas frases célebres de la serie pondrías en su boca?

— Fue sin querer queriendo.

— Vámonos tesoro, ¡no te juntes con esa chusma!

— ¡Te voy a acusar con mi mamá!

— Chavo, ¿cierto que le dijiste a Quico que somos novios?

— ¿Cómo se te ocurre despertarme a las 10 de la madrugada?

— He tenido estudiantes buenos, regulares, malos, pésimos…y Quico.

— ¿Cuántas veces tengo que decirte que no soy ninguna bruja?

3 Acude a www.chavodel8.com o www.elchavodel8.com, allí encontrarás todo acerca del programa. ¿Por qué piensas que es una serie de culto en América Latina?

México

Orígenes del nombre: Proviene del vocablo náhualt, Mēxihco, nombre de la capital de los mexicas. Los estudiosos afirman que significa «el ombligo de la luna», sin embargo, otros vinculan el nombre con el dios tutelar de los aztecas, Huitsilopochtli.

Capital: México, Distrito Federal

Superficie: 1 972 550 km²

Población: 107 550 697 habitantes

Moneda: peso mexicano

Gentilicio: mexicano

Organización administrativa

El estado de México lo componen 32 entidades federativas que poseen una constitución (a excepción del Distrito Federal) y un congreso propios. Los estados se dividen a su vez en municipios (en total, 2438); algunos, como Baja California, tienen solamente 5 y otros, como Oaxaca, 570.

Economía

Es la tercera en tamaño de todo el continente americano, tras la de Estados Unidos y Brasil. Ocupa el décimo tercer puesto a nivel mundial. La forman una mezcla de industrias y sistemas agrícolas antiguos y modernos que, cada vez más, domina el sector privado. Por tratarse de una economía orientada hacia las exportaciones, 12 tratados de libre comercio con 43 países regulan su comercio. El de mayor importancia se firmó en 1992 con Estados Unidos y Canadá, el cual entró en vigor en 1994 y representa alrededor del 90 % de sus exportaciones y el 55 % de sus importaciones.

Grandes empresas mexicanas están presentes en varios países del mundo: Cemex (cemento), Televisa (comunicación), Pemex (petróleo), Bimbo (alimentos), CFE (energía) y Telmex (telefonía), entre otras.

Lenguas

Un 7 % de la población habla una de las 65 lenguas indígenas (cien, en opinión de varios lingüistas) oficialmente reconocidas por el Estado. Las más utilizadas son el náhualt y el maya yucateco, y les siguen en importancia el mixteco, zapoteco, tzotzil, tzeltal, otomi, totonaca, mazateco y huasteco. Unas cuantas decenas de personas practican el kiliwa o el maya lacandón. El 97 % de la población habla español. En algunas poblaciones se emplea el véneto, traído por inmigrantes italianos, el *plautdietsch*, un dialecto bajo sajón, y el francés, debido a la colonización francesa.

Religión

México es constitucionalmente un país laico. Aunque la mayor parte de mexicanos se declara católica, existen muchos Testigos de Jehová, protestantes, mormones, musulmanes, judíos, e incluso se observan ciertos ritos provenientes de las antiguas religiones indígenas.

> **Dominio de internet:** www.mx
> **Gobierno:** www.presidencia.gob.mx
> **Directorio de empresas:**
>   www.mexicoweb.com.mx/Empresas/
> **Cámara de comercio:** www.ccmexico.com.mx
> **Consejo de promoción turística:** www.visitmexico.com
> **Diarios:** www.lajornada.unam.mx,
>   www.eluniversal.com.mx, www.proceso.com.mx

patrimonio   arte   empresas   productos   mercado   personalidades   mestizaje   migraciones   historia   ciencia   sociedad

tradiciones

1 Lee el siguiente texto.

La isla de Taquile

A Taquile, una de las 36 islas del lago Titicaca y una de las más grandes dentro del territorio peruano, se llega tras 3 horas y 20 minutos de viaje desde el puerto lacustre de Puno. Entre el pequeño desembarcadero de Chilcano y el emplazamiento del poblado existe un desnivel de 120 m de altura, salvados por una empinada escalera de 567 peldaños.

La comunidad, que cuenta con aproximadamente 2200 habitantes, conserva sus tradiciones ancestrales y vive bajo los tres preceptos del código moral inca: *ama shua* (no robarás), *ama llula* (no mentirás) y *ama quilla* (no serás holgazán). La expresión «el perro es el mejor amigo del hombre» pierde en este lugar su carácter irrefutable, pues dentro de la isla no hay perros. No están permitidos porque se cree que son holgazanes, lo cual iría contra el tercer precepto moral. Tampoco se aceptan burros, triciclos ni bicicletas. Menos aún camiones, autos o motos. Carecen asimismo de electricidad y agua potable.

Taquile tiene su propio sistema de justicia. Cuando un hombre roba una oveja es presentado ante la comunidad y obligado a dar seis vueltas alrededor de la plaza llevando el animal en su espalda. Cuando la mata, es conducido a Puno y se le prohíbe regresar al pueblo.

En la isla, hombres y mujeres, ancianos y niños pasan las horas tejiendo. Los hombres solteros tejen los gorros llamados «chullos», cuyo estilo y colores indican el rango y el estado civil de su propietario. Un «chullo» rojo con representaciones de aves y mariposas señala que el portador está casado; en cambio, uno con la mitad superior en blanco y la inferior en rojo con pequeñas figuras dispuestas en hileras indica que es soltero. Las autoridades actuales o salientes llevan un «chullo» con orejeras en el que sobresalen los tonos anaranjados. Las mujeres visten una blusa roja y faldas de distintos colores, recubiertas por una amplia falda negra. Se protegen del sol y del frío con una manta o «chuko» rectangular, de gran tamaño e igualmente negro, de cuyos cuatro extremos cuelgan sendas borlas multico-

lores (las borlas de las solteras son más grandes). Tanto los hombres como las mujeres usan un cinturón-calendario, faja ancha donde aparecen representadas las actividades rituales y agrícolas.

Las similitudes entre el traje de los taquileños y el traje típico catalán (barretina[1], chaleco corto sobre camisa blanca, faja bordada y pantalones de pescador) han suscitado dos explicaciones. Algunos piensan que el noble Pedro González, de probable origen catalán, impuso esa forma de vestir a los indígenas, al convertirse en señor de la isla en el siglo XV. Otras fuentes sostienen que Carlos III, tiempo después, concedió Taquile a un industrial de Figueres, quien implantó un taller de fajas y barretinas con la excelente lana de los rumiantes andinos.

En los años 70, la comunidad decidió desarrollar la actividad turística. Los habitantes transportan en sus embarcaciones a los visitantes, los acogen en sus propias casas y les preparan paseos y excursiones especiales.

[1] Gorro de lana tradicionalmente usado en Cataluña, en forma de manga cerrada por un extremo.

2 Da tu opinión sobre cinco aspectos de la comunidad taquileña.

a Me gusta que _____

b Me sorprende que _____

c Me llama la atención que _____

d No estoy de acuerdo en que _____

e Encuentro absurdo que _____

3 ¿Podrías vivir en Taquile? Señala las ventajas y desventajas de vivir en un pueblo.

4 Lee esta breve biografía de Máximo Laura, Gran Maestro del arte textil andino contemporáneo, y luego visiona el reportaje titulado *Ofrendas, tapices de Máximo Laura* (YouTube).

Máximo Laura es un artista peruano cuyas manos elaboran tapices de una belleza indescriptible. Aprendió de su padre el arte textil y a los 12 años asistió como alumno libre a la Escuela de Bellas Artes de Ayacucho. Ha presentado exposiciones individuales y participado de numerosas colectivas en Perú y el extranjero desde 1985. Sus obras se han exhibido en Latinoamérica, Norteamérica, Europa y Asia. Imparte talleres de arte textil en distintas regiones del Perú y del mundo. Ha ganado numerosos premios y reconocimientos internacionales, entre otros, el Premio UNESCO para América Latina y el Caribe, III Premio de Bronce en «From Lausanne to Beijing» V Bienal Internacional del Arte de Fibra (China), Premio HGA a la excelencia otorgado por la Handweavers Guild of America - (USA), Mención Honorífica en la décimo tercera Trienal Internacional del Tapiz de Lodz (Polonia), Premio a la Excelencia en «From Lausanne to Beijing» VI Bienal Internacional del Arte de Fibra (China).

Máximo Laura

5 Establece hipótesis. ¿Qué pueden representar estos tapices?

(Fotografías: Máximo Laura)

a Quizás _____

b A lo mejor _____

c Puede que _____

◀16 **6** Escucha la siguiente grabación e identifica los instrumentos musicales andinos.

a _____   b _____   c _____   d _____   e _____

patrimonio · arte · tradiciones · empresas · productos · mercado · personalidades · mestizaje · migraciones · historia · ciencia · sociedad

1 Lee el siguiente texto

Los incunables

Entre las obras que enriquecen la colección de la Biblioteca Nacional se encuentra el que se considera como el primer incunable cubano: *Tarifa General de Precios de Medicinas*, publicado en la Habana en 1723. El término «incunable» proviene del latín *incunabŭla*, que significa «pañales» o «en la cuna», haciendo con ello referencia a la «infancia» de los libros, es decir, a la época de aparición de la imprenta moderna. Así, se llaman incunables los libros que se imprimieron con tipos móviles en la segunda mitad del siglo xv. El primer incunable, *El Misal de Constanza*, salió de la imprenta de Gutenberg en 1449 o 1450; y se cree que fue el autor e impresor holandés Cornelius Beughem quien empleó en 1688 por primera vez dicho término en su *Incunabula typographiae*.

Entre 1453 y 1500, unas 1200 imprentas, distribuidas en 260 ciudades, lanzaron alrededor de 35 000 obras distintas. Hoy las colecciones más importantes están en Europa: la Biblioteca Estatal de Baviera, en Múnich, dispone de una colección de 18 550 volúmenes, seguida por la Biblioteca Británica y la Biblioteca Nacional de Francia, con 12 500 y 12 000 respectivamente. La Biblioteca Nacional de España posee 3300, mientras que en América Latina la mayor colección se halla en la Biblioteca Nacional de Brasil, que abriga 1500 volúmenes. Muy atrás queda la Biblioteca Nacional de México con sus 168. La mayor parte de las bibliotecas latinoamericanas conservan 1 o 2 volúmenes.

Cabe señalar que la expresión «incunable» resulta impropia si nos referimos a los libros impresos en América, pues la imprenta llegó al continente en el siglo xvi. Lo adecuado sería denominarlos «incunables americanos». En los albores de la colonización se utilizaron los incunables para el estudio del latín, la retórica, la filosofía, la medicina y la teología, materias que formaban parte del plan de estudio de los primeros colegios y universidades del «nuevo mundo». Se volvieron además punto de apoyo cuando se redactaron gramáticas, diccionarios y sermonarios en lenguas indígenas. Tal

semejanza se puede ver en el *Libellus de medicinalius indiarum herbis*, escrito en náhuatl por Martín de la Cruz y traducido al latín por Badiano, el cual adopta el mismo esquema de descripción de plantas que el de la *Opera medicinalia* de Messue (1479). Esto permite afirmar que los incunables se convirtieron en el puente que permitió a los criollos e indios americanos acceder a la cultura europea.

Algunos editores cubanos se han lanzado a la fabricación de libros que recuerdan esa antigua técnica de impresión: editan libros impresos con caracteres móviles muy semejantes a los de los manuscritos medievales.

2 ¿Qué es un incunable?

3 ¿Por qué la expresión «incunable» resulta inapropiada cuando nos referimos a los libros impresos en el «nuevo continente»?

4 ¿Qué papel desempeñaron en la educación de los criollos durante los primeros años de la colonización?

5 ¿Sabes si existen incunables en las bibliotecas de tu país?

Los incunables cubanos de hoy

Rolando Estévez y Alfredo Zaldívar fundaron Ediciones Vigía en 1985, una editorial de la ciudad de Matanzas que publica libros a la manera de los incunables, ilustrados a mano y hechos con papel reciclable. Vigía tiene una plantilla de diez trabajadores y edita cada año unos veinte títulos, con una tirada de doscientos ejemplares. Cuenta con el financiamiento del Ministerio Cubano de Cultura, y universidades norteamericanas y organizaciones europeas donan los materiales. La editorial nació durante el Periodo Especial[1]. Rolando Estévez explica que su proyecto consiste en hacer un libro humano, un objeto íntimo, precioso, tanto por su contenido como por su forma. Esta filosofía se contrapone a la del libro de bolsillo, hecho para ser manipulado sin cuidado alguno. «Queríamos publicar a autores cubanos y, sin recursos, comenzamos a crear libros semejantes a los incunables del Medioevo. Al principio, nuestro objetivo era ofrecer gratuitamente los libros que hacíamos con el papel ecológico que se usaba como envoltorio de dulces. Nos resultó imposible regalarlos todos. Los textos se venden hoy a precios accesibles. Los cubanos pagan entre 5 y 50 pesos (2 dólares) y los extranjeros hasta 25 dólares».

[1] Se llama así al largo periodo de crisis que vivió Cuba tras el colapso de la Unión Soviética.

6 ¿Qué piensas del proyecto de Ediciones Vigía? ¿Qué te parecen las carátulas de sus libros? Utiliza los verbos *creer, pensar, parecer* y *considerar* en frases afirmativas o negativas, respetando el uso de indicativo o subjuntivo.

> Ejemplo: No creo que editar incunables **tenga** sentido en una sociedad cada vez más digitalizada.
>
> Creo que las carátulas **son** muy bonitas.

El libro en Cuba

El escritor Iroel Sánchez, que preside el Instituto Cubano del Libro (ICL), fundado en 1967, entidad responsable de la Feria Internacional del Libro de Cuba, afirma que en la isla se editan dos mil títulos anuales, lo que representa alrededor de treinta millones de ejemplares. Esto sin considerar los libros educativos que se publican y no se distribuyen comercialmente, pues se entregan de manera gratuita a los centros educativos. Un escritor cubano cobra sus derechos de autor se vendan o no sus libros. En el caso de autores extranjeros, se les pide a ellos o a sus herederos los derechos. Para la conmemoración del cuadragésimo aniversario de la publicación de *Cien años de soledad*, Gabriel García Márquez cedió los suyos y se hizo una tirada espectacular. Iroel Sánchez afirma asimismo que los libros no cuestan más de un dólar y todos reciben subsidios. Los grandes autores ceden sus derechos, tomando en cuenta las condiciones particulares del país. Del Instituto Cubano del Libro depende la Agencia Literaria Latinoamericana, que promueve un catálogo de autores cubanos clásicos y contemporáneos. Tiene, por ejemplo, los derechos de Alejo Carpentier y de Lezama Lima. Algunas editoriales cubanas funcionan como agencias literarias. Estas no compiten con los grandes conglomerados, sino que van a las ferias internacionales –dentro de sus limitadas posibilidades económicas– y logran a veces colocar a determinados autores o libros en el extranjero.

◀17 **7** Escucha la siguiente entrevista.

En tu opinión:

	Sí	No	Depende
a No creo que el embargo sea el culpable de la situación económica cubana.			
b Pienso que los cubanos deben liberalizar su economía.			
c No me parece bien que los Estados Unidos intervengan en la política de Cuba.			
d Creo que el arte tiene que estar desligado de la política.			
e No considero que al Estado le competa pagar a los escritores.			

patrimonio · arte · tradiciones · empresas · productos · mercado · personalidades · mestizaje · historia · ciencia · sociedad

migraciones

1 Lee el siguiente texto.

La migración sirio-libanesa

Hacia 1850 llegaron a territorio ecuatoriano inmigrantes de origen palestino, quienes traían consigo rosarios, estampas, estatuillas y otros objetos de Tierra Santa, que comenzaron a vender de manera ambulante en diversos sitios del país. Sin embargo, la primera gran inmigración árabe a Latinoamérica se produjo en 1880, como resultado de la crisis económica y la agudización de las tensiones confesionales entre cristianos y musulmanes en el Imperio otomano. Aquellos inmigrantes sirio-libaneses[1] recibieron el apelativo de «turcos» porque viajaban con pasaporte del Imperio turco otomano. Se trataba fundamentalmente de una población masculina, que se dedicó a la venta callejera de baratijas. Una segunda ola migratoria sobrevino a raíz de la Primera Guerra Mundial. La coalición inicialmente integrada por el Imperio otomano, el alemán y el austrohúngaro, a la que después se uniría Italia, enfrentaba a la coalición que habían formado el Imperio ruso, Inglaterra y Francia. Los libaneses huían de la obligación de enrolarse en el ejército otomano, con el que no se identificaban, y de combatir contra Francia, país que desde 1860 ejercía una considerable influencia cultural en su sociedad. Finalizado el conflicto bélico, el flujo migratorio sirio-libanés se intensificó y creció en cifras porque se le sumaron mujeres y niños.

El dinamismo comercial de Guayaquil, principal puerto de la costa ecuatoriana, había creado un ambiente que favorecía el asentamiento de inmigrantes, pues se pensaba que contribuiría a la modernización de todo el país. Algunas de las familias que se instalaron en esa ciudad llegaron con el capital suficiente para abrir un pequeño negocio o lograron hacerlo en poco tiempo. La empresa familiar se convirtió en uno de los pilares de su sistema de comercio. Su actividad económica se caracterizó por la especialización y la venta de artículos de lujo. Gracias al arduo trabajo, a la solidaridad étnica y a las redes de parentesco, muchos comerciantes acumularon grandes fortunas. Estas no les abrieron, sin embargo, hasta las décadas de los 70 y 80, las puertas del prestigioso Club de la Unión, sitio de reunión de la élite guayaquileña. La discriminación asimismo se reflejó en el rechazo a los matrimonios con «turcos». Claro que, por su lado, la propia comunidad mantuvo durante largos años la práctica de la endogamia. Se casaban entre ellos o regresaban a su país de origen en busca de esposa. Si alguien estudia la historia latinoamericana se sorprenderá al descubrir que, pese a tratarse de una migración demográficamente minoritaria, los nativos sirio-libaneses y sus descendientes han estado y están presentes en todos los sectores clave del poder político y económico de los países donde se establecieron.

[1] Líbano y Siria formaban parte del Imperio otomano. Desde 1922 hasta sus respectivas independencias en los años 40 estuvieron bajo protectorado francés.

2 Completa las siguientes frases conjugando los verbos entre paréntesis en el tiempo adecuado.

a El incremento de los matrimonios mixtos en los años 70 y 80 (conllevar) _____ la paulatina desaparición de la lengua árabe en el seno familiar.

b La tercera generación prácticamente (desconocer) _____ el idioma de sus abuelos y (desvincularse) _____ casi por completo de su pasado árabe. Las personas de la segunda generación (fundar) _____ asociaciones porque desean que sus hijos (conocer) _____ los valores heredados de sus progenitores.

c A diferencia de lo que (suceder) _____ en otros países, por ejemplo Argentina, nunca (existir) _____ un barrio exclusivo de la colonia árabe ecuatoriana. La comunidad tampoco (tener) _____ establecimientos educativos propios.

d Los inmigrantes sirio-libaneses no (mezclarse) _____ nunca en el pasado con los indígenas ni con los miembros de la comunidad china. En la actualidad tampoco lo (hacer) _____ .

▸▸

e Las migraciones recientes (obedecer) _____ a un fenómeno característico de los tiempos modernos. La generación llamada «del shawarma» solo espera que (mejorar) _____ sus condiciones de vida. Los sociólogos confían en que pronto (establecerse) _____ el porcentaje de «shawarmeros» de confesión musulmana y cristiana.

3 Relaciona cada personalidad con su semblanza.

1 Shakira

2 Jorge Enrique Adoum

3 Jamil Mahuad Witt

4 Abdalá Bucaram Ortiz

5 Carlos Saúl Menem

6 Carlos Slim Helú

7 Julio César Turbay Ayala

a Presidente del Ecuador de 1996 a 1997. Destituido por «incapacidad mental». Se lo conoce popularmente como «el Loco». Sus abuelos paternos eran libaneses.

b Empresario mexicano. Uno de los hombres mas ricos del mundo. Su padre, Youssef Salim, emigró a los 14 años del Líbano y, cuando llegó a su país de acogida, cambió su nombre y modificó su apellido.

c Escritor, ensayista y diplomático ecuatoriano, fallecido en 2009. Estuvo nominado al Premio Cervantes. Su padre, un escritor de temas ocultistas y esotéricos, que publicaba bajo el seudónimo de Mago Jefa, nació en el Líbano y llegó al Ecuador en 1924.

d Presidente de Colombia de 1978 a 1982. Murió el 13 de septiembre de 2005. Político de padre libanés y madre colombiana.

e Cantautora y productora colombiana de pop *rock* en español e inglés. Padre de ascendencia libanesa y madre colombiana.

f Presidente de Argentina de 1989 a 1999, único en ocupar el cargo por diez años consecutivos. Sus padres eran de Yabrud, una ciudad siria a 80 km de Damasco.

g Presidente del Ecuador desde 1998 hasta su derrocamiento en 2000. De ascendencia libanesa por parte de padre y alemana por parte de madre.

4 Lee el poema *Líbano* de Rasid Salim Al-Juri (1887 – ?), uno de los más célebres poetas árabes en América Latina, y subraya los verbos conjugados en subjuntivo. Justifica su utilización.

Tenemos una patria. ¿Oiremos su llanto?
¿Y veremos su cuerpo pálido y macilento?
¿Será posible que atendamos a una tierra,
sana, fuerte, que no nos necesita
y nos olvidemos de la nuestra,
enferma y falta de remedios?

Para ti, Líbano, mi vida y mi fuerza
y lo más tierno de mi juventud.
He llevado mi cruz
hacia la tierra de mi promisión.
El que quiera ¡que lleve la suya
y me siga!

patrimonio   arte   tradiciones   empresas   productos   mercado   personalidades   mestizaje   migraciones   historia   sociedad

ciencia

1 Lee el siguiente texto y observa los verbos en negrita.

Manuel Elkin Patarroyo y la vacuna contra la malaria

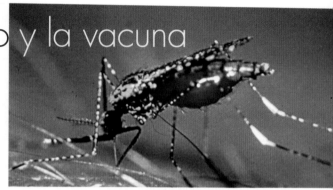

¿Qué tienen en común el premio nobel francés Charles Louis Alphonse Laveran (1907), los científicos italianos Ettore Marchiafava y Angelo Celli, el médico cubano Carlos Finlay y el premio nobel británico Sir Ronald Ross (1902) con el científico colombiano Manuel Elkin Patarroyo? Todos ellos **llegaron a ser** conocidos porque, tras muchos años de estudios y observaciones, descubrieron la malaria y le buscaron un remedio. Esta enfermedad –también denominada paludismo-, transmitida por parásitos del género *Plasmodium* e inoculada por la picadura de un mosquito hembra, produce fiebre alta, escalofrío, dolor de cabeza, náusea, dolores musculares y, debido a la acumulación de pigmentos biliares en la sangre, los contagiados **se ponen amarillos**. Por cuanto afecta cada año a unos quinientos millones de personas, sobre todo de las poblaciones paupérrimas: dos millones de ellas mueren (en África mata a tres mil niños diariamente) y cientos **quedan anémicas** después de los tratamientos, **se ha convertido** en una cuestión de salud mundial.

El doctor Patarroyo se puso a trabajar en una cura para esta enfermedad en los años 80 y fue el primero en crear una vacuna sintética obtenida por medios químicos, la primera contra un parásito y la primera contra la malaria, la SPF66. Las multinacionales farmacéuticas se sorprendieron cuando el científico se negó a venderles o cederles la patente y la donó a la Organización Mundial de la Salud (OMS) en beneficio de la humanidad. Tal descubrimiento le ha valido un enorme prestigio internacional, tanto que es el científico colombiano con el mayor número de premios recibidos, entre ellos el Príncipe de Asturias de Investigación Científica y Técnica en 1994. Asimismo, se ha hecho acreedor de veinticinco Doctorados Honoris Causa, ocho otorgados por universidades españolas; y ha participado en cerca de medio millar de simposios internacionales. Scopus –una base de datos de las principales revistas científicas del mundo– lo escogió como el científico colombiano que más documentos especializados ha producido, 316, y cuyos trabajos los investigadores internacionales han citado 4715 veces. Sus detractores afirman, sin embargo, que **se ha vuelto** un hombre oportunista.

Patarroyo nació el 3 de noviembre de 1946 en un pueblo (Ataco) cuya consonancia evoca la del pueblo de origen de García Márquez, su famoso coterráneo (Aracataca). Es el hijo mayor de una familia de once hermanos, cinco de ellos médicos. Tiene tres hijos, uno científico, otra médico pediatra y el tercero **se hizo filósofo.** Patarroyo estudió en la Universidad Nacional de Bogotá y siguió posgrados en Suecia y los Estados Unidos.

2 Coloca los siguientes verbos de cambio en la casilla correspondiente:
ponerse, convertirse, quedarse, llegar a ser, hacerse, volverse.

a	Cambio transitorio (color, aspecto, estado de ánimo o salud).
b	Cambio permanente (defectos físicos o psíquicos y sustantivos con artículo indeterminado).
c	Cambio voluntario. Expresa la participación activa del sujeto (profesión, adscripción ideológica, religiosa…).
d	Cambio precedido de un largo y duro proceso.
e	Cambio profundo y radical. Alguien o algo se transforma en algo distinto de lo que era.
f	Cambio definitivo como consecuencia de algo.

3 Acude a YouTube y busca el video: Manuel Elkin Patarroyo, ciencia con-ciencia.

4 Polémica.

El científico que más admiran los colombianos también tiene sus detractores. Recibió los ataques de una parte de la comunidad científica cuando su vacuna no alcanzó una eficacia superior al 40 %, resultado que llevó a la Organización Mundial de la Salud (OMS) a no utilizarla. El propio Patarroyo dijo al respecto: «En 1900, un par de individuos llamados Wright elevaron un aparato cinco metros y a los cien se estrelló. A eso se le llama hoy en día el avión. Yo despegué mucho más alto. Desarrollé una vacuna que por primera vez se obtenía químicamente. Es verdad que funciona al 40 %, pero nadie lo había hecho antes». El equipo se ha puesto a trabajar en una nueva vacuna que será eficaz al 100 %, afirmó el investigador. Sus defensores siempre han pensado que las críticas obedecen al hecho de que el científico proviene de un país en desarrollo y a la incapacidad de los grandes laboratorios y las empresas farmacéuticas multinacionales de producir la vacuna.

Los ataques más virulentos nacen sin embargo de la utilización que el laboratorio de Patarroyo hace de dos especies de micos, la *Aotus nancymae* y la *Aotus vociferans* –los indígenas los llaman micos nocturnos–, en el centro experimental de la Fundación de Inmunología de Colombia, que él dirige en la región amazónica. Un reportaje de la revista *Cambio* denunciaba que los cazadores de estos micos destrozaban bosques primarios con el fin de atraparlos, pues el centro ofrecía 50 000 pesos por cada ejemplar. A esto se sumaba que los animales en cautiverio no recibían el trato debido y muchos pasaban ciertamente a mejor vida tras una larga y dolorosa agonía. La Corporación para el Desarrollo Sostenible del Sur de la Amazonía, entidad pública colombiana, ha abierto un expediente contra el equipo de investigadores del centro experimental por denuncias sobre irregularidades cometidas.

5 ¿Qué idea te haces del Dr. Patarroyo después de haber visto el video y leído los textos?

6 En tu opinión.

	Sí	No	Depende
a La OMS debe promover la vacuna aunque no resulte eficaz al 100 %.			
b No estoy a favor de las vacunas, menos aún si son sintéticas.			
c Las vacunas únicamente responden a imperativos económicos de las multinacionales farmacéuticas. No sirven para prevenir ninguna enfermedad.			
d La actividad científica solo tiene cabida en los países desarrollados, ya que los países en desarrollo no deben invertir en ciencia, sino en educación básica.			
e Conviene sacrificar especies vegetales y animales, si se quiere salvar la humanidad.			

7 Transforma estas frases utilizando los siguientes verbos de cambio: *ponerse, quedarse, hacerse, volverse, convertirse en.*

a *Me entristece* saber que se utilizan animales en la investigación científica.
b Las vacunas *son* una prioridad para la salud humana.
c Desde que dirige el centro experimental, Patarroyo, en opinión de muchos, *es* un hombre peligroso.
d *Soy* viuda tras la muerte de mi marido por malaria.
e Algunas personas *son* ecologistas debido al maltrato que sufren los animales.

8 Relaciona estas enfermedades con sus síntomas.

Tuberculosis _____

Fiebre amarilla _____

Enfermedad del sueño _____

Paludismo _____

a Confusión, humor impredecible, somnolencia por el día, insomnio por la noche (picadura de la mosca tse-tsé).

b Fiebre, náuseas, dolores musculares, vómitos, diarreas, anemia (picadura de la hembra del mosquito anofeles).

c Tos, a veces con sangre, y expectoración, sudores nocturnos (producida por el bacilo de Koch).

d Fiebre, escalofríos, cefaleas, frecuencia cardiaca normal pese a la elevada fiebre (picadura de ciertos mosquitos).

patrimonio arte tradiciones empresas productos mercado personalidades migraciones historia ciencia sociedad

mestizaje

1 Lee el siguiente texto

Los gitanos y el flamenco

Casi todos los investigadores concuerdan en establecer el origen del pueblo gitano en el noroeste de la península Indostánica[1], concretamente en las regiones de Panyab (India) y Sind (Pakistán). La primera migración se produjo en el siglo XI, con el inicio de la conquista turco-musulmana de la India, y la segunda en el siglo XIII, con la llegada de los conquistadores mongoles. El primer documento escrito que testimonia de la presencia de los roma[2] en España data de 1425. Alfonso V firmó un salvoconducto en el que autorizaba a viajar a don Juan de Egipto Menor[3] durante un trimestre por los dominios de la Corona. La palabra «gitano» procede entonces de «egiptano», gentilicio que, junto a «egipcio» y «egipciano», se daba a las personas procedentes de Egipto. Los gitanos forman una comunidad de más de 660 000 personas en España, lo que equivale al 1,5 % de la población total del país. La mayoría vive en Andalucía y su importancia es tal que el parlamento andaluz declaró el 22 de noviembre «Día de los gitanos andaluces», pues un 22 de noviembre de 1465 aquellas tierras acogieron a los primeros gitanos.

Las raíces del flamenco, un arte mestizo por excelencia, hay que buscarlas en la amplia y riquísima gama de influencias que configuraron el folclore andaluz (la tradición ibérica, la mozárabe, algunas formas de las liturgias hebrea y cristiana…) y las aportaciones del pueblo gitano (tradiciones musicales de la India, de donde proceden, y las que fueron recibiendo durante su larga migración).

Tras la caída de Granada en 1492 se inició una cruenta serie de expulsiones (sobre todo de judíos y musulmanes) y persecuciones de «no católicos», que no acabó hasta dos siglos más tarde. A fines del siglo XVIII, después de que Carlos III promulgó el cese de hostilidades a los gitanos, el flamenco entró en su primera etapa de difusión fuera del hogar, aunque sufrió ciertos reajustes para atraer el interés del público payo (no gitano). El surgimiento del Romanticismo (primera mitad del siglo XIX) y su gusto por lo pasional, lo nocturno, lo misterioso y la revalorización de la cultura popular favoreció su paso de las ventas y las tabernas a los tablaos de los Cafés Cantantes. Fue la edad de oro del flamenco. Cobró un auge extraordinario y su afición se propagó a todos los sectores de la sociedad española, incluida la aristocracia. En 1925 se creó la Ópera Flamenca, una fórmula de representación basada en estampas que mezclaban canción española y cante flamenco, orquesta y guitarra, parlamentos y baile. Algunos flamencólogos consideran esta etapa como un tiempo de decadencia, otros de adaptación a las nuevas circunstancias.

El renacimiento del flamenco se produjo en 1955: época que contó con verdaderas personalidades del baile, que alternaban sus actuaciones en los tablaos con presentaciones en teatros, festivales y otros escenarios. Los guitarristas, acompañando al cante y al baile adquirieron un mayor protagonismo.

Paco de Lucía marcó el inicio de una nueva etapa de esplendor sin precedentes, realizando una verdadera revolución estilística en el toque.

Hoy conviven la más pura y clásica tradición con el flamenco fusión, resultado del mestizaje con géneros musicales como el *jazz*, la *bossa nova*, el pop, el *rock*, y sones étnicos de muy diversas genealogías y geografías.

[1] La península Indostánica se localiza geográficamente en el sudeste asiático, y comprende India, Pakistán, Bangladesh, Sri Lanka, República de las Maldivas y los Estados himalayos de Bhután y Nepal.
[2] En romaní, lengua de los gitanos, nombre que recibe el pueblo gitano y, por extensión, cada uno de sus miembros.
[3] En la Europa medieval se conocía toda el área de Siria, Chipre y territorios próximos con el nombre de Pequeño Egipto.

2 Di si las afirmaciones siguientes son verdaderas o falsas.

V F

a Los gitanos son originarios de Egipto.

b El 1,5% de los gitanos vive en Andalucía.

c El flamenco es un arte exclusivamente gitano.

d Este arte alcanzó su edad de oro gracias al Romanticismo.

e El flamenco fusión ha eclipsado al flamenco tradicional.

3 Completa el siguiente texto con la conjunción o locución conjuntiva coordinante adecuada.

Conjunciones y locuciones conjuntivas coordinantes	Formas
copulativas	*y, e, ni, que.*
disyuntivas	*o, u, o bien.*
adversativas	*pero, aunque, mas, sino, ahora bien, antes bien, así y todo, aun así, en cambio, eso sí, mientras que, por el contrario, sin embargo, con todo…*
consecutivas	*Conque, luego, así que, pues…*
distributivas	*Ora…ora, ya sea, bien…bien, ya…ya…*

Flamenco y tauromaquia

El flamenco y la tauromaquia están profundamente arraigados en la cultura popular andaluza y presentan múltiples denominadores en común. Tanto el ruedo como el «tablao» son lugares simbólicos de representación, donde no puede haber combate, canto (1) _____ danza sin la participación activa de los espectadores, que se vuelven actores y (2) _____ desempeñan el mismo papel reservado al coro en las tragedias antiguas. La corrida y el flamenco hablan a través del cuerpo. El gesto, la actitud (3) _____ la pose suple a las palabras.

Durante la lidia, (4) _____ el torero atrae el toro hacia su cuerpo, (5) _____ lo esquiva. De la misma manera, la bailaora seduce a su compañero, (6) _____ acercán-

dose, (7) _____ alejándose de él. Este incesante movimiento de vaivén entre los cuerpos ilustra perfectamente la metáfora de la seducción, clave de las dos artes.

Podríamos añadir asimismo que antiguas expresiones del mundo flamenco provienen de la jerga taurina: «eché el toro p´afuera» (8) _____ «yo ya he colgado la espada» significan «no canto más».

Una apretada hermandad une a los toros (9) _____ al flamenco. Ambos despiertan pasiones colectivas (10) _____ impetuosas. (11) _____ parezca extraño, los olé acompañan al éxito del torero y del cantaor. Qué bien definió Rafael Alberti el arte flamenco con su: «Ese toro metido en las venas/ que tiene mi gente». Muy nutrida resulta la lista, en los anales flamencos, de profesionales con nombre o apodo de raigambre taurino: Diego el Picaor, El Cuadrillero, Toreri, Curro Puya, El Paquirri, El Puntillero… Tal parecido le hizo decir a un escritor «conozco bien ambos universos, (12) _____, en más de una ocasión, me ha ocurrido tomar a un *cantaor* por un *mataor*».

En un principio, el cante jondo y la danza flamenca se encontraban al margen del mundo taurino. Se daban separadamente. (13) _____, esto solo eran apariencias, pues el arte del toreo y del flamenco constituyen concreciones de una misma robusta unidad vital. Uno y otro nacieron en tierras meridionales, con horizontes de olivos y marismas, y se desarrollaron en los barrios populares de Sevilla, Córdoba y Granada.

4 Busca en YouTube un grupo de flamenco fusión (flamenco-música india, flamenco-*bossa nova*, flamenco-son cubano, flamenco-bolero, flamenco-*jazz*, flamenco-rumba, flamenco rap…) y preséntalo.

5 Investiga quiénes son Sara Baras, Eva Yerbabuena y Cristina Hoyos y habla de una de ellas.

Paraguay

SUPLEMENTO

CULTURA SOCIEDAD ECONOMÍA LENGUA DATOS

El sapo y el urubú[1]

(cuento popular paraguayo)

Al principio de los tiempos, el vanidoso sapo tenía una espalda lisa y lustrosa. Cuentan que un día tanto él como el urubú fueron invitados a la fiesta que tendría lugar en el cielo de los animales. El urubú voló a buscar a su amigo y lo encontró entre los juncos de un charco ejercitando la voz, convencido de que debía la invitación a su gran talento artístico. A la mañana siguiente, muy temprano, el sapo se acercó al arbusto donde el urubú solía alisar sus negras plumas a fin de informarle de que él ya emprendía viaje porque su saltar era muy lento. Más que de una cortesía, se trataba de un estratagema para introducirse en la guitarra del urubú. Cuando este levantó el vuelo no se percató de lo pesado de su instrumento. Voló y voló, y pronto dejó atrás las nubes, la luna y las estrellas. No bien se había posado, un grupo de animales que quería tener noticias sobre el sapo lo rodeó. «Resulta evidente –respondió de manera desenfadada– que con sus brincos nunca alcanzará el cielo».

–¿Y por qué no lo has traído contigo?, corearon.

–Porque detesto cargar piedras.

El sapo salió entonces de su escondite, más hinchado y orgulloso que de costumbre. Todos lo aplaudieron y felicitaron, y empezaron a burlarse del urubú.

Comenzó la fiesta. Cada uno lucía sus destrezas en el baile, el canto y la ejecución de un instrumento musical. El urubú rasgueaba contento su guitarra y el sapo soltaba sus do de pecho a pleno pulmón. En el momento de mayor algarabía, el sapo se metió nuevamente en la guitarra de su amigo. A la hora de las despedidas solo el urubú notó su ausencia, ya que aún le guardaba mucho rencor por haberlo puesto en ridículo. Aunque sintió que llevaba peso de sobra durante el vuelo de regreso, decidió no detenerse. Al pasar bajo la luna, aprovechó la claridad y miró a través del orificio del instrumento musical. Acurrucado en el fondo y muerto de miedo se hallaba el sapo.

–¡Sal!, le gritó.

El sapo no quiso y se puso a llorar.

Sin prestar atención a sus lágrimas, el urubú sacudió la guitarra hasta que el animalito salió despedido. Iba a caer primero en una laguna, pero el viento lo desvió; luego en un prado, pero el viento seguía soplando… Terminó estrellándose patas arribas contra unas escarpadas rocas. Tardó muchos días en recuperarse. A causa del golpe, la espalda le quedó para siempre manchada y llena de protuberancias.

He aquí la verdadera razón por la cual el pobre sapo tiene tan fea presencia. Dicen también que debido al golpe se le malogró la voz. Claro que eso ya no podemos asegurarlo.

[1] Especie de buitre del tamaño de un pavo, que vive en América del Sur. Es de color negro, patas rojizas y cabeza azulada.

1 Inventa un cuento para justificar por qué un animal tiene una determinada característica.

2 Relaciona cada animal con el sonido que emite.

a	gallina	1	ladrar
b	vaca	2	croar
c	rana	3	gruñir
d	cerdo	4	rebuznar
e	caballo	5	cacarear
f	gato	6	maullar
g	perro	7	mugir
h	oveja	8	relinchar
i	burro	9	balar

ÑANDE JOJA HA RORY

La situación de la comunidad LGBT (siglas que designan a las lesbianas, los gays, los bisexuales y las personas transgénero) se revela muy diferente en cada parte del mundo. Todavía existen lugares donde se condena a muerte cualquier práctica homosexual, mientras que en otros, como en España o en Ciudad de México, las leyes permiten los matrimonios y las adopciones a parejas del mismo sexo. Tal avance muestra la evolución de la idiosincrasia en el continente. Sin olvidar que en casi todos los países se han promulgado leyes en contra de la discriminación por orientación sexual.

Durante las tres décadas y media de la dictadura del general Alfredo Stroessner (1954-1989), la presunción de homosexualidad convertía a una persona en «potencialmente peligrosa para la seguridad nacional». El caso Aranda permite entender mejor las dimensiones de la encarnizada represión y la estigmatización social. Bernardo Aranda, locutor muy conocido de radio, fue encontrado calcinado en su casa el 1 de septiembre de 1959.

Como «se sospechaba que era homosexual», se dedujo inmediatamente que los autores del supuesto crimen también lo eran. Se emprendió una redada en locales públicos de baile, y 108 hombres, que se creía «inclinados hacia personas de su mismo sexo», fueron detenidos y torturados. Alrededor del 108 se construyó todo un imaginario social, al punto que hoy se sigue utilizando ese número a manera de insulto. Se excluyó incluso dicha cifra de las placas de matriculación de los automóviles, la numeración de las viviendas y ciertos formularios a fin de evitarle a su portador/a esa «vergüenza».

La transición democrática conllevó una «salida del armario»[1] colectiva: sindicatos, partidos, movimientos estudiantiles y de mujeres campesinas, indígenas y trabajadoras. Con el tiempo, la comunidad LGBT se sumó al torrente, si bien su lucha política se enmarcó en líneas más institucionales de trabajo (alianza con ONG y organismos internacionales) y las reivindicaciones se centraron en lograr ampliaciones o conquistas en los marcos del Estado.

SOMOSGAY es una asociación que promueve la libertad de orientación sexual, aboga por la prevención contra el VIH/SIDA y otras infecciones de transmisión sexual y defiende los derechos de las personas seropositivas y de las que han desarrollado el virus. Ha llevado a cabo asimismo campañas de sensibilización y logrado acuerdos de colaboración y apoyo con el Ministerio del Interior a fin de erradicar toda forma de discriminación. Un reciente e inédito convenio entre SOMOSGAY y la policía paraguaya hace honor al lema de la asociación: Ñande joja ha Rory –en guaraní–, que significa «Somos iguales y felices». Los miembros homosexuales de la fuerza pública de ahora en adelante pueden admitir abiertamente su orientación sexual sin temor a sanciones, y los nuevos aspirantes no deben ocultarla. Evidentemente, no todos los sectores de la población aceptaron con beneplácito este convenio.

[1] «Salir del armario» o «salir del clóset» es un modismo que indica que alguien hace de manera voluntaria y pública la declaración de su homosexualidad.

1. En tu opinión, ¿por qué en las campañas publicitarias de SOMOSGAY contra la homofobia aparecen tanto la familia como la policía? ¿Te parece pertinente equipararlas?

Paraguay

Historia de la moneda paraguaya

A lo largo de los trescientos años del dominio español en el continente americano, la mayor parte de las transacciones comerciales se efectuaron a través del trueque directo ante la inexistencia de una moneda como medio de pago. En las actas capitulares del Archivo Nacional de Asunción se pueden constatar las primeras formas adquisitivas utilizadas en la provincia del Paraguay. El 7 de noviembre de 1544, el Cabildo fijó, hasta nueva disposición, los precios de los víveres siguientes: «dos gallinas caseras a tres cuchillos de marca; ocho huevos, un cuchillo; tres libras de pescado de espinel, un cuchillo; y dos libras de pescado de red, un cuchillo». Más adelante, con la intención de simplificar las transacciones comerciales, el gobernador del Río de la Plata, Domingo Martínez de Irala, creó las cuñas, una fracción tosca de pedazos de hierro, equivalentes a monedas de 25, 50 y 100 maravedíes[1].

Dada la dificultad de acuñar monedas en los primeros años de la independencia, circularon las de otros países, reselladas con una característica especial para posibilitar su uso como moneda nacional. En 1845 apareció una moneda propia, cuya acuñación se había realizado en parte en Inglaterra. Durante la Guerra de la Triple Alianza (1864-1870), conflicto que enfrentó a Paraguay contra Brasil, Argentina y Uruguay, entraron en circulación monedas del bando enemigo e igualmente la libra esterlina, a consecuencia de la implicación directa de Inglaterra en el combate. Una ley de posguerra dejó como circulante principal las monedas de oro y plata de los países vencedores, incluso una ley de 1885 reconoció oficialmente la posición dominante de las monedas argentinas y las convirtió en medios legales de pago. En 1943, bajo el gobierno del General Higinio Morínigo, se llevó a cabo una importante reforma económica que produjo la estabilización del cambio, la independencia monetaria y el estímulo del ahorro. Nació entonces el «guaraní». Las constan-

tes inflaciones han conducido a la impresión de billetes de hasta 100 000 guaraníes. En 1975 el salario mínimo era de 11 700, mientras que ahora es de 1 500 000; un kilo de arroz costaba 60, actualmente ronda los 4500. El gobierno y el Banco Central del Paraguay han puesto en marcha una revalorización de la moneda, eliminando tres ceros: la equivalencia será de 1 nuevo guaraní por cada 1000 guaraníes. Los dos primeros años, los billetes y monedas del actual y el nuevo guaraní permanecerán en circulación conjuntamente y a partir del tercero, los «nuevos guaraníes» recobrarán la denominación de «guaraníes». El gobierno prevé un tiempo de adaptación al cambio y en ese sentido se exhibirán los precios en ambas monedas y se harán campañas para familiarizar a la población con el nuevo valor del guaraní.

[1] Moneda española que ha tenido diferentes valores y calificativos.

---

1 Relaciona cada moneda con su país.

Nuevo sol	Ecuador
Dólar estadounidense	Guatemala
Boliviano	Perú
Lempira	Nicaragua
Córdoba	Venezuela
Bolívar	Bolivia
Quetzal	Honduras

2 Presenta una breve historia sobre la moneda de tu país.

3 La mayoría de las monedas latinoamericanas llevan el nombre de «peso» (peso colombiano, peso chileno, peso mexicano, peso argentino, peso uruguayo…). ¿Qué nombre le pondrías a una moneda única latinoamericana?

Otras lenguas del Paraguay

El Paraguay ha recibido muchos grupos de inmigrantes europeos y asiáticos a lo largo de su historia. En el periodo que se extiende desde la segunda mitad del siglo XIX hasta la primera mitad del XX se fundaron varias colonias en las que la lengua predominante no era ni el español ni el guaraní. Los japoneses, por ejemplo, empezaron a llegar al Paraguay después de 1924. La comunidad japonesa cuenta actualmente con unos cincuenta mil miembros, quienes en un alto porcentaje siguen hablando la lengua de sus ancestros. Otra importante inmigración fue la alemana; decenas de colonias se establecieron a lo largo y ancho del país. A ellas se suman grupos menonitas europeos y canadienses, que aún hoy mantienen su autonomía lingüística y cultural en el Chaco paraguayo. El nombre de esta comunidad religiosa, descendiente directa del movimiento anabaptista[1] del siglo XVI y contemporáneo de la Reforma Protestante, viene de Menno Simons, originalmente un sacerdote de la Iglesia católica que se convirtió al anabaptismo en 1536. Los primeros menonitas llegaron al Paraguay en 1926, tras haberse fugado de Rusia y Polonia y haber vivido una temporada en Canadá. En la actualidad viven más de diez mil en el Chaco, de ascendencia rusa, ucraniana, polaca, alemana y canadiense. En total, en el Paraguay existen más de 160 000 hablantes de alemán y 19 000 del *plattdeutsch*, un dialecto germánico del norte de Alemania y los Países Bajos. En estas colonias, el español local –ya matizado por el guaraní– ha adquirido características de las lenguas germánicas.

Vigencia también tiene el portugués, traído por los brasileños durante la guerra de la Triple Alianza (1864-1870). Hoy en día, casi el 3 % de la población habla esa lengua.

[1] Confesión protestante que no admite el bautismo de los niños antes del uso de razón.

Fuente: *El español de América y los contactos bilingües recientes* de John M. Lipski.

---

1. Además del español y del guaraní, ¿qué otras lenguas se hablan en Paraguay y por qué?

2. ¿Quiénes son los menonitas?

18) 3. Escucha la intervención de un famoso historiador en el coloquio latinoamericano *Más allá de las fronteras*. Su tema es la inmigración alemana y el alemán en el Paraguay.

4. Di si las siguientes afirmaciones son verdaderas o falsas.

		V	F
a	En Alemania, todos los hijos heredaban la tierra.	◯	◯
b	Los países sudamericanos cedieron tierras a los inmigrantes.	◯	◯
c	Al inmigrar, los campesinos alemanes mejoraron sus condiciones de vida.	◯	◯
d	El alemán se mantuvo como idioma en las comunidades cerradas.	◯	◯
e	Los descendientes de alemanes hablan muy mal el idioma de sus ancestros.	◯	◯

Paraguay

Orígenes del nombre: Vocablo guaraní, cuya traducción literal podría ser: «aguas del mar»: *pará* (mar) *guá* (denota origen) *eý* (agua). Algunos sin embargo afirman que proviene del nombre de una tribu indígena que vivía a orillas del río, los «payagua», por ende el nombre significaría: «agua de los payaguaes».

Capital: Asunción

Superficie: 406 752 km²

Población: 6 996 245 habitantes

Moneda: guaraní (PYG)

Gentilicio: paraguayo

Organización administrativa

El territorio paraguayo está dividido en 17 departamentos, que gozan de autonomía política, administrativa y fiscal. La capital, asiento de los poderes del Estado, es un municipio independiente de los otros departamentos.

Economía

Tiene uno de los índices de crecimiento más altos de América Latina (7,2 % anual) y cuenta con la mayor zona de libre comercio, Ciudad del Este, después de Miami y Hong Kong. La construcción de dos enormes hidroeléctricas, Yacyretá e Itaipú (la mayor del mundo), transformó al país en exportador de electricidad a Brasil y Argentina, y en una potencia agropecuaria a nivel regional. Entre sus principales cultivos agrícolas se encuentran la soja (cuarto productor mundial), el maíz, el trigo, el arroz, el girasol, el algodón, la caña de azúcar, la mandioca y el maní. Es el noveno exportador mundial de carne bovina. Paraguay posee pocos recursos minerales. Existen algunos yacimientos de hierro, manganeso, cobre, cal y caolín. Pese a sus depósitos de petróleo en la región del Chaco, el país depende totalmente de las importaciones para satisfacer la demanda interna. Durante los últimos años, las industrias farmacéuticas y de ensamblaje de biciclos han registrado importantes tasas de crecimiento.

Lenguas

Se considera el único país bilingüe de América Latina, pues la mayoría de la población domina el español y el guaraní. Sobreviven pequeñas familias de lenguas indígenas: las mayoscanas, las zamucoanas y las mataco-guaicurú.

Religión

Se profesa mayoritariamente el catolicismo (90 %). Entre los grupos protestantes (6,2 %) destacan los menonitas; un 0,6 % practica religiones indígenas.

> Dominio de internet: www.py
> Gobierno: www.presidencia.gov.py
> Directorio de empresas: www.paraguayempresas.com
> Cámara de comercio: www.ccparaguay.com.py
> Secretaría Nacional de Turismo: www.senatur.gov.py
> Diarios: www.ultimahora.com, www.abc.com.py, www.diariovanguardia.com.py, www.lanacion.com.py

unidad 7

1 Lee el siguiente texto.

La Ciudad Universitaria de Caracas: una joya de la arquitectura contemporánea

La Ciudad Universitaria de Caracas, obra del arquitecto venezolano Carlos Raúl Villanueva (1900-1975), marca la aparición en Venezuela de la arquitectura contemporánea.

Este complejo educativo constituye uno de los pocos ejemplos construidos de la «Ciudad ideal», utopía de las vanguardias arquitectónicas que aspiraba a una mayor humanización de la metrópoli recuperando la relación perdida entre los espacios urbanos y la naturaleza, sin por ello negar el desarrollo tecnológico, como el uso del hormigón armado y la presencia del automóvil. Se trataba además de proponer un mundo ideal de belleza y poesía, donde las artes pasaban a formar parte esencial del entorno humano. Asimismo, Villanueva adelantó soluciones técnicas a fin de contrarrestar las particulares condiciones ambientales del trópico. A su reinterpretación de las tradiciones arquitectónicas y urbanas coloniales se deben los corredores cubiertos, las celosías y parasoles que resguardan de los soles inclementes y de las lluvias torrenciales.

La Ciudad Universitaria de Caracas (CUC) se encuentra ubicada en los terrenos de la antigua Hacienda Ibarra (164 ha) —residencia del Libertador Simón Bolívar—, a la que la producción de azúcar y elaboración del mejor ron de la Colonia volvieron famosa. La Universidad Central de Venezuela se fundó en 1721, por Real Cédula del Rey Felipe V de España, bajo el nombre de la Real y Pontificia Universidad de Caracas. Desempeñó sus actividades de enseñanza superior en el Seminario Santa

Rosa y luego en el Convento San Francisco. En 1942, el acelerado aumento de la población estudiantil, dada la creciente migración del campo a la capital y la demanda de nuevas áreas del conocimiento, hizo necesaria la creación de una nueva sede. Esta debía concentrar todas las dependencias universitarias en un mismo campus.

La «Síntesis de las Artes Mayores» de la Ciudad Universitaria de Caracas representa uno de los mayores logros de integración conocidos en la historia contemporánea. Jóvenes artistas venezolanos y reconocidos creadores internacionales participaron en la experiencia de concebir obras que se integraban armoniosamente a las distintas edificaciones y espacios del campus universitario. Entre las más destacadas tenemos las esculturas *Pastor de Nubes* de Jean Arp y *Amphión* de Henri Laurens, ambas situadas en la Plaza Cubierta; la monumental vidriera de Fernand Léger, en el vestíbulo de la Biblioteca Central; la fachada policromada de la Facultad de Arquitectura de Alejandro Otero y los *Platillos voladores* o *Nubes acústicas* de Alexander Calder, en el cielo raso del Aula Magna.

Esta «Ciudad museo», nombre con el que también se la conoce, fue inaugurada parcialmente el 2 de marzo de 1954 (las obras continuaron hasta finales de la década de los 60), y declarada Patrimonio de la Humanidad por la UNESCO en el año 2000, lo que la convirtió en el primer campus latinoamericano en recibir ese honor.

2 ¿Cuál era la utopía de las vanguardias arquitectónicas del siglo xx?

3 ¿Por qué se dice que Villanueva reinterpretó la herencia colonial arquitectónica?

4 ¿Cuándo se tomó la decisión de construir la CUC? ¿Dónde? ¿Por qué?

5 ¿A qué se denominó «Síntesis de las Artes Mayores»?

6 En tu opinión, ¿por qué la UNESCO declaró la CUC Patrimonio de la Humanidad?

7 Conocerás otros datos de la CUC completando las siguientes frases.

   1 En el año 1943, cuando en Venezuela se realizan los planes de desarrollo de la infraestructura educativa, el presidente Isaías Medina decreta que se (crear) _____ el Instituto de la Ciudad Universitaria de Caracas, organismo que se encargará de planificar y administrar la construcción de la Ciudad Universitaria de Caracas.

   2 Se solicita al arquitecto Carlos Raúl Villanueva que (concebir) _____ espacios educativos independientes para las distintas facultades en extensas zonas verdes, con vialidad y accesos propios.

   3 La construcción de la Ciudad Universitaria de Caracas sigue principios similares a los de otros campus universitarios, como la Ciudad Universitaria de Bogotá y la Ciudad Universitaria de México. En estas ciudades universitarias se deja que la arquitectura y los movimientos modernos del siglo xx (experimentar) _____ sus nuevas propuestas estéticas.

   4 Tras el derrocamiento del presidente Isaías Medina sube al poder el general Marcos Pérez Jiménez, quien sustenta su régimen en una propuesta de cambio social y de grandes obras públicas, civiles y militares. La bonanza de la explotación y producción del petróleo permite que la obra de la Ciudad Universitaria (cobrar) _____ mayor impulso.

   5 El general Pérez Jiménez propone que la X Conferencia Iberoamericana (llevarse a cabo) _____ en la Ciudad Universitaria de Caracas. El 2 de marzo de 1954 inaugura la Plaza Cubierta, el Aula Magna y la Biblioteca Central con motivo de esa celebración.

8 Escribe una carta de solicitud a la Dra. Cecilia García Arocha, rectora de la Universidad Central de Venezuela para obtener la autorización de rodar un documental, acceder a los archivos de la Biblioteca Central o realizar un acto en el Aula Magna… Debes utilizar en tu carta las estructuras del subjuntivo que ya conoces.

9 ¿Dónde prefieres vivir? ¿Por qué?

10 Relaciona cada edificio con su arquitecto.

Jørn Oberg Utzon, César Pelli, Frank Gehry, José Fructoso Vivas (Fruto Vivas),
Ieoh Ming Pei, Oscar Niemeyer.

Museo Guggenheim de Bilbao (España)	Pabellón Venezuela, Expo Hanóver 2000	Ópera de Sydney (Australia)	Torres Petronas (Malasia)	Catedral de Brasilia (Brasil)	Pirámide del Louvre (Francia)

1 Lee el siguiente texto, subraya el verbo en subjuntivo y justifica su utilización.

La «bolivianita»: una lágrima de miel y violeta

Se denomina «bolivianita» a una piedra bicolor semipreciosa de la familia del cuarzo, resultado de la fusión natural de la amatista y del citrino, cuyo único yacimiento conocido es la mina de Anahí, situada al este del departamento de Santa Cruz, en una zona casi inaccesible, cerca de la frontera con Brasil. En un primer momento recibió el nombre de «ametrino» porque fusiona el cuarzo amatista y el cuarzo citrino en un mismo cristal; esto hace que su gama de colores se extienda desde los profundos violetas y lilas propios de la amatista hasta los ocres del citrino. Posteriormente, el gemólogo Roberto Meyer la rebautizó la «bolivianita» porque estaba convencido de que no se la podía encontrar en ninguna otra parte del mundo y con el fin de mejorar su cotización en el mercado.

Una trágica historia de amor, según la leyenda, rodea la aparición de esta gema. En el oriente boliviano vivía una princesa indígena de la tribu ayorea llamada Anahí. Un día llegó a la región el conquistador español don Felipe de Urriola y Goitia y se enamoraron. El padre de la princesa autorizó las nupcias y entregó como dote a don Felipe una gruta natural tapizada de cristales bicolores, que este desdeñó, pues nada, a excepción del oro y la plata, despertaba su interés. Poco tiempo después, la princesa decidió acompañar a su esposo en su viaje de regreso a España, pese a la tristeza que le causaba separarse de los suyos. Estos, creyendo haber sido traicionados, la sacrificaron y depositaron su cuerpo al pie de la montaña donde se encontraba la gruta de cristales. Antes de morir, Anahí se desprendió del talismán que siempre llevaba consigo y lo colocó en una de las manos de su bien amado esposo. Don Felipe lo apretó en el puño, que solo abrió cuando la princesa había fallecido. Al contemplar la gema bicolor, comprendió que aquella «lágrima de miel y violeta» —como la denominaría la leyenda— simbolizaba el corazón de Anahí, desgarrado entre el amor que la unía a su pueblo y el que sentía por él.

Desde principios de los 90, los derechos de explotación de la mina de Anahí pertenecen al santacruceño Ramiro Rivero, quien creó la compañía Minerales y Metales de Oriente, proveedora exclusiva de esta piedra semipreciosa en los mercados nacionales e internacionales. A partir de 2003, con la idea de darle valor agregado a la materia prima, comenzaron de manera experimental a producir joyas. Actualmente, la compañía diseña piezas de edición limitada que se venden en cuatro tiendas, tres de ellas en Bolivia y una en Estados Unidos. Los precios oscilan entre 50 dólares por un par de aretes y 14 000 dólares por un collar de gemas, y el precio promedio de una alhaja se sitúa en 1000 dólares.

Ramiro Rivera emplea a unos 150 mineros bolivianos y 250 diseñadores y productores, además de sus hijos, encargados de ayudarle a manejar el negocio. Minerales y Metales de Oriente es la única compañía en el mundo que tiene una mina de gemas y asimismo corta, pule, diseña y produce joyas para la venta directa.

2 ¿Qué es la «bolivianita»? ¿Quién le dio ese nombre y por qué?

3 ¿Qué cuenta la leyenda?

4 ¿Por qué se llama «lágrima de miel y violeta» a este cuarzo?

5 ¿A qué actividad se dedicaba en un principio la compañía Minerales y Metales de Oriente? ¿Cómo se diversificó y por qué?

6 ¿Qué particulariza a esta compañía de joyas?

7 Completa el texto con las palabras siguientes:

> caja fuerte   redes de contactos   proveedores   ingresos   gemas   al menudeo
> anillo   vitrina   sector   crédito   distribuidor   beneficios   alarma   cobro
> al por mayor   clientes   inversión   capital   bisutería

Si quieres explotar tu creatividad y eres amante de los accesorios, vender joyas te va como (1) _____ al dedo. Para montar un negocio rentable **tienes que contar con una base de (2) _____ que te ofrezcan** asesoramiento y productos de calidad. Se trata de un (3) _____ en el que las mujeres, aunque también los hombres, sobre todo los jóvenes, serán tus (4) _____ potenciales.

Debes seleccionar previamente la modalidad bajo la que operarás. La primera consiste en convertirte en (5) _____ de joyas. Resulta ideal si buscas (6) _____ adicionales, ya que con una (7) _____ de 5 000 a 10 000 dólares puedes vender piezas entre tus (8) _____. Cuando inviertes un (9) _____ mayor, digamos unos 50 000 dólares, tienes la posibilidad de volverte mayorista o fabricante de (10) _____. En el primer caso, tus (11) _____ alcanzarían un 65 % del total de ven-

tas y, en el segundo, un 300 %. La tercera opción es abrir una joyería de oro, plata y (12) _____ variadas. Requerirás entonces una inversión mínima de 200 000 dólares, recuperable después del primer año y que deja ganancias superiores al 50 % mensual. Se te presenta asimismo la alternativa de combinar la venta (13) _____ con el comercio (14) _____.

Hay que estar en este sector con un arma secreta: firmeza en el (15) _____, pero a la vez flexibilidad para conceder (16) _____ a tus clientes. Tras sondear el mercado e informarte sobre la competencia, viene la elección del local y su distribución. Se recomienda disponer de un espacio de exhibición de 40 a 50 m² y de una (17) _____ de 3 m de largo con luz interior. Hace falta equipar tu local con una (18) _____ de seguridad y una (19) _____ a fin de resguardar las joyas más valiosas.

8 Justifica el uso del subjuntivo en la frase en negrita del texto anterior.

9 Lee el texto y observa las estructuras en negrita. ¿Qué regla del subjuntivo infieres?

El Salar de Uyuni, una planicie blanca de más de 10 000 km² en el suroeste de Bolivia, se ha convertido en centro de atracción ya no solo de turistas o astrónomos, sino de empresarios interesados en la explotación del litio como fuente de energía alternativa, principalmente dentro de la industria automovilística. En opinión de los expertos, el país andino posee las mayores reservas mundiales de ese metal tan necesario para las baterías de los vehículos híbridos y eléctricos. El problema se plantea porque se requiere una tecnología bastante avanzada **para que** el litio **se convierta** en metálico. Después de reunirse con diversas empresas extranjeras interesadas en su prospección, el presidente Evo Morales ha dejado claro que no se logrará ningún acuerdo **sin que** Bolivia **se quede** con el 60 % de los beneficios de los proyectos. Sin embargo, con la aprobación de la nueva Constitución, que otorga a los indígenas el control sobre los territorios en los que habitan, son ellos quienes decidirán si aceptan o no la prospección.

10 En el Salar de Uyuni existe un hotel muy especial. Visita el sitio www.palaciodesal.com.bo/salar/ y sabrás por qué.

19 **11** La actividad volcánica y geotérmica ha conferido a los lagos de las altas y desérticas tierras del suroeste de Potosí una coloración inusual. Escucha la grabación y explica a qué se debe cada coloración.

Laguna Colorada

Laguna Amarilla

Laguna Verde

Laguna Blanca

1 Lee el siguiente texto.

Juan Rulfo: un escritor mexicano universal

Hasta los años 60 se desconocía la literatura latinoamericana en el mundo, a los escritores del continente los leían únicamente especialistas, incluso en sus propios países, y casi nunca sus escritos trascendían las fronteras nacionales. Durante la primera mitad del siglo XX, los autores latinoamericanos tenían escasas posibilidades de ver sus textos en manos de un gran público; ni la educación ni la lectura estaban masificadas. Escritores como Jorge Luis Borges debían subsistir gracias a otras actividades (en su caso, el trabajo de bibliotecario), y aunque ya habían escrito obras maestras (*Ficciones*, 1944, o *El Aleph*, 1949), estas no salían de un círculo de revistas especializadas, tiradas pequeñas y prácticamente ninguna traducción. Al respecto, cabe señalar que las primeras traducciones de Borges al inglés tan solo se hicieron a principios de los 60. Cuando se produjo el «boom»[1], el mundo se percató de que en Latinoamérica ocurrían otras cosas, además de guerras, golpes de estado y revoluciones. A través de la literatura de García Márquez, Julio Cortázar, Mario Vargas Llosa, Ernesto Sábato, J. L. Borges, los lectores europeos y norteamericanos descubrieron una identidad, una cosmovisión, una estética, en síntesis, un continente que se sabía contar, que disponía de un universo complejo para crear sus propias ficciones. Uno de los padres de lo que más tarde se conoció como «el realismo mágico» fue un señor pequeño y delgado, funcionario de un ministerio, fotógrafo, antropólogo e incluso historiador. Dicho señor, con pinta de provinciano, nada dado a la ostentación ni al cosmopolitismo, se llamaba Juan Rulfo. Nació el 16 de mayo de 1917 en un pueblito de Jalisco (según él, en Apulco y según su partida de nacimiento, en Sayula) y murió en la capital mexicana el 7 de enero de 1986. Así habla Rulfo de sus primeras publicaciones: «En 1942 surgió una revista llamada *PAN*, cuyo peculiar sistema consistía en que el autor pagaba por publicar. Allí aparecieron mis primeros trabajos. Y no fueron muchos, ya que carecía de los medios económicos para costearlos. Más tarde pasé a colaborar en *América*, revista antológica, donde al menos no cobraban por publicar… En 1952 obtuve una beca de la Fundación Rockefeller, establecida en México un año antes. Gracias a esa beca y con el generoso apoyo de Margaret Shedd, directora del Centro Mexicano de Escritores, logré dar forma y publicar el libro de cuentos titulado *El llano en llamas*…». La recopilación constaba de 15 cuentos en la primera versión (1953), posteriormente Rulfo publicaría dos más que serían incluidos en la versión definitiva (1970). De su segundo libro, *Pedro Páramo* (1955), una novela corta, el autor mexicano dice: «En realidad la he olvidado, me he olvidado de ella como una cosa del pasado. Se trata de una novela difícil, pero hecha con esa intención, se necesitaba leerla tres veces para entenderla. Mi generación no la entendió, no la consideraba interesante. En ella está roto el tiempo y el espacio, pues trabajé con muertos y eso facilitó el no poder ubicarlos, hacerlos desaparecer en un momento preciso y hacerlos aparecer luego. Es una novela de fantasmas que de pronto cobran vida y la vuelven a perder…».

¿Cómo se volvió Rulfo escritor? ¿Fue su vida en el campo, el descubrimiento de la literatura en la biblioteca de un cura en el pueblo de San Gabriel, donde vivió de niño, o la muerte de su padre en 1923 y de su madre en 1927? ¿O el haber sido testigo de las luchas cristeras[2] mientras estudiaba en un internado en Guadalajara? ¿Fueron determinantes en su obra los cursos de Historia del Arte a los que asistió como oyente en la Facultad de Filosofía y Letras de la Universidad Nacional o el encuentro con Clara Aparicio, con quien se casó en 1948?

En todo caso, Rulfo pertenece a aquella estirpe de escritores que dejó su huella en la Historia Universal de la Literatura.

[1] Se denomina así al surgimiento mundial de la literatura latinoamericana.

[2] Conflicto armado que opuso a la Iglesia y al Estado mexicano entre 1926 y 1932.

2 Escribe la biografía de Juan Rulfo, reutilizando la información del texto.

3 ¿Has leído alguna novela latinoamericana? Resume brevemente su argumento.

4 Presenta al escritor de tu país que más te gusta (biografía y obras).

5 Relaciona estos títulos de libros con sus escritores. ¿Cuál de ellos has leído?

1 *Crónica de una muerte anunciada*

2 *La ciudad y los perros*

3 *El siglo de las luces*

4 *Veinte poemas de amor y una canción desesperada*

5 *Rayuela*

6 *Yo el Supremo*

7 *Libertad bajo palabra*

8 *Hombres de maíz*

a Octavio Paz

b Mario Vargas Llosa

c Julio Cortázar

d Alejo Carpentier

e Pablo Neruda

f Miguel Ángel Asturias

g Gabriel García Márquez

h Augusto Roa Bastos

Octavio Paz

Augusto Roa Bastos

6 He aquí un extracto adaptado del cuento titulado «Macario» de *El llano en llamas*. Conjuga los verbos entre paréntesis en presente de indicativo o subjuntivo según convenga.

Estoy sentado junto a la alcantarilla aguardando a que (salir) _____ las ranas. Mi madrina también dice eso: que la gritería de las ranas le (espantar) _____ el sueño. Por eso me manda a que (sentarse) _____ aquí, junto a la alcantarilla, y (ponerse) _____ con una tabla en la mano para que cuanta rana (salir) _____ a pegar de brincos afuera, la (apalcuachar) _____ a tablazos... Las ranas son buenas para hacer de comer con ellas. Los sapos no se comen; pero yo me los he comido también, y saben igual que las ranas. Felipa es la que dice que es malo comer sapos. Felipa tiene los ojos verdes como los ojos de los gatos. Ella es la que me da de comer en la cocina cada vez que me toca comer. Ella no quiere que yo (perjudicar) _____ a las ranas. Pero a todo esto, es mi madrina la que me (mandar) _____ a hacer las cosas... Yo quiero más a Felipa que a mi madrina. Pero es mi madrina la que (sacar) _____ el dinero de su bolsa para que Felipa (comprar) _____ todo lo de la comedera. Dicen en la calle que yo estoy loco porque jamás se me acaba el hambre. Mi madrina no me deja salir solo a la calle. Cuando me saca a dar la vuelta es para llevarme a la iglesia a oír misa A veces no le tengo tanto miedo al infierno. Pero a veces sí. Felipa dice, cuando tiene ganas de estar conmigo, que ella le (contar) _____ al Señor todos mis pecados.

Que irá al cielo muy pronto y platicará con Él pidiéndole que me (perdonar) _____ toda la mucha maldad que me llena el cuerpo de arriba abajo. Ella le dirá que me (perdonar) _____, para que yo no (preocuparse) _____ más. Tal vez (haber) _____ más grillos que cucarachas aquí entre las arrugas de los costales donde yo me acuesto. También (haber) _____ alacranes. Cada rato se dejan caer del techo y uno tiene que esperar sin resollar a que ellos (hacer) _____ su recorrido por encima de uno hasta llegar al suelo. Porque si algún brazo (moverse) _____ o empiezan a temblarle a uno los huesos, se siente en seguida el ardor del piquete. Eso duele... Ahora estoy junto a la alcantarilla esperando a que (salir) _____ las ranas. Si tardan más en salir, puede suceder que (dormirse) _____, y luego ya no habrá modo de matarlas, y a mi madrina no le llegará por ningún lado el sueño si las oye cantar, y se llenará de coraje. Y entonces le pedirá a alguno de toda la hilera de santos que tiene en su cuarto, que (mandar) _____ a los diablos por mí, para que me (llevar) _____ a rastras a la condenación eterna, derechito, sin pasar ni siquiera por el purgatorio, y yo no podré ver entonces ni a mi papá ni a mi mamá que es allí donde (estar) _____... Mejor seguiré platicando...

7 Responde a estas preguntas, utilizando la construcción *ser* + adjetivo + *que* + subjuntivo.

1 ¿Qué camino debe tomar una persona que desea volverse escritor/a? Ejemplo: *Es indispensable que pase por un taller literario.*

2 ¿Cómo se debe promocionar una obra literaria?

3 ¿Qué debe expresar una obra para lograr el éxito?

4 ¿Qué condiciones debe reunir una obra para volverse universal?

104 | UNIDAD 7

Nicaragua

patrimonio · arte · tradiciones · empresas · productos · mercado · personalidades · mestizaje · migraciones · ciencia · sociedad

historia

1 Lee el siguiente texto.

La Revolución sandinista

El 19 de julio de 1979 triunfó la Revolución sandinista en Nicaragua. Era la última sublevación armada que llegaba al poder en un país de América Latina, la única después del triunfo de la Revolución cubana el 1.° de enero de 1959. La entrada del Frente Sandinista de Liberación Nacional (FSLN) a la capital, Managua, acabó con la dictadura de Anastasio Somoza Debayle, hijo del dictador Anastasio Somoza García, quien había derrocado al presidente Sacasa en 1936 y ganado unas elecciones presidenciales fraudulentas en 1937.

Anastasio Somoza padre, cuando se le preguntaba acerca de todas las tierras que poseía, afirmaba: «que yo sepa solo tengo una finca y se llama Nicaragua». En 1956, el poeta Rigoberto López Pérez lo asesinó durante una fiesta dada en su honor. Este hecho provocó una oleada represiva sin precedentes, la Guardia Nacional detuvo y torturó a muchos opositores. Luis Somoza Debayle, hijo del dictador, heredó el poder. Tras su fallecimiento en 1967, Anastasio Somoza Debayle, un hermano suyo que se jactaba de hablar mejor inglés que español, lo reemplazó y mantuvo un régimen despótico y absoluto hasta su derrocamiento por los sandinistas.

A principios de los 60, Carlos Fonseca, Tomás Borge y Silvio Mayorga, entre otros, crearon El Frente Sandinista de Liberación Nacional, un movimiento que seguía la línea del líder Augusto César Sandino (del que tomó el nombre). Este había sostenido una guerra de guerrillas[1] contra la intervención estadounidense en Nicaragua a lo largo de las primeras décadas del siglo XX.

En un primer momento, el FSLN no gozó del apoyo popular; apenas algunos grupos de estudiantes universitarios y obreros adherían a su causa. Dos de sus fundadores, Mayorga y Fonseca, murieron en combate en 1967 y 1976 respectivamente. Hubo que esperar la década de los 70 y el rechazo creciente hacia el dictador y las primeras acciones espectaculares que llevó a cabo la guerrilla para ver una mayor adhesión al movimiento. Edén Pastora, conocido como el Comandante Cero, tomó el Congreso en 1978 y logró la liberación de una buena cantidad de presos sandinistas a cambio de rehenes somocistas, dinero y salvoconductos.

En junio del 79 se dio la ofensiva final, las ciudades cayeron una a una en manos de los insurrectos después de intensos combates. El bombardeo al que la Guardia Nacional sometió a la población civil provocó el repudio internacional. Somoza huyó del país. Primero viajó a Miami, y el presidente estadounidense Jimmy Carter lo declaró persona non grata, luego se dirigió a Panamá y finalmente se instaló en Asunción, aceptando la acogida de su amigo, el dictador paraguayo Alfredo Strossner. Un comando de guerrilleros argentinos, algunos de los cuales habían luchado en una columna de combatientes internacionalistas en Nicaragua, se infiltró en el país y planificó su asesinato. El 17 de septiembre de 1980 volaron con un bazucazo el Mercedes Benz en el que viajaba, dando así fin a la dinastía de los Somoza en Nicaragua.

[1] Táctica militar de conflictos armados consistente en hostigar al enemigo en su propio terreno con destacamentos irregulares y mediante ataques rápidos y sorpresivos, voladuras de instalaciones, puentes y caminos o secuestros de armas y provisiones.

2 ¿Quiénes eran los Somoza?

3 ¿Por qué el ejército revolucionario tomó el nombre de Sandino?

4 ¿Cuándo y en qué circunstancias se popularizó el FSLN?

5 ¿Cómo acabó la dinastía de los Somoza en Nicaragua?

6 Investiga sobre Augusto César Sandino.

7 Las mujeres ocuparon un puesto eminente durante la lucha revolucionaria del FSLN. El escritor uruguayo Eduardo Galeano cuenta en su libro *Memoria del fuego III* la caída de un regimiento militar.

1979
Granada

Las comandantes

A la espalda, un abismo. Por delante y a los costados, el pueblo armado acometiendo. El cuartel La Pólvora, en la ciudad de Granada, último reducto de la dictadura, está al caer.

Cuando el coronel se entera de la fuga de Somoza, manda callar las ametralladoras. Los sandinistas también dejan de disparar.

Al rato se abre el portón de hierro del cuartel y aparece el coronel agitando un trapo blanco.

El coronel atraviesa la calle.

—Quiero hablar con el comandante.

Cae el pañuelo que cubre la cara:

—La comandante soy yo —dice Mónica Baltodano, una de las mujeres sandinistas con mando de tropa.

—¿Que qué?

Por boca del coronel, macho altivo, habla la institución militar, vencida pero digna, hombría del pantalón, honor del uniforme:

—¡Yo no me rindo ante una mujer! —ruge el coronel.

Y se rinde.

8 Completa el diálogo entre el coronel y la guerrillera. Utiliza los verbos *necesitar, hacer falta, convenir, importar, valer más* en la frase principal.

Guerrillera: Coronel, vale más que sus hombres **depositen** las armas delante del cuartel y que **salgan** con las manos en alto.

Coronel: Conviene antes que usted **entre** al cuartel para establecer un acuerdo.

9 Una de las heroínas de la revolución sandinista se llamaba Arlen Siu Bermúdez, hija de un inmigrante chino y una nicaragüense. Nació en Jinotepe en 1957, a los 18 años se incorporó al FSLN y la Guardia Nacional la asesinó el 1.° de agosto de 1975. El poeta nicaragüense Ernesto Cardenal le rindió homenaje escribiéndole una poesía, que Carlos Mejía Godoy, el cantante de la revolución, transformó posteriormente en canción. Escucha *Arlen Siu* en YouTube.

Ernesto Cardenal

10 ¿Las revoluciones armadas solamente traen desolación a los países o son una fuerza liberadora?

11 ¿Ha habido procesos revolucionarios en tu país?

patrimonio   arte   tradiciones   empresas   productos   personalidades   mestizaje   migraciones   historia   ciencia   sociedad

mercado

1 Lee el siguiente texto.

Coproducciones internacionales españolas: ¿estrategia financiera o expresión multicultural?

Las coproducciones han sido una fórmula habitual en la mayoría de las industrias cinematográficas europeas desde mediados de los años 50. Esta cooperación se ha consolidado con la globalización del mercado y el apoyo de organismos europeos y latinoamericanos. Hoy en día el 40 % de los largometrajes producidos en los cinco principales países de Europa Occidental –Alemania, Francia, España, Italia y Reino Unido– se realiza en régimen de coproducción. Desde una perspectiva económica, las coproducciones presentan indudables ventajas para los productores de cine europeo: la aportación compartida de recursos financieros, el acceso a ayudas públicas e incentivos fiscales, el aumento del mercado potencial, unos costes de producción más competitivos según los países que intervienen, el aprendizaje de la competencia profesional ajena e incluso el enriquecimiento cultural. Sin embargo, existen ciertos riesgos que todo productor debe tener en cuenta al embarcarse en un proyecto internacional. Cabría mencionar, entre ellos, la necesidad de trabajar sobre historias de gran atractivo universal, capaces de gustar en países con referentes culturales muy distintos; la mayor complejidad de las negociaciones, debido a que entran en juego varias lenguas; el aumento de gastos generales y el peligro de efectos inflacionistas en el cambio de divisas; y la posible pérdida de control creativo sobre el proyecto. A lo largo de la última década, y más específicamente en el último lustro, la industria cinematográfica española ha crecido de manera sostenida, no solo en cuanto al volumen de producción, sino también a la hora de afrontar nuevos retos creativos.

El director del Departamento de Cultura y Comunicación Audiovisual de la Universidad de Navarra, Alejandro Pardo, ha establecido la siguiente clasificación:

Coproducciones (inter)nacionales. Películas con genuino sabor local en sus historias, personajes y puntos de vista, dirigidas por un cineasta español, que podrían ser consideradas nacionales al 100 %, de no haber sido planteadas formalmente, debido a imperativos económicos, como coproducciones (*Los lunes al sol,* de Fernando León de Aranoa, y *Mar adentro,* de Alejandro Amenábar).

Coproducciones financieras extranjeras. Películas «no españolas» tanto en su argumento y la idiosincrasia de los personajes como en su trasfondo cultural. Directores extranjeros las ruedan fuera de España. Otras denominaciones apropiadas para esta categoría serían «películas extranjeras cofinanciadas por España» o «películas extranjeras parcialmente financiadas por España» (*Salvoconducto,* de Bertrand Tavernier, y *El secreto de sus ojos,* de Juan José Campanella).

Coproducciones multiculturales. Películas internacionales que integran contribución financiera española y verdadero intercambio cultural (*El espinazo del diablo,* de Guillermo del Toro, que ofrece una sugestiva revisión de la Guerra Civil española desde una perspectiva mexicana; y *Una casa de locos,* de C. Klapisch, que se rodó en Barcelona y se utilizaron siete idiomas diferentes).

Coproducciones orientadas al mercado internacional. Películas diseñadas para ser comercializadas fuera de las fronteras españolas. Se filman en inglés y cuentan con un reparto y equipo internacionales. Un director nacional o una financiación superior al 50 % garantizan la «presencia española». Dado que se trata de coproducciones más económicas que multiculturales, los países angloparlantes, en detrimento de los latinoamericanos, se convierten en socios naturales (*Los otros,* de Alejandro Amenábar, *Mi vida sin mí,* de Isabel Coixet, y *Frágiles,* de Jaume Balagueró).

El profesor Alejandro Pardo se basa en su propia tipología para afirmar que la gran mayoría de las películas consideradas coproducciones internacionales españolas (73 %) son estrictamente coproducciones financieras, con poca o ninguna referencia multicultural, y subraya el predominio de motivos económicos por encima de intereses culturales.

Adaptado de: *Comunicación y sociedad.*
Revista de la Facultad de Comunicación

2 ¿Qué determina para ti la nacionalidad de una película?
¿El financiamiento, el director, el reparto o el tema abordado?

3 ¿Estás de acuerdo o en desacuerdo con la reflexión que el profesor
Jorge Castro hace a sus estudiantes de Audiovisual en la película *Tesis*,
de Alejandro Amenábar?

«¿Qué es el cine? El cine es una industria. Es dinero, son cientos, miles
de millones invertidos en películas y recaudados en taquilla. Por eso no
hay cine en nuestro país, porque no hay concepto de industria, porque
no hay comunicación entre creador y público. Hemos llegado a un momento crítico en el que nuestro cine solo se salvará si es entendido como
un fenómeno industrial. Vosotros sois alumnos de imagen, sois el futuro
del cine español. Ahí fuera está la industria norteamericana dispuesta a
pisotearos y únicamente hay un modo para competir con ellos: dar al
público lo que quiere ver».

4 ¿Crees que un actor o director tiene necesariamente que trabajar en
Hollywood para triunfar?

Alejandro Amenábar

5 ¿Cuánto sabes de cine español?

a ¿Cuántas películas españolas has visto? ¿Te han gustado?

b ¿Conoces algún director de cine español? ¿Y algunos actores y actrices españoles?

c ¿Cuál es el festival de cine español más prestigioso en Europa?

d ¿Qué son los Premios Goya? ¿Dónde se lleva a cabo la ceremonia de entrega?

e ¿Qué tienen en común estas películas españolas: *Volver a empezar* (José Luis Garci,
1982), *Belle époque* (Fernando Trueba, 1993), *Todo sobre mi madre* (Pedro Almodóvar,
1999) y *Mar adentro* (Alejandro Amenábar, 2004)?

6 Escribe un texto sobre el cine de tu país (películas, directores, actores…)
utilizando el mayor número posible de conjunciones subordinantes.

CONJUNCIONES SUBORDINANTES	FORMAS
temporales	*cuando, apenas, tan pronto como, en cuanto, mientras…*
consecutivas	*así es que, de manera que, de modo que, de ahí que, conque…*
causales	*porque, como, pues, dado que, puesto que, ya que…*
condicionales	*si, como, cuando, con tal que, siempre que, a menos que, a no ser que…*
concesivas	*aunque, a pesar, a pesar de que, aun cuando, si bien, aun si, por más que…*
finales	*a fin de que*

Víctor Erice

7 Haz una lista con tus 10 películas preferidas.

8 Acude a YouTube y busca escenas de las películas *El espíritu de la colmena*
(Víctor Erice, 1973) y *Cría cuervos* (Carlos Saura, 1976), dos obras mayores
del cine español.

Carlos Saura

SUPLEMENTO

Rubén Blades:
el creador de la salsa «comprometida[1]»

Rubén Blades y Cheo Feliciano

La palabra «salsa» forma parte de la estrategia comercial que la compañía discográfica Fania Records utilizó en los años 70 para lanzar al mercado anglosajón, bajo una denominación genérica, la música latina nacida en Nueva York. El periodo embrionario de la salsa se puede situar en los años 60 en el barrio del Bronx. Surge como resultado de las transformaciones que músicos puertorriqueños, cubanos y estadounidenses realizan sobre diferentes géneros de la música cubana, a los que agregan elementos del folclor boricua y del *jazz*. En este periodo, las letras de las canciones se centraban en el «barrio» –lugar de residencia multiétnica y marginal dentro de la opulenta sociedad blanca norteamericana– y todos sus componentes: exaltación de la violencia, la fiesta y la alegría de vivir; pero, al mismo tiempo, descripción de la dureza de la vida cotidiana. A inicios de la década siguiente, la salsa alcanza su primera etapa de madurez musical y penetración comercial más allá de los linderos del barrio. En 1975, el producto llamado «salsa» se oficializa a través de una película titulada justamente *Salsa*, basada en dos conciertos excepcionales de la Fania All Stars, orquesta que reunía los mejores músicos y cantantes de la Fania Records. La conformación instrumental de una orquesta de salsa comprendía: los imprescindibles piano y bajo; el trío de percusión timba, tumba y bongó, extensamente utilizados por las orquestas de Puerto Rico y Nueva York desde los años 40; y tres trompetas y tres trombones, instrumentos de viento ajenos a la tradición musical caribeña y que perfilarían el sonido particular de este nuevo género. La salsa aportaba asimismo el «soneo»[2] aguerrido en intercambio constante con las «descargas»[3].

Hacia fines de los años 70, la salsa comienza a caer en la banalidad y las convenciones. Su momento de renovación llega con el álbum *Siembra*, del trombonista de origen puertorriqueño Willie Colón y del músico y cantante panameño Rubén Blades. El contenido social de las letras de Blades constituyó la clave de su éxito, aunque la astucia musical y el bagaje cultural de Colón dieron el toque musical final requerido. Nunca antes había existido algo igual en el campo de la salsa. *Siembra* denuncia la pobreza, las desigualdades sociales, la aceptación mimética de los procesos de homogenización cultural y exhorta a sobrepasar la ignorancia, a la unión de los latinoamericanos en una sola nación y la construcción de un mundo donde la semilla que se sembró pueda germinar. Es considerado el álbum más importante en la historia de la música latina porque unificó los anhelos y aspiraciones sociales de toda una generación. La salsa, hasta aquel momento circunscrita al mercado de Nueva York y Puerto Rico, se difundiría masivamente en muchos otros países de Latinoamérica. *Siembra* alcanzó la cifra de cinco millones de copias vendidas –en un tiempo en que vender 40 000 constituía un éxito y 100 000, una hazaña– y derrumbó el mito de que la salsa era solo para bailar.

[1] Conciencia crítica, en el sentido de acción propia del pensamiento y la creación del intelectual que aporta su trabajo para la transformación social.
[2] Improvisación vocal.
[3] Improvisación instrumental.

1 Acude a YouTube y escucha estos clásicos de la salsa: *El ratón* (Cheo Feliciano), *Bemba colorá* (Celia Cruz), *Periódico de ayer* (Héctor Lavoe), *Pedro Navaja*, *Plástico* y *Siembra* (Willie Colón/ Rubén Blades).

2 Investiga qué es la salsa romántica o erótica.

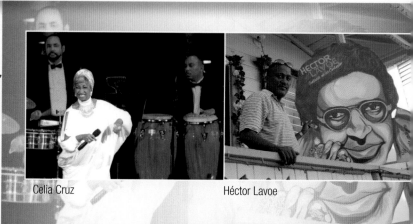

Celia Cruz

Héctor Lavoe

El **béisbol**: el deporte de los **panameños**

Aunque sin lugar a dudas el fútbol es el deporte rey en América Latina, el béisbol le roba la supremacía en algunos países, por ejemplo, en Cuba (ganador del mayor número de torneos internacionales), Venezuela, República Dominicana, Puerto Rico, Nicaragua, México o Panamá. Una leyenda popular afirma que lo inventó el oficial del ejército de Estados Unidos Abner Doubleday durante la guerra de secesión, en Cooperstown, un pueblo del Estado de Nueva York.

Juegos con un palo y una pelota existen desde la antigüedad y han ido evolucionando hasta dar las formas modernas del hockey, el béisbol o el tenis. La palabra «base ball» apareció por primera vez en 1744, en un libro inglés de pasatiempos infantiles, y las primeras reglas se publicaron en Alemania en 1796. Los colonos ingleses que se establecieron en el Nuevo Mundo, entre mediados y finales del siglo XVIII, llevaron el juego a Estados Unidos. A Panamá llegó en 1880, de la mano de los militares y civiles estadounidenses que trabajaban en las obras del canal interoceánico. La liga profesional nació en 1945 y desapareció en 1969, por razones económicas. Desde entonces se practica como deporte aficionado. Sin embargo, el país viene participando en el Clásico Mundial de Béisbol, un torneo creado en 2006 que reúne a los mejores jugadores profesionales y aficionados de las ligas de 16 países (seis latinoamericanos).

En las Grandes Ligas, nombre bajo el cual se conoce a las ligas profesionales de los Estados Unidos, han jugado más de cuarenta peloteros[1] panameños. Quien alcanzó mayor fama fue sin duda Rodney Cline Carew, nacido en 1945, miembro del Salón de la Fama (la lista de los mayores exponentes del béisbol profesional de EE UU), y considerado uno de los cien mejores jugadores de toda la historia de las Grandes Ligas. Al terminar su carrera, que duró desde 1967 a 1985, había anotado más de tres mil *hits*[2]. En la actualidad hay varios jugadores panameños en las Grandes Ligas, y es el deporte más practicado en los colegios, las universidades y las calles del país.

[1] Jugadores de béisbol.

[2] Cuando un bateador golpea la pelota y logra alcanzar una base antes de la defensa adversa.

1 Encuentra el intruso y explica por qué.

1 golf	béisbol	baloncesto	hockey
2 tenis	fútbol	bádminton	squash
3 balonvolea	tenis de mesa	tenis	natación
4 equitación	atletismo	gimnasia	lucha libre
5 karate	judo	taekwondo	ajedrez

2 Relaciona las dos columnas

1 ¡Home run!	**a** fútbol
2 ¡Gol!	**b** tenis
3 ¡Canasta!	**c** béisbol
4 ¡Ensayo!	**d** rugby
5 ¡Punto!	**e** baloncesto

Panamá

La zona franca de Colón

En muchos países existen territorios, llamados zonas francas o libres, donde la legislación aduanera del Estado no se aplica plenamente. La Zona Franca de Colón, la segunda más grande del mundo, está ubicada a unos 80 km de la Ciudad de Panamá, en la entrada atlántica del Canal. Se trata de una entidad gubernamental semiautónoma, con personal jurídico, que en sus 450 ha acoge alrededor de 2300 empresas. Esta zona recibe un promedio anual de 250 000 visitantes extranjeros. Cuenta con servicios de importación, almacenaje, ensamblaje, embalaje y exportación de productos. Por sus instalaciones pasa todo tipo de aparatos eléctricos, productos farmacéuticos, licores, cigarrillos, muebles, ropa, zapatos, joyas, juguetes... Las principales importaciones provienen de Hong Kong, Taiwán, Japón y Estados Unidos, y los principales mercados son los de Colombia, Venezuela y Guatemala. Las importaciones y reexportaciones superan los 16 000 millones de dólares anuales. Esta zona franca constituye un peso clave en la economía panameña, ya que representa el 8 % de su PIB y genera cerca de 27 000 empleos permanentes. Dispone de unas infraestructuras punteras de embarque y acceso aéreo, ferroviario y terrestre, que garantizan la rapidez del transporte y la vuelven más atractiva que las demás zonas francas. Además, la presencia de 25 bancos y de importantes empresas multinacionales de carga facilitan el comercio internacional. El 25 de mayo de 1998 se creó la Oficina de Propiedad Intelectual con el propósito de evitar la reproducción ilegal de marcas.

Las empresas establecidas en la zona libre están exoneradas de impuestos a la importación, la exportación y las inversiones de capital. La moneda en curso es el dólar estadounidense. A las sociedades que quieren establecerse en la zona no se les exige licencia comercial ni capital mínimo de inversión, solo tienen que demostrar referencias bancarias y comerciales, emplear un mínimo de cinco trabajadores panameños, reexportar al menos el 60 % de la mercancía importada y rellenar debidamente los formularios sobre sus movimientos comerciales.

En palabras del Viceministro de Comercio Exterior: «La economía de Panamá, desde un punto de vista histórico, ha servido de plataforma de servicios a la comunidad internacional. Nuestro país actúa como el eje central de una de las principales rutas de comercio internacionales. La Zona Libre de Colón se creó el 17 de junio de 1948, y ha sido desde entonces la más grande del Hemisferio Occidental y el mayor centro de distribución de mercancías para Latinoamérica y el Caribe. En pocas palabras, Panamá es la vitrina comercial de lo que se produce en buena parte del mundo y el hemisferio».

1 ¿Qué opinas?

	Sí	No	Depende
a Las zonas francas deberían estar sujetas a un mayor control financiero.			
b El exceso de impuestos impide el desarrollo de la economía.			
c Las restricciones a la importación favorecen la industria nacional.			
d Las empresas son muy libres de decidir dónde fabrican en aras de una mayor rentabilidad.			
e Resulta necesario crear un impuesto sobre el capital financiero.			

2 ¿Qué diferencia existe entre una zona de libre comercio y una zona franca?

3 Acude a internet e infórmate sobre las maquiladoras.

El juego de los congos

El término *bozal* nace con el tráfico negrero, porque el inicuo negocio precisaba clasificar la mercadería humana para su expeditiva comercialización. *Bozal* era el negro arrancado de su África natal y llevado a América sin conocer nada de la lengua del colono esclavista. Por extensión, se denominó «habla bozal» al español chapurreado que aquellos africanos de distintas procedencias étnicas utilizaban para comunicarse con los capataces –negros o mulatos libres– o entre sí. Algunas comunidades afropanameñas de la costa atlántica conservan remanentes de esa habla, aunque, en opinión de los especialistas, no se trata de una verdadera «habla bozal», sino de lo que esta comunidad cree que son sus remanentes. Los negros congos –como se los llama en Panamá– utilizan en sus ceremonias un dialecto o jerigonza basada en la lengua española, pero con deformaciones y modificaciones sistemáticas que impiden su comprensión por parte de los no iniciados. La ceremonia del «juego de los congos» parece haber nacido en dos de los antiguos puertos coloniales panameños –Nombre de Dios y Portobelo–, para después extenderse a lo largo de la costa caribeña del país. Existen grupos congos en Costa Arriba (al este del canal interoceánico, –Nombre de Dios y Portobelo–), en Costa Abajo (al oeste del canal) y en algunos pueblos del interior. Estos juegos, que actualmente se realizan durante la época de Carnaval, tienen un componente histórico (se representan los momentos de mayor importancia del periodo de la esclavitud), un componente hispánico (canciones en lengua española y hasta cierto punto el baile que las acompaña) y un componente africano (tambores y disfraces).

Uno de los aspectos más interesantes de la ceremonia de los congos es el empleo de un lenguaje ritualizado, el «hablar en congo», que, según los propios practicantes, consiste en hablar «como los negros bozales» y a la vez hablar el castellano «al revés», es decir, invirtiendo el sentido de las palabras. Así, por ejemplo, *ponese entedo* (ponerse entero) significa «romperse» y *vivi* (vivo), «muerto». El lenguaje congo posee palabras cuyo origen se desconoce y hasta ahora no se ha descubierto una etimología congolesa para ninguna de ellas. Además, está repleto de verbos mal conjugados, nombres y adjetivos que no concuerdan, palabras distorsionadas y modificaciones fonéticas determinadas, siendo la más extendida el reemplazo de la /l/, /r/ y /rr/ por la /d/: *carretera > cadeteda, claro > clado*... Los negros congos constituyen un segmento reducido de la población afropanameña y casi todos, incluso en aislados pueblos y caseríos, pueden hablar en congo, de modo tan natural que da la impresión de ser su lengua de uso común y no un lenguaje secreto y obligatorio en sus ceremonias.

Fuente: *Boletín de Lingüística,* v.19 n. 27. John M. Lipski

1 ¿Quiénes eran los bozales? ¿En qué tipo de lengua se comunicaban?

2 ¿En qué consiste el juego de los congos? ¿Qué significa «hablar en congo»?

3 Si el tema te interesa, mira en YouTube «Los congos de Panamá».

4 Intenta traducir estas frases del lenguaje congo al español.

a ¿Y tú qué haces ahí padao?

b Dápido anuncia ahí que ha llegado e contrabandista.

c Padece que eh cariñosa.

d ¿Que quedes?

e Code, que se muede ed extranjero.

5 El lenguaje congo se caracteriza por invertir el significado de las palabras o expresiones en español. ¿Qué crees que significa la siguiente expresión?

«Eta con dos ojo abierta» (Está con los ojos abiertos) =

Orígenes del nombre: Se cree que procede del cueva, la lengua —hoy extinta— más extendida entre los indígenas del territorio en esa época, y que significaba «abundancia de peces o sitio abundante en peces».

Capital: Ciudad de Panamá

Superficie: 75 517 km²

Población: 3 322 576 habitantes

Moneda: Balboa (oficial); dólar estadounidense (curso legal)

Gentilicio: panameño

Organización administrativa

El territorio panameño se divide políticamente en 9 provincias. Existen también 3 comarcas indígenas con nivel provincial: las Emberá-Wounaan 1 y 2 y la Ngäbe-Buglé.

Economía

Es el país centroamericano con el ingreso per cápita más alto y uno de los mayores crecimientos económicos de América Latina: el Producto Interno Bruto se ha duplicado en los últimos años. Su producción agrícola básicamente se obtiene en explotaciones de carácter comercial y está destinada a la exportación. Los principales cultivos son: caña de azúcar, fruta —principalmente banano, plátano y naranja—, arroz, maíz, café y tomate. Posee un importante sector ganadero y de aves de corral. Cuenta además con reservas forestales considerables, casi un 57 % de su suelo. La pesca ha experimentado un fuerte desarrollo y se ha convertido en una de las industrias más importantes del país. Sin embargo, las tres cuartas partes de su PIB lo aporta el sector terciario, gracias a un conglomerado de servicios de transporte y logística, cuyo eje central es el Canal de Panamá, y a su Banca, la más grande de Latinoamérica.

Lenguas

Si bien predomina y es oficial el español, se hablan en total 19 lenguas. Indígenas, como el ngäbere, el kuna o el emberá norteño, y extranjeras, como el dialecto chino hakka, el árabe, el japonés, el patois y el francés.

Religión

La mayor parte de la población profesa el catolicismo. Entre un 12 y 15 % practica una de las varias religiones protestantes y un pequeño porcentaje, el judaísmo, el budismo, el bahaísmo, el hinduismo y el islam. A 11 km de la capital se encuentra uno de los siete templos de adoración bahaí del mundo. En las comarcas indígenas existen cultos y creencias propios, lo mismo que en las poblaciones negras de las zonas del Caribe. El movimiento rastafari jamaicano nació en la ciudad de Colón.

> Dominio de internet: www.pa
> Gobierno: www.presidencia.gob.pa, www.pancanal.com (Autoridad del Canal de Panamá).
> Directorio de empresas: www.qweb.es/empresas-de-portal-de-panama.html
> Cámara de comercio, industrias y agricultura: www.panacamara.com
> Oficina Nacional de Turismo: wwwww.visitpanama.com
> Diarios: www.pa-digital.com.pa, www.critica.com.pa, www.prensa.com, www.elsiglo.com

unidad 8

patrimonio · arte · tradiciones · empresas · productos · mercado · personalidades · mestizaje · migraciones · historia · ciencia · socieda

1 Lee el siguiente texto.

El cartel puertorriqueño: arma de resistencia cultural

El cartel ocupa un espacio de gran importancia en la historia de las artes plásticas puertorriqueñas. Constituye un testimonio gráfico del devenir cultural y social de la isla y de las tendencias y las corrientes artísticas más variadas. El diseño gráfico comercial nació en Europa a mediados del siglo XIX, a raíz de la Revolución Industrial. Las necesidades masivas de comunicación de una creciente sociedad urbana e industrializada produjeron la expansión de imprentas comerciales, anuncios y carteles. En poco tiempo, Francia e Inglaterra llenaron sus ciudades con los llamados «gritos en la pared»[1]. No obstante, habrá que esperar hasta 1869, y al francés Julio Chéret (1836-1932) para que el cartel supere su inicial función divulgadora de un producto de consumo y se convierta en una nueva forma de arte.

En Puerto Rico, al igual que en otros países, el cartel adquirió valor estético cuando los artistas comenzaron a diseñarlos. El presidente del Senado, Luis Muñoz Marín, contribuyó en 1946 a la creación del Taller de Cinema y Gráfica de Parques y Recreo Públicos. Este modesto taller se transformó en 1949 en la División de Educación de la Comunidad (DIVEDCO), cuya misión era ayudar y educar a la población rural —el 80 % de los puertorriqueños vivía en el campo en condiciones de extrema pobreza—. Los primeros carteles ponían de realce las virtudes del trabajo comunitario, la importancia del voto, el significado de los derechos ciudadanos y la dignidad humana, y enseñaban cuestiones de salubridad, como la necesidad de hervir el agua y lavarse las manos. Aquellos artistas buscaban reafirmar la cultura nacional, históricamente definida por las raíces hispánicas y las aportaciones de origen africano y taíno, frente al empuje de las influencias estadounidenses.

Las imágenes de los carteles revalorizaban lo popular: la devoción religiosa, las parrandas navideñas, los instrumentos musicales autóctonos y las fiestas tradicionales. La creación del Instituto de Cultura Puertorriqueña en 1955 institucionalizó ese esfuerzo de defender la identidad boricua. Dos años después, el director del Instituto confió al renombrado artista Lorenzo Homar la fundación del Taller de Gráfica de dicha institución. En ese espacio de diálogo y formulación de ideas estéticas, sociales y políticas se fraguó la nueva generación de cartelistas, cuya práctica estuvo vinculada con las actividades culturales que promovía la institución. En el caso de los carteles teatrales, por ejemplo, sintetizaron en la imagen la esencia de un drama o una comedia. Otro aspecto que singularizó su lenguaje plástico fue la correspondencia entre imagen y texto. Todos los cartelistas, en mayor o menor grado, utilizaron las letras como recurso para superar lo literal. Empezaron haciéndolas conversar con la imagen y poniéndolas en contacto con la totalidad del cartel. Algunos lograron convertir las letras en la imagen misma. El cartel puertorriqueño adquirió reconocimiento internacional en la década de los 60 tras su participación en la Exposición Internacional del Cartel en Canadá.

[1] El pintor comunista español José Renau (1907-1982), conocido como Josep Renau, dijo que un cartel publicitario era un grito pegado a la pared.

2 Di si las afirmaciones siguientes son verdaderas o falsas.

Ⓥ Ⓕ

a El cartel puertorriqueño surgió a mediados del siglo XIX, de ahí su importancia histórica. ○ ○

b El diseño gráfico comercial se convirtió en artístico a raíz de la Revolución Industrial. ○ ○

c DIVEDCO solo ayudaba y educaba a la población sobre cuestiones de salubridad. ○ ○

d Los carteles puertorriqueños revalorizaban lo popular frente a las influencias estadounidenses. ○ ○

e La nueva generación exploró las posibilidades plásticas de las letras en la imagen del cartel. ○ ○

3 Visita el sitio www.puertoricanposters.com y escoge el cartel que más te gusta.

4 Observa estas dos frases y deduce por qué en la segunda después de la conjunción subordinante temporal *cuando* se utiliza el subjuntivo.

a Cuando fui a Puerto Rico, visité el Museo del Cartel José P.H. Hernández.

b Cuando vaya a Puerto Rico, visitaré el Museo del Cartel José P.H. Hernández.

5 Subraya las conjunciones subordinantes temporales y transforma luego las siguientes frases. Pásalas de la acción realizada a la acción eventual.

a Tan pronto como llegué a San Juan, tomé un auto hasta Cataño porque en ese pueblo se encuentra la fábrica más grande del mundo de ron Bacardí.

b En cuanto supe dónde estaba el bosque tropical de El Yunque, uno de los 28 lugares finalistas en la competencia Las Nuevas 7 Maravillas Naturales del Mundo, me dirigí hacia allá.

c Caminé por las calles del viejo San Juan hasta que me cansé.

d No bien me di cuenta de que el episodio de *Expediente X (The X-Files)* titulado «Pequeños hombres verdes» trascurría en el Observatorio de Arecibo, me volvió la emoción que sentí a los 11 cuando mis padres me llevaron a verlo y me explicaron que era el radiotelescopio más grande del planeta.

e Cada vez que estoy en Ciudad de Ponce, no dejo de visitar la tumba de Héctor Lavoe, «el cantante de los cantantes», uno de los grandes «soneros» de la salsa.

6 ¿Conoces a este actor?

¿Cómo se llama?

¿De dónde es?

¿Qué sabes de su filmografía?

7 Relaciona cada cartel cinematográfico con su sinopsis fílmica.

a. _____

b. _____

c. _____

1 Un agente especial investiga sobre las causas de un incendio a bordo de un barco que ha dejado un balance de 27 personas asesinadas. Su única fuente de información es un estafador lisiado que sobrevivió al incendio.

2 Tres historias que entrelazan los diferentes aspectos del mundo del tráfico de drogas. Desde el punto de vista de quienes las distribuyen, quienes las consumen y las autoridades que las combaten.

3 Un accidente automovilístico hace que la vida de tres parejas se entrecrucen en una historia que nos lleva a la cima del amor, nos sumerge en el abismo de la venganza y nos acerca a la promesa de la redención.

1 Lee el siguiente texto y observa la expresión en negrita.

Los Caminos del Vino en Argentina

El cultivo de la vid no existía en América hasta la llegada de los españoles. Cristóbal Colón, en su segundo viaje (1493), introdujo las primeras variedades en las Antillas, las cuales no fructificaron a causa del clima de la región caribeña. Las uvas llegaron a Argentina en 1543, con mayor precisión a la ciudad de Salta, en el noroeste del país. Cuando alcanzaron el centro norte, los jesuitas realizaron las primeras plantaciones de cierta importancia en el territorio. Tras sus respectivas fundaciones, Mendoza (1561) y San Juan (1562) se volvieron puntos estratégicos por donde ingresaron viñas desde Chile a cinco provincias del oeste argentino. Más adelante también floreció la vitivinicultura en el noreste y en menor cantidad en el centro y centro este. Tal expansión, al igual que en varios países latinoamericanos, está estrechamente vinculada con la difusión del cristianismo, pues el clero necesitaba vino para poder celebrar la misa.

En 1853, Domingo Faustino Sarmiento, gobernador de la región de Cuyo (Mendoza–San Juan), contrató al francés Aimé Pouget, quien se encargó de reproducir las primeras cepas de variedad francesa, entre ellas la reconocida Malbec que, en opinión de varios enólogos, sumilleres y especialistas vinícolas, se ha adaptado en esa zona mejor que en cualquier otra parte del mundo. Esto se debe a la particular orografía, la composición de los suelos y las condiciones climáticas de la provincia de Mendoza. La región posee un fino suelo rocoso y arenoso que irrigan los deshielos de agua pura y cristalina de la cordillera de los Andes. Abundan además los días de sol y existe una gran amplitud térmica entre el día y la noche. Factores todos que favorecen la buena maduración y la concentración de aromas y color en los granos.

Turismo enológico

Al buscar el origen del turismo enológico en Argentina, debemos remontarnos a octubre de 1987, cuando la Bodega Etchart –instalada desde 1975 en la provincia de Mendoza– realizó la primera visita guiada que incluyó el recorrido de sus instalaciones y viñedos y la degustación de sus vinos. La actividad siguió creciendo sin interrup-

ción. Un trabajo de la Comisión Nacional de Turismo Vitivinícola reveló que más de un millón de turistas (1 023 581) había tomado los Caminos del Vino argentinos. Mendoza –una de las ocho capitales mundiales del vino[1]–, tiene cien bodegas abiertas al turismo, **de ahí que sea** la provincia que recibe la mayor cantidad de visitantes. De las 163 bodegas que forman parte de ese paseo, 128 pertenecen a capitales nacionales; el resto corresponde a inversiones españolas, francesas, holandesas, portuguesas, chilenas y estadounidenses. Además del recorrido por las instalaciones y la degustación de vinos, las empresas ofrecen otras actividades a los turistas: cabalgatas, golf, cursos con certificación oficial, visitas técnicas junto a enólogos e ingenieros agrónomos, paseos por encima de los viñedos a bordo de globos aerostáticos…

Bodegas de Argentina, una cámara empresarial que agrupa 226 de las principales bodegas de todo el país, se creó en 2001 como resultado de la fusión del Centro de Bodegueros de Mendoza (fundado en 1935) y la Asociación Vitivinícola Argentina (fundada en 2004). Las empresas asociadas fueron pioneras en el cambio tecnológico que se produjo en la década del 90 y las que inicialmente trabajaron en la apertura de los mercados internacionales y en el desarrollo del turismo enológico. Se fusionaron para asentar las bases de una entidad con mayor representatividad nacional. Actualmente Bodegas de Argentina es la Unidad Ejecutora de Turismo del Vino de la Corporación Vitivinícola Argentina (COVIAR).

[1] Las otras capitales son: Melbourne (Australia), Burdeos (Francia), San Francisco-valle de Napa (Estados Unidos), Porto (Portugal), Bilbao y Rioja (España), Ciudad del Cabo (Sudáfrica) y Florencia (Italia).

2 ¿Cómo definirías el turismo enológico?

3 ¿Por qué la provincia de Mendoza resulta idónea para la elaboración de excelentes vinos?

4 ¿En qué circunstancias nació el turismo enológico en Argentina?

5 ¿Qué actividades incluye un paseo por los Caminos del Vino?

6 ¿Qué es Bodegas de Argentina, por qué se creó y cuáles son sus funciones?

7 ¿Qué has deducido de la utilización de la conjunción subordinante de consecuencia *de ahí que*?

8 Acude a Youtube, mira el video *Caminos del vino de Argentina 2007.mov* y enumera las alternativas turísticas, los servicios ofrecidos y los lugares que puedes visitar.

9 ¿En cuál de estas actividades de los Caminos del Vino te gustaría participar? ¿Por qué?

Tango por los Caminos del Vino

Fiesta nacional de la vendimia

Música clásica por los Caminos del Vino

10 Eres director/a de una empresa de turismo. Crea un recorrido original por los caminos de tu país. Dale un nombre, crea un lema, elabora un mapa, detalla lo que se va a ver, sugiere actividades complementarias…

11 ¿En cuál de estas dos frases puedes reemplazar la conjunción subordinante *de manera que* con *por eso* (consecuencia) y en cuál puedes reemplazarla con *para que* (finalidad)? ¿Qué regla del subjuntivo aplicas?

a Argentina tiene excelentes vinos **de manera que** está entre los primeros productores a nivel mundial, conjuntamente con países como Francia, Italia, España y Estados Unidos.

b En la localidad de Luján de Cuyo (provincia de Mendoza) se crea la primera Denominación de Origen Controlada (DOC) de Argentina **de manera que** quede protegida la elaboración de vinos finos en esa zona.

12 Observa estas dos frases.

a Bodegas de Argentina tiene éxito **porque** agrupa 226 de las principales bodegas de todo el país.

b Bodegas de Argentina tiene éxito **no porque** sea la Unidad Ejecutora de Turismo del Vino, sino porque agrupa 226 de las principales bodegas de todo el país.

> Después de la conjunción subordinante de causa *porque* se utiliza el indicativo.
> Si expresamos la «no causa» *(no porque)* se utiliza el subjuntivo.

13 Acude al sitio www.caminosdelvino.com, pulsa en «bodegas con encanto», escoge una de ellas y preséntala.

patrimonio · arte · tradiciones · empresas · **productos** · mercado · **personalidades** · mestizaje · **migraciones** · historia · ciencia · sociedad

1 Lee el siguiente texto y observa la expresión en negrita.

La inmigración italiana en Costa Rica

La comunidad italiana es la colonia extranjera de mayor importancia en Costa Rica, después de la española. En un primer momento, durante la época postindependentista, se trata de una migración esporádica. Habrá que esperar hasta finales del siglo XIX para que se produzca un flujo migratorio masivo. Entre los años 1887 y 1888 llegan al país más de un millar y medio de trabajadores procedentes de Mantua (región de Lombardía). El norte italiano vivía una crisis agraria porque la entrada en el mercado del trigo estadounidense había generado la caída de los precios y la consecuente desocupación de las zonas dedicadas al cultivo de cereales. Este contexto provoca no solo el aumento de la emigración, sino también el estallido de numerosas revueltas sociales, entre ellas, un movimiento campesino en Mantua conocido como La Boje, de enorme repercusión en la medida en que, tras el procesamiento penal de los implicados, el gobierno reconoce el derecho a la asociación sindical y la huelga por motivos salariales. Y precisamente de esa provincia lombarda, con conciencia reivindicativa, proceden los agricultores que Minor C. Keith contrata para que viajen a Costa Rica y trabajen en la construcción de la línea ferroviaria que une San José, la capital, con el puerto atlántico de Limón.

Minor C. Keith

En noviembre de 1887 zarpa desde Génova el vapor Australia, con 756 emigrantes a bordo, y a mediados de abril de 1888, el vapor Elisa Anna, con cerca de 800. Se instala a la mayor parte de los obreros en el sector del río Reventazón, zona particularmente difícil a causa de los desprendimientos de tierra y cuyas condiciones climáticas resultan mortíferas (paludismo, disentería y otras enfermedades tropicales). Su descontento se pone de manifiesto el 20 de octubre de 1888: todos abandonan los campamentos y huyen a Cartago (ciudad cercana a San José). Dos días después, el apoderado de Mr. Keith solicita formalmente ante las autoridades cartaginenses que se los arreste si no retoman su puesto de trabajo. Los huelguistas, por su parte, nombran un apoderado, y exponen sus quejas: campamentos malsanos, carencia de asistencia médica y de medicinas e impago del último mes de salario. La situación llega a un punto muerto, pues las autoridades se declaran incompetentes para emitir un fallo. Una resolución del Gobierno dispone entonces que los trabajadores vuelvan a los campamentos y que el empresario pague lo adeudado. El vicecónsul de Italia en Costa Rica interviene y habla con sus compatriotas, pero **por más que** intenta convencerlos de aceptar dichas condiciones, estos siguen exigiendo su repatriación. Con una población de 205 731 habitantes (censo de 1888), una huelga de cerca de 1400 trabajadores extranjeros, aunque dirigida contra el empresario, constituye un fenómeno social nunca visto y un verdadero problema nacional.

El 20 de noviembre de 1888, un Decreto Ejecutivo dispone el traslado de las familias de los trabajadores a San José, a fin de evitar la partida de aquella mano de obra tan apreciada. No hay que olvidar que la inmigración europea se considera imprescindible para el desarrollo socioeconómico del país. El asunto trasciende hasta las más altas esferas políticas italianas y el Parlamento envía el 14 de marzo de 1889 un vapor a Costa Rica con la misión de regresar a su tierra natal a los trabajadores que lo deseen. ¡Demasiado tarde! Tres días antes ya han partido rumbo a Limón alrededor de ochocientos italianos decididos a ser repatriados. Gracias al dinero ahorrado y donativos de personas filantrópicas, logran embarcarse en un vapor francés que ha fondeado en el puerto. Los inmigrantes que no partieron impulsaron la formación de una vigorosa comunidad italiana costarricense.

2 ¿En qué momento de la historia costarricense empieza la migración italiana?

3 ¿Qué circunstancias económicas obligaron a los italianos a dejar su tierra natal?

4 ¿Por qué los trabajadores que emigraron a Costa Rica tenían una gran conciencia reivindicativa?

5 ¿Qué los llevó a declararse en huelga?

6 ¿Cómo se resolvió el asunto?

7 ¿Qué crees que expresa la conjunción subordinante *por más que*?

8 Observa estas dos frases e infiere por qué en la segunda frase, después de la conjunción subordinante concesiva *por más que*, se utiliza el subjuntivo.

a Por más que el vicecónsul **intentó** convencerlos de aceptar dichas condiciones, los trabajadores **siguieron** exigiendo su repatriación.

b Por más que el vicecónsul **intente** convencerlos de aceptar dichas condiciones, los trabajadores **seguirán** exigiendo su repatriación.

9 Imagina frases que los actores de la huelga (trabajadores italianos, autoridades, Minor C. Keith, gobierno, apoderado…) hayan podido decir. Utiliza las siguientes conjunciones subordinantes concesivas. Las frases pueden expresar una acción realizada o una acción eventual.

> aunque, a pesar de que, aun cuando, si bien*, aun si*, por más (mucho) que.

* Nunca llevan subjuntivo.

Ejemplos: — **Trabajadores:** aunque las autoridades nos metan en la cárcel, nos mantendremos firmes en nuestras creencias.

— **Minor C. Keith (magnate del transporte):** Aun si los huelguistas retoman su puesto de trabajo, no les pagaré lo adeudado.

— **Autoridades:** aun cuando escuchamos a ambas partes, no pudimos dictar sentencia.

10 ¿Y tú qué opinas?

Sí   No   Depende

a Una huelga no puede implicar la ocupación del establecimiento de trabajo.

b Las huelgas se han convertido en psicodramas representados ante la televisión para sensibilizar a la opinión pública y así ejercer mayor presión sobre los patronos.

c Por ley deberían estar prohibidas las huelgas de los servicios públicos (hospitales, transportes, correo…).

d Toda huelga debe ser pacífica por más que se manifieste contra una situación completamente injusta.

e Se debe alimentar a la fuerza a una persona que está haciendo huelga de hambre para evitar su muerte.

11 ¿Alguna vez has participado en alguna huelga o movimiento de protesta social?

patrimonio · arte · tradiciones · empresas · productos · mercado · **personalidades** · mestizaje · migraciones · historia · ciencia

socieda

1 Lee el siguiente texto.

El Plan Ceibal: la aplicación de la tecnología para la democracia

El Plan Ceibal es un proyecto socioeducativo que llevan a cabo conjuntamente el Ministerio de Educación y Cultura, el Laboratorio Tecnológico del Uruguay, la Administración Nacional de Telecomunicaciones y la Administración Nacional de Educación Pública. Mediante este plan, fruto de una iniciativa del expresidente de la República Oriental del Uruguay, Tabaré Vázquez, se aspira a superar la brecha entre quienes tienen acceso a las nuevas tecnologías de la información y la comunicación (TIC) y los que permanecen fuera de la revolución digital. A fin de alcanzar este objetivo, se acordó la entrega de una computadora portátil con conexión a internet a cada maestro y alumno de las escuelas públicas. En un principio se llamó así al plan porque la flor de ceibo está considerada como flor nacional en Uruguay y en Argentina. Posteriormente «Ceibal» se transformó en el acrónimo de Conectividad Educativa de Informática Básica para el Aprendizaje en Línea. En opinión de Tabaré Vázquez, el sistema educativo del

siglo XXI debe asentarse en la igualdad de oportunidades en el acceso a la tecnología, la democratización del conocimiento y la potenciación de los aprendizajes en el ámbito escolar y hogareño, pues se espera que los alumnos lleven la computadora a casa y la compartan con los otros miembros de la familia. Esta se caracteriza por su liviandad, facilidad de transporte y resistencia, particularidades que permiten trabajar en entornos diferentes al aula y abren distintas posibilidades para la adquisición de nuevos conocimientos, habilidades y destrezas. Varios organismos gubernamentales y voluntarios trabajan mancomunadamente capacitando a los profesores para que puedan adaptar la enseñanza a un aula digital.

Etapas

– En 2007 se inició una prueba piloto en Villa Cardal, pueblo de 1290 habitantes y una sola escuela de 150 niños.

– Antes del final del año lectivo 2008, se entregaron alrededor de

175 000 computadoras en todo el país, a excepción de en una parte de Canelones, Montevideo y su área metropolitana.

– A lo largo de 2009 se cumplieron las previsiones del plan, de modo que todos los niños y maestros del país dispusieron de su propia computadora portátil, es decir, un total de más de 350 000 niños y 16 000 maestros.

Con este plan, inspirado en el proyecto OLPC del científico Nicholas Negroponte[1], Uruguay se ha convertido en el primer país del mundo en informatizar todos los pupitres de sus aulas primarias.

[1] Científico estadounidense de origen griego, fundador y director del MIT Media Lab del Instituto Politécnico de Massachusetts, un departamento dedicado a los proyectos de investigación sobre la convergencia de información multimedia y tecnología. En 2006 creó la fundación One Laptop per Child –Un computador por niño– (OLPC por sus siglas en inglés). Se trataba de desarrollar un computador portátil de bajo costo con miras a introducir en la era tecnológica a los niños de los países del Tercer Mundo.

2 El Plan Ceibal ha recibido algunas críticas, ¿estás de acuerdo o en desacuerdo con ellas? Explica por qué.

a El Plan Ceibal no constituye una ventaja sino un «estigma digital», en la medida en que las computadoras no tienen el sistema operativo Windows. La interfaz gráfica del sistema GNU/Linux no es la convencional y únicamente permite realizar tareas básicas: escribir documentos, hacer dibujos, entrar en internet, jugar juegos sencillos y escuchar música. Los niños van a aprender algo que no encontrarán en ninguna otra computadora en la tierra, excepto en la de otro niño.

b La disminución de la brecha digital y la superación de las desigualdades sociales no pasan exclusivamente por la incorporación de las computadoras al aula. Esto debe ir acompañado de mejoras en las condiciones de vida de los niños en situación de pobreza. Solo así lograrán acceder al conocimiento en igualdad real con el resto de los niños.

c Las parejas en las que ambos miembros trabajan pasan muchas horas fuera del hogar; durante ese tiempo la computadora se vuelve una consola de juegos y no un gran promotor de la educación.

d Las computadoras se regalaron a todos los niños de las escuelas públicas, mientras que a los de las escuelas privadas se las ofrecieron a doscientos dólares. Estos han experimentado un sentimiento de marginación; sienten que ellos no forman parte de «los niños y las niñas del Uruguay».

3 Acude a YouTube y mira los videos *Plan Ceibal Uruguay 2009* y *Reinventar el Aula - BID-Washington DC, Septiembre 2009*.

4 Tras conocer las críticas y haber visto los videos, ¿cuál es tu opinión del Plan Ceibal?

5 Eduardo Galeano (Montevideo, 1940), periodista, ensayista y narrador uruguayo, ha retratado con agudeza la sociedad contemporánea. Con *Las venas abiertas de América Latina* (1971) alcanzó su consagración, pues el libro se convirtió en uno de los clásicos de la literatura política del continente y se tradujo a 18 idiomas. En esta obra el autor analiza la historia de América Latina desde la colonización hasta el siglo xx, argumentando con crónicas y narraciones el saqueo de sus recursos naturales. En la V Cumbre de las Américas, Hugo Chávez, presidente de Venezuela, le regaló un ejemplar al presidente de Estados Unidos, Barack Obama.

Lee este texto de *Bocas del tiempo* (Eduardo Galeano, 2004).

Historia que pudo ser

Cristóbal Colón no consiguió descubrir América, porque no tenía visa y ni siquiera tenía pasaporte.

A Pedro Alvares Cabral le prohibieron desembarcar en Brasil, porque podía contagiar la viruela, el sarampión, la gripe y otras pestes desconocidas en el país.

Hernán Cortés y Francisco Pizarro se quedaron con las ganas de conquistar México y Perú, porque carecían de permiso de trabajo.

Pedro de Alvarado rebotó en Guatemala y Pedro de Valdivia no pudo entrar en Chile, porque no llevaban certificados policiales de buena conducta.

Los peregrinos del Mayflower fueron devueltos a la mar, porque en las costas de Massachusetts no había cuotas abiertas de inmigración.

Eduardo Galeano

6 Completa las siguientes frases escogiendo uno de los verbos del recuadro y conjugándolo en el tiempo adecuado.

> establecer   obtener   hacer   vacunarse   llevar

1 Cristóbal Colón no descubrirá América, **salvo que** _____ pasaporte y visa antes de iniciar su viaje.

2 Pedro Alvares Cabral desembarcará en Brasil **siempre que** _____ contra la viruela, el sarampión, la gripe y otras pestes desconocidas en ese país.

3 Hernán Cortés y Francisco Pizarro se quedarán con las ganas de conquistar México y Perú **a menos que** _____ los trámites para sacar un permiso de trabajo.

4 **Como** no _____ certificados policiales de buena conducta, Pedro de Alvarado no entrará en Guatemala ni Pedro de Valencia en Chile.

5 **Si** no _____ cuotas de inmigración en las costas de Massachusetts, los peregrinos del Mayflower serán devueltos a la mar.

7 Crea la «Historia que pudo ser» de tu país o continente –a la manera de E. Galeano– y luego transforma las frases utilizando las conjunciones subordinantes condicionales.

patrimonio · arte · tradiciones · empresas · productos · mercado · personalidades · mestizaje · migraciones · historia · ciencia · sociedad

1 Lee el siguiente texto.

La Tomatina: una guerra vegetal de interés turístico internacional

La comarca valenciana Hoya de Buñol abriga incontables tesoros arqueológicos, pues sus primeros asentamientos humanos se remontan a unos cincuenta mil años antes de nuestra era. Sin embargo, su fama a nivel mundial se debe a una fiesta que se celebra en el pueblo de Buñol. Se trata de La Tomatina, una lucha que se libra el último miércoles de agosto y durante la cual los participantes se arrojan cantidades ingentes de tomates. En la última guerra vegetal, cuarenta mil personas (diez mil lugareños y treinta mil forasteros de los cinco continentes) se lanzaron 120 toneladas. A la señal de comienzo, a las 11 en punto, los camiones empiezan a repartir los tomates entre la multitud reunida en la plaza del pueblo. El reglamento estipula, a fin de evitar accidentes, que la gente los aplaste antes de arrojárselos al contrincante más cercano. Después de exactamente una hora, el disparo de una segunda carcasa[1] anuncia el final de la lucha. Toda la plaza se tiñe de rojo y se forman ríos de jugo de tomate. Manguerazos a diestra y siniestra dejan las calles limpias, sin contar con que las propiedades de esta hortaliza las blanquean y desinfectan.

En 1945, mientras se realizaba en el centro del pueblo un desfile de «Gigantes y Cabezudos»[2], un joven, que deseaba formar parte de la comitiva, empujó a uno de los que estaban disfrazados. Este cayó al suelo y, cuando se levantó, comenzó a golpear a quienes se hallaban a su alcance, iniciándose así una verdadera batalla campal. A alguien de pronto se le ocurrió utilizar las verduras de un puesto de hortalizas cercano como munición y todos lo imitaron. Las fuerzas del orden público se hicieron presentes y multaron a los revoltosos. Al año siguiente los jóvenes repitieron el altercado, solo que esta vez llevaron los tomates de su casa. Nuevamente intervinieron las fuerzas del orden público. Tras la repetición del incidente en los años sucesivos, se instauró la fiesta de manera extraoficial. A principios de los 50, el Ayuntamiento volvió sobre su decisión y encarceló a varios participantes, a quienes en breve lapso absolvió porque contaban con el apoyo del pueblo. La Tomatina se festejó entonces sin restricciones hasta 1957, año en que los buñolenses se excedieron, utilizando no solo tomates, sino también agua y toda clase de verduras. Distinguidos ciudadanos resultaron incluso blanco de los ataques. En protesta contra esa nueva medida de prohibición, los habitantes organizaron «el entierro del tomate», una gran manifestación en la que transportaban a hombros un ataúd con un inmenso tomate dentro, y una banda de música los acompañaba interpretando marchas fúnebres. La autorización definitiva se logró finalmente con una salvedad: el Ayuntamiento, mediante carcasas, daría la orden de inauguración y del cierre del acontecimiento. Desde 1980, las autoridades municipales asimismo se encargan del aprovisionamiento de los participantes. Los tomates procedentes de Extremadura que se distribuyen son insípidos, por tanto menos costosos, ya que se cultivan especialmente para dicha festividad.

La Secretaría General de Turismo de España concedió a La Tomatina en 2002 el título de «Fiesta de Interés Turístico Internacional». Esta celebración ha servido de inspiración en otros lugares del mundo: la localidad colombiana de Sutamarchán realiza su propia batalla de tomates el 15 de junio y la localidad china de Dongguan, el 19 de octubre.

[1] Tipo de artificio pirotécnico que se lanza al espacio con una especie de cañoncillo y que estalla al llegar arriba descomponiéndose en lucecillas que caen formando palmeras, tirabuzones…

[2] Figuras en cartón-piedra que forman parte de la tradición popular. Los «gigantes» tienen una altura desproporcionada y crean un efecto de nobleza, mientras que en los «cabezudos», de menor altura, sobresale la proporción de la cabeza, lo que produce un efecto más bien cómico.

2 ¿Y tú qué opinas?

Sí   No   Depende

a La Tomatina no puede considerarse una tradición porque es una festividad creada hace solo más de medio siglo.

b Esta celebración supone un despilfarro intolerable de tomates.

c Se trata de una batalla vegetal, no exenta del riesgo de quedar gravemente herido.

d Es inconcebible que el Ayuntamiento gaste 90 000 € en una fiesta tan elemental.

e Me encantaría participar en La Tomatina.

3 ¿Existen festividades similares en tu país o alguna particularmente inusual?

4 Expresiones con frutas y hortalizas. Trata de descifrar la siguiente frase y reescribirla en lenguaje corriente.

> Desde el año de la pera se sabe que quien está de mala uva con su media naranja no debe conducir, porque lo más probable es que se dé una piña contra un muro.

5 Relaciona las siguientes expresiones con su significado.

a Eres más fresco que una lechuga. _____

b Me importa un pepino. _____

c No he comprendido ni papa. _____

d Se puso como un tomate. _____

e Vete a freír espárragos. _____

f Me dio calabazas. _____

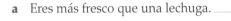

1 Se sonrojó.

2 Me rechazó cuando le declaré mi amor.

3 ¡Basta ya! ¡Déjame en paz!

4 Me tiene sin cuidado.

5 ¡Qué descarado eres!

6 No he entendido nada.

6 Las interjecciones son palabras que, pronunciadas en tono exclamativo, expresan un estado de ánimo o sirven para llamar la atención. Se escriben generalmente entre signos de exclamación y se clasifican en propias e impropias. Imagina que estás en medio de la fiesta de La Tomatina, luego crea un diálogo entre tú y otro participante utilizando el mayor número de las interjecciones propias que te damos.

¡Ah!: asombro, sorpresa.

¡Ajá!: aprobación.

¡Ay!: aflicción o dolor.

¡Bah!: desinterés.

¿Eh?: duda de haber comprendido lo oído.

¡Ey!: llamado de atención.

¡Hala!: para meter prisa.

¡Hurra!: alegría y satisfacción.

¡Huy!: asombro, sorpresa por algo insólito.

¡Oh!: asombro, admiración, sorpresa.

¡Psss!: para llamar a alguien.

¡Puaj!: asco, fuerte desagrado.

¡Uf!: cansancio, fastidio.

> Ejemplos: Participante: ¡Psss! Sí, tú, la del vestido amarillo.
>
> Yo: ¡Puaj! Me tiraste el tomate en plena cara y el jugo se me ha metido en las fosas nasales.

SUPLEMENTO

¿Cuál es el cuento de los cuenteros colombianos?

Fotografías: Carolina Rueda

La cuentería, conocida también como oralidad narradora artística, nació a finales de la década de los 80 en Bogotá. Esta forma de expresión oral no debe confundirse con el relato de historias reales o la teatralización de cuentos. Consiste en el recuento de narraciones cuyas fuentes son la literatura escrita u oral o cuentos de creación propia. Mediante la palabra, las entonaciones de la voz y el gesto vivo, los cuenteros intentan comunicar con el público y generar una reflexión más allá del mero entretenimiento.

Todo empezó en un festival del humor realizado en Bogotá, al que asistió Francisco Garzón Céspedes, un cubano que contaba cuentos. Surgieron entonces los primeros cuenteros universitarios colombianos. Alumnos y actores del Teatro Popular de Bogotá, entre los que se encontraba la hoy «Reina del cuento» Carolina Rueda[1], empezaron a buscar espacios para desarrollar un movimiento distinto del teatro y la literatura escrita. La Universidad Javeriana les ofreció esa oportunidad y otros centros educativos la emularon. El movimiento de narración oral creció con mayor rapidez en Colombia que en otros países porque apareció vinculado con las universidades. Poco a poco ganó otros espacios, popularizándose en plazas y parques. La tradición oral colombiana que, hasta aquel momento, se había circunscrito a las zonas rurales se abrió a un lenguaje distinto al de la tradición popular: expresiones narrativas que exploraban las historias urbanas, sus personajes y sus conflictos. Los cuentos invadieron las ciudades y terminaron con aquella vieja concepción de que únicamente se les contaba historias a los niños. La narración oral aspiraba a llegar a un amplio público, tanto en lo concerniente a la edad como al ámbito social. Aparte de las jornadas de narración en universidades –horarios fijos en la agenda cultural–, las principales ciudades colombianas o las de mayor afluencia turística han visto cómo los cuenteros se han apropiado del espacio público.

Asimismo, existe en Bogotá, desde hace solo pocos años, un Diploma de Profundización en Narración Oral. En Colombia se llevan a cabo alrededor de diez festivales anuales: *Abrapalabra* (Bucaramanga), *Entre Cuentos y Flores* (Medellín), *Caribe Cuenta* (Barranquilla), *Quiero Cuento* y *Pura Palabra* (Bogotá), *CuentiArte* (Cartagena), *Viva la Palabra Viva* (Neiva), *Unicuento* (Cali)… Y entre los mejores a nivel mundial cabe destacar el Iberoamericano de Bucaramanga (Colombia), el de la Oralidad de Barquisimeto (Venezuela), el Internacional de Santiago de Cuba y el de Narradores Escénicos de Cádiz (España).

1 Aunque el movimiento de cuenteros en Colombia ha sido mayoritariamente masculino, sobresale entre sus pioneras la caleña Carolina Rueda, quien ha encantado con sus cuentos en los más importantes festivales del género en el mundo de habla hispana. Además de gran narradora, Carolina Rueda ha teorizado e impulsado la cuentería en su país y en el mundo.

1 Escucha el cuento sobre Adán y Eva, de Carolina Rueda. Vuélvete una cuentera y nárralo a la clase.

2 ¿Existen cuenteros en tu país? ¿Has escuchado a alguno?

3 ¿Tienes el don de la palabra? ¿Eres bueno contando chistes, anécdotas o historias?

4 Si te interesa el tema de los cuenteros, visita el sitio de la Red Internacional de Cuentacuentos. En la lista de narradores, encontrarás cuenteros de varios países del mundo y videos de sus presentaciones.

www.yocreoencolombia.com

Colombia: uno de los países más felices del mundo

Una encuesta de la compañía Datexco para la revista *Cambio* confirma los resultados obtenidos por el World Database of Happiness, un registro permanente de estudios e indicadores sobre la felicidad en 112 países, según los cuales Colombia está entre los más felices del mundo.

En opinión de Ruut Veenhoven, director de esta base internacional de datos, lo que hace feliz a la gente es prácticamente universal, aunque existan enormes diferencias culturales. Basándose en dichos parámetros comunes, la Universidad Erasmus de Rotterdam (Holanda) creó el World Database of Happiness (WDH), un proyecto que se ha dedicado a recopilar estudios que miden la felicidad en distintas partes del planeta. Colombia ocupa el tercer lugar en la escala mundial y el primero en América Latina, región en la que le siguen El Salvador (11), Guatemala (17), México (18), Venezuela (23), Brasil (30) y Argentina (32). A modo de ejemplo, podría mencionarse que Estados Unidos se sitúa en la décimo sexta posición, el Reino Unido en la número 21, Francia en la 37 y Japón en la 43. Si bien la recopilación pone en evidencia la alta calidad de vida de los países escandinavos, en particular de Dinamarca, a la cabeza de los resultados, también destaca un alto grado de felicidad entre los latinoamericanos, con Colombia, El Salvador, Guatemala y México ubicados en las primeras 20 posiciones, a pesar de la incidencia negativa de la criminalidad, pobreza y desigualdad social.

«América Latina se distingue por los estrechos lazos familiares, una fuerte adhesión al catolicismo y a la capacidad de gozarse la vida; todos estos factores que contribuyen a la felicidad de la gente», afirma el profesor Veenhoven. Por el contrario, opina el sociólogo, «el ritmo desenfrenado, el aumento de los horarios de trabajo, la decadencia de la familia y de la comunidad tradicional crean las condiciones para un menor bienestar emocional en Reino Unido y en otros países ricos e industrializados».

En Colombia, cuya violencia ha sido calificada de endémica[1], las personas se sienten satisfechas con su vida. ¿Por qué? La respuesta podría radicar en su sorprendente capacidad de ver el vaso medio lleno en lugar de verlo medio vacío. «A pesar de todos los problemas, los colombianos le sacan jugo a la vida. No dejan que nada los deprima y tienen una gran capacidad de superación emocional», asegura Jorge Londoño, de Gallup, una empresa especializada en sondeos.

Por su parte, Pedro Medina, director de la Fundación Yo Creo en Colombia, recorre desde hace algunos años el territorio nacional y el mundo, contándole a sus compatriotas y a los extranjeros por qué creer en Colombia y cómo ser feliz incluso en situaciones de conflicto. Tras 921 conferencias y talleres en 53 ciudades de ocho países y ante 229 000 ciudadanos, el empresario social asegura que los colombianos han aprendido a descubrir en las pequeñas satisfacciones y en sus propias competencias el significado de la felicidad.

[1] Propio y exclusivo de determinadas localidades o regiones.

---

1. ¿Qué es para ti la felicidad? ¿Cómo la definirías? ¿Qué haces para alcanzarla?

2. ¿Crees que los estudios y sondeos la pueden medir?

3. ¿Confías en este tipo de encuestas?

4. En tu opinión, ¿cuáles son los parámetros universales de la felicidad?

5. ¿Qué grado de felicidad le atribuirías a tu país?

6. Elabora un cuestionario de 10 preguntas para calcular el grado de felicidad de un ser humano.

7. Investiga qué es el empresariado social.

Colombia

¿Un concentrado de excentricidades?

Los colombianos pueden jactarse de ser emprendedores. El Ministerio de Comercio declaró que seis millones de colombianos entre 18 y 64 años están haciendo empresa y que la informalidad había disminuido drásticamente. Un paradigma de estas empresas que comenzaron de la nada es Andrés Carne de Res. ¿Un restaurante? ¿Un bar? ¿Un bailadero? ¿Un concentrado de excentricidades? De una mezcla de todo esto disfruta el negocio que crearon Andrés Jaramillo y su esposa, María Estela Ramírez, el 21 de junio de 1982. Por sus puertas han cruzado desde García Márquez (quien, afirman, le creó el siguiente eslogan: «Andrés Carne de Res, donde se acuestan dos y amanecen tres»), Shakira, el expresidente Andrés Pastrana, y hasta la reina Silvia de Suecia o el juez español Baltasar Garzón. El *New York Times* escribió que «de restaurante solamente tiene el nombre, pues en realidad se trata de un caóticamente decorado espectáculo de música, arte y excentricidad». El *Dallas Morning News* registró que «más de un cuarto de millón de personas hacen anualmente este peregrinaje a uno de los comederos más delirantes de las Américas». La ensayista norteamericana Susan Sontag afirmó después de visitarlo: «conocí el mejor bar del mundo». ¿La clave del éxito? La personalidad de Andrés Jaramillo, su impresionante capacidad de trabajo, el deseo por hacer del restaurante una experiencia única para sus clientes, haber logrado que cada rincón, cada centímetro del local esté cargado de sentido, con los objetos más variopintos, muchas veces recogidos en la calle; en un ambiente musical que pasa sin problema del vallenato a la salsa con un intermedio de música electrónica. El escritor Santiago Gamboa lo describe como un zoco a la colombiana: «No hay un espacio del inmenso local que carezca de un objeto curioso, divertido, algo entrañable que nos gustaría tener en casa. Vírgenes de colores, monigotes, objetos de hierro o latón, en fin, el conjunto de todo lo abarcable en la imaginación. Parece un mercado de las pulgas o una cueva de Alí Babá repleta de cofres abiertos, donde además se ha cambiado su uso tradicional a las cosas. Andrés, a quien le encanta la grafomanía y se pasa escribiendo o dibujando mientras habla, ha hecho poner libretas en las mesas para que uno "cibercharle" manualmente o se pase secretos con los comensales vecinos. Pese a que existen varias pistas de baile muy buenas, de baldosa lisa, lo común es que la gente retire a un lado vasos y botellas y se suba en la mesa a bailar».

El restaurante factura más de 35 000 millones de pesos y ha iniciado su fase de expansión, con un nuevo socio, el fondo de inversión SEAF. Acaban de abrir en la zona rosa de Bogotá el restaurante Andrés D.C. (de corazón), y se han planteado como reto abrir sedes en Ciudad de México, Miami, Nueva York y Panamá. Pero, ¿se podrá trasladar semejante «idea» a otros países, sin la presencia permanente de su creador? Ellos aseguran que Andrés carne de res vende una experiencia, un sitio cálido y hospitalario en permanente movimiento, que quiere sorprender al cliente en cada una de sus visitas.

1 ¿Qué tipo de local es Andrés Carne de Res?

2 ¿En qué consiste la clave de su éxito?

3 ¿Crees que un negocio así puede exportarse?

4 Si quieres conocer más sobre este restaurante, acude a www.andrescarnederes.com

5 Si fueras empresario, ¿qué tipo de local crearías? Imagina todas las características de tu local ideal (nombre, emplazamiento, decoración…).

6 La Teja Corrida y El Goce Pagano son dos míticas salsotecas de Bogotá. ¿Existen locales míticos en tu ciudad o país?

La Academia Colombiana de la Lengua

La Real Academia Española se fundó en 1713 gracias a la iniciativa de Juan Manuel Fernández Pacheco, marqués de Villena. Felipe V aprobó su constitución el 3 de octubre de 1714 y la colocó bajo su amparo y Real Protección. Su propósito era «fijar las voces y vocablos de la lengua castellana en su mayor propiedad, elegancia y pureza». Actualmente, y según lo establecido en el artículo primero de sus *Estatutos,* la Academia «tiene como misión principal velar porque los cambios que experimente la Lengua Española en su constante adaptación a las necesidades de sus hablantes no quiebren la esencial unidad que mantiene en todo el ámbito hispánico».

En 1951, el presidente Miguel Alemán convocó en México el I Congreso de Academias de la Lengua Española, durante el mismo se acordó fundar la Asociación de Academias, que estaría integrada por las 22 Academias de la Lengua Española que existen en el mundo. La Academia Colombiana es la más antigua de las Academias americanas. Un grupo de filólogos y escritores de gran prestigio, entre los que sobresalían Rufino José Cuervo, padre de la filología hispanoamericana, y Miguel Antonio Caro, estadista y escritor, la creó en 1871. A lo largo de su historia, ilustres miembros de la política y de la cultura nacional han formado parte de esta institución, que desde 1960 asesora oficialmente al gobierno colombiano en materias idiomáticas y ha conseguido que se aprueben varias leyes a favor de la lengua española.

Se calcula que en el país se hablan 11 dialectos del castellano, aunque en líneas generales estos se pueden agrupar en dos macrodialectos: el costeño o de tierra caliente y el andino (cachaco) o del interior. El primero muestra un claro paralelismo con los dialectos meridionales de España y el segundo, con los centro-septentrionales. Siempre se ha dicho que en Colombia se habla el mejor español del mundo. Algunos lo atribuyen a la temprana fundación de su Academia de la Lengua y a la profusión de excelentes trabajos lingüísticos publicados. El profesor colombiano José Antonio León Rey, delegado por América Latina ante la Real Academia de la Lengua Española, avanzó su propia explicación: «Yo no sé si los colombianos somos quienes mejor castellano hablamos, pero seguramente somos quienes más amamos esta lengua».

1 Un gran intelectual inglés del siglo XVIII, Samuel Johnson, autor del primer gran diccionario de la lengua inglesa (1755), luchó contra la creación de una Academia de la Lengua Inglesa (al estilo de la francesa o la española) porque la consideraba antidemocrática: se privaba a la gente del pleno dominio de lo que era solamente suyo, dejándolo todo en manos de un pequeño grupo de «elegidos». ¿Crees que estas instituciones son necesarias o compartes la opinión del intelectual inglés? ¿Existe una institución similar en tu país?

2 Amin Maalouf, Premio Príncipe de Asturias de las Letras 2010, periodista y escritor libanés que se refugió en París tras la guerra civil de 1975 en El Líbano, ha escrito en francés varios libros traducidos a numerosos idiomas. En su ensayo *Identidades asesinas* (1998), el autor se interroga sobre la noción de identidad y nos invita a un humanismo abierto que rechaza a la vez la uniformidad planetaria y el repliegue hacia la «tribu». En su ensayo dice que:

> Hoy en día, toda persona ha de hablar tres lenguas. La primera, su lengua de identidad; la tercera, la de la comunicación, y sugiere el inglés. Entre la primera y la tercera lenguas, se debe aprender una segunda, escogida libremente, que debe ser a menudo, pero no siempre, una lengua europea. Esta segunda lengua es la lengua del corazón, la lengua adoptiva, la lengua amada…

¿Cuál o cuáles son tus lenguas de identidad? ¿Cuál es tu lengua del corazón? ¿Cuál o cuáles tus lenguas de comunicación? ¿El español es para ti una lengua de corazón o de comunicación?

Colombia

CULTURA SOCIEDAD ECONOMÍA LENGUA **DATOS**

Organización territorial

Está compuesta por 32 departamentos, que gozan de autonomía legislativa, ejecutiva y disponen de presupuesto propio, y diez distritos. En los denominados territorios indígenas, que cubren una superficie aproximada de 30 845 231 ha, se ha posibilitado en cierto grado el manejo interno de sus asuntos comunitarios.

Economía

Considerada como la cuarta economía de América Latina por el Fondo Monetario Internacional, tiene un crecimiento promedio anual de 5 % desde 2002. Un cuarto de la población activa se dedica a la agricultura, la ganadería y la pesca. El café constituye su principal producto de exportación, junto con las flores y el banano. Líder en la producción de esmeraldas, aunque también extrae oro y posee la mina abierta de carbón más grande del mundo. Sus reservas petroleras se estiman en 1506 millones de barriles. Posee una industria bastante desarrollada, sobre todo en el sector textil, alimenticio y automotriz. Es uno de los países con mayores recursos hídricos en el mundo.

Lenguas

La Constitución establece la oficialidad del español en el país y de las lenguas y dialectos de los grupos étnicos en sus territorios. La enseñanza que se imparta en las comunidades con tradiciones lingüísticas propias debe ser bilingüe. Se hablan unas 65 lenguas indígenas y 2 criollas.

Orígenes del nombre: Es un homenaje a Cristóbal Colón. Se utilizó por primera vez cuando se formó la Gran Colombia (los territorios de los actuales Ecuador, Colombia y Venezuela); tras su escisión, el país se llamó República de la Nueva Granada, después Confederación Granadina, más adelante Estados Unidos de Colombia y en 1886 adoptó definitivamente el nombre actual: República de Colombia.

Capital: Bogotá D.C. (Distrito Capital)

Superficie: 1 141 748 km²

Población: 45 273 936 habitantes

Moneda: peso colombiano

Gentilicio: colombiano

Religión

Aunque la libertad de culto está garantizada por la constitución, más del 90 % de la población se declara católica. Un 7 % forma parte de las iglesias protestantes. La Iglesia Pentecostal Unida de Colombia se encuentra presente en todo el país a través de tres mil congregaciones. Existen asimismo musulmanes, judíos, budistas y taoístas. En algunas comunidades indígenas y afrocolombianas se practica un cierto sincretismo entre el catolicismo y cultos ancestrales.

> Dominio de internet: www.co
> Gobierno: www.presidencia.gov.co
> Directorio de empresas:
> www.businesscol.com/directorio/
> Cámara de comercio: www.ccb.org.co
> Promoción de turismo, inversión y exportaciones:
> www.colombia.travel/es
> Diarios: www.elespectador.com, www.eltiempo.com,
> www.larepublica.com.co, www.semana.com

unidad 9

patrimonio | arte | empresas | productos | mercado | personalidades | mestizaje | migraciones | historia | ciencia | sociedad

tradiciones

1 Lee el siguiente texto y subraya los verbos en imperativo.

La sopa paraguaya

La sopa paraguaya, contrariamente a lo que su nombre sugiere, no consiste en un potaje líquido, sino en una torta horneada. Se cuenta que García Márquez en alguna ocasión confesó maravillado que de un país que tenía por plato nacional una sopa sólida, no quería imaginar cómo sería el resto. Dos alimentos de origen autóctono americano, el maíz y la yuca, siguen ocupando un lugar preponderante en la gastronomía paraguaya. Los guaraníes acostumbraban a consumir comidas pastosas a base de harina de maíz o de yuca envueltas en hojas de güembé[1] o banana y cocinadas entre ceniza caliente. Con los españoles llegaron el queso, los huevos y la leche, ingredientes que los indígenas agregaron a sus platos. Del sincretismo de lo guaraní con lo español nace la sopa paraguaya, a saber: harina de maíz, leche, huevos, queso fresco, cebollas y materia grasa.

Anécdotas populares narran que este plato, al igual que muchos otros descubrimientos culinarios, se dio por un error. La historia tiene como protagonistas a don Carlos Antonio López, gobernante que rigió el destino del país desde 1844 hasta su muerte en 1862, y

su cocinera. A don Carlos, le gustaba el *tykueti*, una sopa blanca elaborada con harina de maíz, leche, huevos y queso, que nunca faltaba en su mesa. A la cocinera un día, sin darse cuenta, se le fue la mano con la harina y solo cerca del mediodía descubrió su inadvertencia. Percatándose de que ya no le alcanzaba el tiempo para rehacer la sopa o sustituir el plato favorito del gobernante por algún otro, vertió el espesado líquido en un recipiente de hierro y lo puso a cocer en el *tatakuá*, un horno campesino hecho de adobe. El resultado fue una ¡torta esponjosa! que la cocinera, llena de temor y deshaciéndose en excusas, le sirvió a don Carlos. Este la probó y, al encontrarla tan sabrosa, la bautizó «sopa paraguaya», pese a que debía comerse con cuchillo y tenedor en lugar de cuchara. Cuando no había dejado bocado alguno en el plato, se golpeó satisfecho el estómago y exclamó: «Escucha bien lo que te voy a decir, mi fiel *machú*[2], de ahora en adelante me servirás todos los días el *tykueti* acompañado de este delicioso manjar». Y, ante los embajadores que cenaban la noche siguiente en la residencia presidencial, presentó de manera pomposa el plato en cuestión: «Gustad, eminentísimas dignidades del mundo, la excelsa sopa paraguaya».

Actualmente, esta torta horneada resulta indefectible en los «asados» (reuniones sociales en las que se consumen diversos cortes de carne de res, cerdo, cordero y pollo asados a la parrilla), las celebraciones de Semana Santa y, especialmente, las bodas; tanto que hay una pregunta que de manera recurrente se formula a las parejas que llevan juntas mucho tiempo y no se han casado: «¿Cuándo comemos la sopa?».

El 4 de mayo de 2008 tuvo lugar el primer Gran Festival de la Sopa Paraguaya; durante el mismo, los asistentes pudieron degustar más de veinte variaciones de este plato tradicional.

[1] Planta de regiones tropicales y subtropicales de Brasil, Paraguay y Argentina.
[2] *Machú:* cocinera en guaraní.

Recuerda que el imperativo informal singular (tú) de los verbos regulares tiene la misma forma que la tercera persona del singular del presente; y que el imperativo informal plural (vosotros) se forma reemplazando la «r» del infinitivo por una «d».

2 Conjuga en imperativo informal singular (tú) los verbos que te permiten preparar la sopa paraguaya.

3 cebollas grandes
3 tazas de agua
1 cucharada de sal gruesa
½ taza de grasa de cerdo
4 huevos
350 g de queso fresco
650 g de harina de maíz
1 taza de leche
1 cucharada de nata

Preparación

(Cortar) _____ finamente las cebollas. (Cocer) _____ las cebollas en agua con sal durante 10 min. (Dejar) _____ enfriar. (Batir) _____ la grasa. (Agregar) _____ uno a uno los huevos, batiendo sin cesar. (Añadir) _____ el queso desmenuzado. (Incorporar) _____ las cebollas y el agua donde se cocieron y poco a poco la harina de maíz, alternándola con la leche y la nata. (Mezclar) _____ con suavidad. (Colocar) _____ la masa en un molde grande, previamente engrasado y enharinado. (Llevar) _____ el molde a horno caliente durante 1 hora. (Servir) _____ la torta cortada en rombos o cuadraditos.

3 ¿Té, café o tereré?

El tereré es una bebida tradicional paraguaya y del noreste argentino, elaborada con yerba mate (*ilex paraguarienses*), hierbas refrescantes naturales (menta, cedrón o cola de caballo) y jugos naturales de cítricos o deshidratados en polvo. A diferencia del mate bebido en la zona del Río de la Plata (Argentina, Uruguay y sur del Brasil), obtenido por decocción, este se prepara con agua fría y cubos de hielo. La palabra «tereré» procede del guaraní y su sonoridad onomatopéyica evoca los tres últimos sorbos que uno realiza al succionar la bebida. Se habla de «succionar» porque la bebida se toma sorbiendo por una bombilla metálica que se inserta en una guampa (vaso hecho de cuerno de vaca, a veces adornado con plata u otro metal).

4 ¿Cómo prepararías el tereré? Imagina los pasos que han de seguirse utilizando el imperativo informal plural (vosotros).

5 Da la receta (ingredientes y preparación) de un plato o bebida tradicional de tu país.

1 Lee el siguiente texto.

El Canal de Panamá

En septiembre de 1977 se firmaron en Washington los acuerdos Torrijos-Carter[1], según los cuales, a partir del 31 de diciembre de 1999, el Canal sería devuelto en propiedad plena e incondicionalmente a Panamá. Desde el 1.º de enero de 2000, la Autoridad del Canal de Panamá (ACP), una entidad gubernamental, está a cargo de su operación, administración, funcionamiento, conservación, mantenimiento, mejoramiento y modernización.

Durante los ochenta y cinco años de gestión estadounidense, las arcas panameñas solo percibieron 1878 millones de balboas (1915 millones de dólares), una suma casi idéntica a la recaudada en los primeros seis años de soberanía exclusivamente panameña. En opinión del Dr. Omar Jaén Suárez, exembajador de Panamá en Francia, «la buena reputación del manejo del Canal no es resultado del azar, sino más bien la conclusión lógica de varias acciones racionales y sensatas que tomaron los panameños hace ya varias décadas. Primero, la concertación de los Tratados Torrijos-Carter, que pusieron una fecha definitiva a la presencia norteamericana en Panamá y a su control de la vía interoceánica. Segundo, un periodo de transición de veinte años, de 1979 a 1999, pactado en dicho convenio, a lo largo del cual habría una presencia creciente de Panamá en su administración y decreciente de Estados Unidos. Tercero, un acuerdo entre todas las fuerzas políticas y sociales de Panamá para elevar el asunto del Canal por encima de los intereses partidistas, tanto constitucional como legalmente, mediante un marco jurídico que ha funcionado perfectamente y permitido el funcionamiento de la vía interoceánica sin interferencias políticas y al margen de la corrupción pública, con la colaboración de los usuarios, las grandes empresas navieras y las organizaciones internacionales especializadas en asuntos marítimos. Cuarto, la existencia de un equipo de trabajo altamente profesional, cohesionado, formado y con experiencia, bajo la autoridad de un administrador y una junta directiva que representa acertadamente diversos sectores políticos y profesionales. Quinto, la conciencia de participar de una responsabilidad histórica y de que la Autoridad del Canal de Panamá, la principal empresa pública, constituye la mayor esperanza del futuro, pues se ha convertido en paradigma de una administración que utiliza impecablemente los recursos del Estado».

La firma de los acuerdos y su ejecución son un aspecto reciente de lo que ha sido la historia del Canal. En el siglo XVI, Carlos V ordenó los primeros estudios topográficos para la construcción de un canal en el istmo panameño. El proyecto permitiría a los barcos cruzar de un océano al otro, sin tener que dar la vuelta por el cabo de Hornos. Tras el levantamiento de los planos resultó evidente la inviabilidad del proyecto. No obstante, desde aquel momento, portugueses, escoceses e ingleses no cejaron en tratar de encontrar rutas viables, pero todas fracasaron. El primer intento realmente importante lo condujo el francés Ferdinand de Lesseps a la cabeza de la Compañía Universal del Canal Interoceánico de Panamá. Sin embargo, una pésima gestión financiera, cálculos erróneos y enfermedades tropicales (malaria y fiebre amarilla), que causaron cerca de veinte mil víctimas entre los trabajadores, provocaron la liquidación de la compañía. El ingeniero jefe de la obra, Philippe-Jean Bunau-Varilla, fundó la Nueva Compañía del Canal y convenció al presidente Theodore Roosevelt de abandonar el proyecto de construir un canal a través de Nicaragua, país sujeto a erupciones volcánicas, y decantarse por Panamá. El 18 de noviembre de 1903 se firmó el tratado Hay[2]-Bunau-Varilla, que concedía a EE UU la construcción y ocupación perpetua del futuro canal, así como la soberanía en la zona del Canal, una franja de ocho km a ambos lados. A cambio, Panamá obtuvo una indemnización de 10 millones de dólares, una renta anual de 250 000 dólares y la garantía de su independencia, pero con derecho de intervención.

Inaugurado el 15 de agosto de 1914, sus 84 km de longitud permiten comunicar Ciudad de Panamá, en la costa pacífica, con Ciudad de Colón, en la atlántica, y evitar 7000 km de circunnavegación. Durante la Primera Guerra Mundial, el Canal reforzó la potencia comercial y naval de Estados Unidos y, durante la Guerra Fría, se convirtió en base de intervención: la Escuela de las Américas se creó 1948 con el objetivo de adiestrar a los militares latinoamericanos contra la insurgencia.

[1] Acuerdos firmados entre Omar Torrijos (jefe de gobierno de Panamá) y Jimmy Carter (presidente de los Estados Unidos).

[2] Por el apellido del secretario de Estado estadounidense, John Milton Hay, el otro firmante.

El presidente Roosevelt en la zona del Canal.

Construcción del Canal en 1907.

2 ¿Qué estipulan los acuerdos Torrijos-Carter?

3 ¿Qué ha representado para Panamá la restitución del Canal?

4 ¿A qué se debe la buena reputación de la administración panameña del Canal?

5 ¿Por qué fracasaron los primeros proyectos de construcción de una vía interoceánica en el istmo?

6 ¿Cuál fue la importancia geopolítica del Canal para los Estados Unidos?

7 ¿Cómo convenció Torrijos a Carter de restituir el Canal a los panameños? Completa este diálogo con los imperativos adecuados. Utiliza el tratamiento de cortesía (usted).

> — En el imperativo informal singular (tú) los verbos *ir*, *decir*, *hacer*, *tener*, *poner*, *ser*, *salir* y *venir* son irregulares, no así en el imperativo informal plural (vosotros).
>
> — Las formas del imperativo singular de cortesía (usted) y el imperativo plural de cortesía (ustedes) corresponden morfológicamente a la tercera persona del singular y tercera del plural del subjuntivo presente.

Torrijos: Señor presidente, (salir) _____ de Panamá, la Historia se lo reconocerá.

Carter: (Decir / a mí) _____, ¿por qué creen los panameños que podrán administrar el Canal?

Torrijos: Porque nos caracteriza la eficiencia y la competitividad. (Venir) _____ conmigo a pasear por la ciudad y descubrirá nuestra capacidad empresarial. (Ir) _____ al campo y le asombrará el desarrollo que han alcanzado nuestras explotaciones agrícolas.

Carter: (Hacer / a mí) _____ un favor, señor

presidente, (aceptar) _____ mi propuesta, le restituimos el Canal, pero conservamos las bases militares.

Torrijos: (Darse) _____ cuenta de su pedido, (reconocer) _____ que es absurdo, no podemos seguir viviendo en un país ocupado por una potencia extranjera.

Carter: Una potencia amiga.

Torrijos: Precisamente, queremos seguir siendo sus amigos, no vivir bajo su tutela.

8 Completa el diálogo hasta concluir con el acuerdo.

9 Imagina ahora que el diálogo anterior transcurre de manera informal. Recréalo realizando las transformaciones necesarias. No olvides que debes utilizar el tratamiento informal singular (tú).

Omar: Jimmy, querido amigo, (salir) _____ de Panamá, la historia te lo reconocerá.

…

10 Escucha la grabación sobre la ampliación del Canal de Panamá y toma notas.

11 Te han pedido que presentes la ampliación del Canal de Panamá a un grupo de inversionistas. Prepárala con la información de tus notas y con la que encuentres en el sitio oficial de la ACP (www.pancanal.com).

134 | UNIDAD 9

Guatemala

patrimonio | arte | tradiciones | empresas | productos | mercado | personalidades | mestizaje | migraciones | historia | sociedad | ciencia

1 Lee el siguiente texto.

Ecofiltro: un filtro guatemalteco ecológico, económico y eficaz

El consumo de agua no potable provoca cada año más víctimas mortales en todo el mundo que cualquier tipo de violencia, incluida la guerra. Este es el dato demoledor que la ONU difundió el Día Mundial del Agua, una jornada instaurada en 1993.

La ONU y la Cruz Roja estiman que en el mundo hay 884 millones de personas sin acceso al agua potable, un bien fundamental que repercute en la sanidad, la seguridad y la calidad de vida, especialmente de menores y mujeres. Las enfermedades que se propagan a través del agua causan anualmente la muerte de alrededor de 1,5 millones de niños o, lo que es lo mismo, cada 15 segundos muere un niño a causa de una enfermedad provocada por la falta de acceso a agua apta para el consumo, el saneamiento deficiente o la falta de higiene.

Se calcula que 2500 millones de personas viven sin un sistema adecuado de saneamiento. Todos los días se vierten dos millones de toneladas de aguas residuales y otros efluentes sin control alguno. El problema se agrava en los países en desarrollo, en los que cerca del 90 % de los desechos sin procesar y el 70 % de los desechos industriales sin tratar se evacuan en aguas superficiales. Frente a ello, el llamado Ecofiltro, un sistema de purificación de agua inventado por el guatemalteco Fernando Mazariegos, que hoy se utiliza en 24 países de África, Asia, Centroamérica y América del Sur, constituye un

aporte inestimable al bienestar de la humanidad. El científico nació en Panajachel, Sololá, en 1938, estudió Química Farmacéutica en la Universidad de San Carlos de Guatemala y se especializó en Control de Calidad en Francia. Ecofiltro nació de una simple constatación: la tercera causa de mortalidad infantil en Guatemala son las enfermedades gastrointestinales, debidas en buena parte al consumo de agua contaminada (80 % de los ríos están contaminados), situación de emergencia que se empeora cuando llegan las lluvias.

Mazariegos empezó la investigación en 1980, enmarcada dentro de un proyecto del Instituto Centroamericano de Investigación y Tecnología Industrial (ICAITI) y, tras muchas pruebas y errores, descubrió que mezclando aserrín cernido, barro y arena de río, formaba una pasta que podía modelar en el torno, como cualquier artesanía. Dejó secar la maceta de textura porosa y luego la horneó a 800 grados centígrados. Sirviéndose de una brocha, cubrió el interior y exterior del recipiente con plata coloidal, un bactericida natural que no altera el sabor del agua. Este filtro casero no debe exponerse al sol, pues la plata coloidal se oxida y pierde su función. Además, se aconseja limpiarlo cada tres meses, utilizando una esponja nueva y agua filtrada, evitar tocarlo con las manos porque se contamina, y cambiarlo una vez al año. Gracias a Ecofiltro se pueden purificar diariamente 60 litros de agua. Actualmente la empresa Ecofiltro S. A. los produce a gran escala y en los últimos 3 años ha distribuido sesenta mil unidades, beneficiando así a unos quinientos mil guatemaltecos.

Durante dos años consecutivos, 2003 y 2004, Fernando Mazariegos recibió el galardón *Market Place Award for Sustainable Technology*, que otorga el Banco Mundial.

2 Explica la situación del agua en el mundo y en Guatemala.

3 ¿Qué es Ecofiltro? ¿Cómo se fabrica?

4 ¿Qué cuidados deben tenerse con Ecofiltro?

5 ¿Consideras Ecofiltro un verdadero invento científico?

6 Acude a YouTube y mira el vídeo titulado *Ecofiltro: el invento humanitario*.

7 ¿Qué tipo de consumidor de agua eres?

	Siempre	A veces	Nunca
a ¿Cierras la llave de agua mientras te enjabonas, te afeitas o te cepillas los dientes?			
b ¿Lavas los pisos o tu carro a «chorro de manguera»?			
c Si constatas una fuga de agua, ¿la reparas o haces reparar inmediatamente?			
d ¿Echas en el inodoro objetos que deben tirarse en la basura?			
e ¿Riegas el jardín durante las horas de mayor calor?			
f Cuando utilizas la lavadora, ¿usas el máximo de ropa permitido en cada carga?			
g ¿Te pones en contacto con las autoridades para comunicar pérdidas de agua en la calle?			
h ¿Te duchas en lugar de tomar baños de tina?			
i ¿Lavas los vegetales en un tazón y no bajo la llave de agua abierta?			

8 Tomando en cuenta tus respuestas, ¿te consideras un consumidor de agua responsable?

9 Entresaca del texto anterior los 5 verbos pronominales y conjúgalos en el imperativo informal singular (tú), en el informal plural (vosotros), en el formal singular (usted) y en el formal plural (ustedes).

VERBO	TÚ	USTED	VOSOTROS	USTEDES

Recuerda que el imperativo informal plural (vosotros) pierde la -d final cuando se le añade el pronombre reflexivo «os».

10 Completa las frases con los verbos entre paréntesis, conjúgalos en imperativo y sustituye el complemento directo por el pronombre correspondiente.

a La llave de agua está abierta. (Cerrar, tú) Ciérrala enseguida.
b No soporto un lavavajillas a medio cargar. (Cargar, vosotros) _____ a su máxima capacidad.
c Les he traído estos vegetales del huerto. (Lavar, ustedes) _____ en un tazón.
d ¡Qué dientes tan sucios! (Cepillarse, tú) _____ y, cuidado con la llave de agua, (mantener) _____ cerrada mientras lo haces.
e ¿Por qué ha echado colillas en el inodoro? (Echar, usted) _____ en el cubo de basura.

11 Completa las frases con los verbos entre paréntesis, conjúgalos en imperativo y sustituye el complemento directo y el indirecto por el pronombre correspondiente.

a La señora quiere ver el Ecofiltro. (Enseñar, usted) _____, por favor.
b Estoy vendiendo uno de mis filtros caseros porque tengo dos. (Comprar, tú) _____ a mí, en lugar de encargar uno nuevo a la fábrica.
c Si os sobra una esponja nueva, (regalar, vosotros) _____ porque necesito limpiar el filtro.
d La asociación nicaragüense Ceramistas por la Paz nos ha hecho llegar un premio para Fernando Mazariegos. (Entregar, ustedes) _____ durante la celebración del Día Mundial del Agua.
e Los niños están metiendo las manos en el Ecofiltro. Juan, (prohibir) _____.

12 Crea un lema para una campaña de publicidad sobre el correcto uso del agua.

patrimonio · arte · tradiciones · empresas · productos · mercado · personalidades · mestizaje · migraciones · historia · ciencia · sociedad

1 Lee el siguiente texto.

Humberto Maturana: «el biólogo del amor»

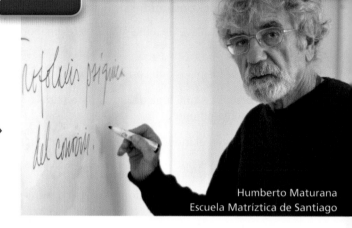

Humberto Maturana
Escuela Matríztica de Santiago

El biólogo y filósofo chileno Humberto Maturana nació el 14 de septiembre de 1928. Estudió Medicina y Biología en la Universidad de Chile y, gracias a una beca de la Fundación Rockefeller, Anatomía y Neurofisiología en el Colegio Universitario de Londres. En 1958 obtuvo el doctorado en Biología de la Universidad Harvard. Posteriormente trabajó en el Instituto Politécnico de Massachussets (MIT), donde registró por primera vez la actividad de una célula direccional de un órgano sensorial, junto con el científico Jerome Lettvin. A raíz de dicha investigación fueron postulados al Premio Nobel de Medicina y Fisiología. En 1960 volvió a Chile para ejercer como ayudante segundo en la cátedra de Biología en la Universidad de Chile. En 1965 participó con otros profesores en la fundación de la Facultad de Ciencias de aquella universidad. Se le concedió el Premio Nacional de Ciencias en Chile en 1994 por su trabajo de investigación sobre la percepción visual de los vertebrados y sus planteamientos acerca de la biología del conocimiento. El encuentro entre Humberto Maturana y Ximena Dávila, quien trabajaba en el campo de las relaciones humanas, familiares y laborales, marcó un nuevo rumbo en el quehacer profesional de ambos investigadores. En el año 2000 decidieron crear el Instituto de Formación Matríztica (hoy llamado Escuela Matríztica de Santiago) con el fin de desarrollar una mejor comprensión de la matriz biológica-cultural de la existencia humana. En colaboración han publicado muchos artículos en revistas especializadas. Por su parte, el biólogo-filósofo chileno ha escrito varios libros en solitario o con otros autores.

Dentro de sus propuestas plantea que todo sistema racional tiene un fundamento emocional. Al declararnos seres racionales interiorizamos una cultura que desvaloriza las emociones, y no vemos el entrelazamiento cotidiano entre razón y emoción que constituye nuestro vivir humano. En su opinión, y no hablando desde el cristianismo, la emoción que hace posible la historia de «lo humano» es el amor. Desde un punto de vista biológico, las emociones son disposiciones corporales dinámicas que definen los distintos campos de acción en que nos movemos. En otras palabras, «la biología del amor» supone la aceptación del otro como un legítimo otro en la convivencia y un espacio abierto a la aceptación, pues solo a través de esa emoción salimos de cualquier dolor cultural. Si no nos hacemos responsables de convivir en un mundo donde prevalece la colaboración y no la competencia, la coinspiración y no la disputa, nos espera una existencia que se desvanece y pierde sentido en la enajenación de la lucha y la mutua descalificación, lo que representa en sí mismo el infierno. ¿Qué es el reino de Dios? Una vida sin angustias en la medida que no hay expectativas. Toda la prédica de Jesús, a su parecer, invita a acabar con la angustia a través del desapego. El reino de Dios se encuentra entonces en la armonía de vivir en el presente y no con la atención puesta en el resultado del hacer, aunque se trate de un hacer con el propósito de obtener un resultado. Evidentemente, un científico como Maturana despierta controversias y, ante su estilo para exponer sus ideas, muchos lectores se sienten caminando por un terreno de reiteraciones y laberintos verbales.

2 Di si las afirmaciones siguientes son verdaderas o falsas.

V · F

a Humberto Maturana fue postulado al Premio Nobel de Medicina por su investigación sobre la biología del conocimiento.

b En opinión del biólogo y filósofo, «el amor es la emoción que hace posible la historia de la evolución humana».

c Las teorías del autor parten de un planteamiento cristiano.

d En la biología del amor prevalece la competencia sobre la colaboración.

e El desapego implica soltar las certidumbres del presente.

3 ¿Qué opinas de los siguientes planteamientos de Humberto Maturana?

Sí   No   Depende

a La felicidad es no tener aspiraciones ni deseos. Vivir la vida en la armonía de
  sus circunstancias. Eso no quiere decir vivir flotando en el desorden o el caos.
  Uno hace lo que hace porque quiere hacerlo y, si no resulta, hace otra cosa.

b En el momento que aparece la libreta de matrimonio surge la teoría de la
  familia y empieza a acabarse el placer de la convivencia, al cambiarlo por
  la búsqueda de «estabilidad».

c Los jóvenes no buscan una solución económica a su vivir. ¡No! Ellos buscan
  darle un sentido a su vida.

d Siempre va a haber diferencias en la vida que son respetables. El que uno gane
  un poco más que el otro, si los dos pueden vivir con dignidad, no hace mucha
  diferencia. Pero el que uno gane mucho más que otro no es tan legítimo,
  porque para que uno gane mucho más, otros tienen que hacerse pobres.

4 Humberto Maturana ha reflexionado también sobre la educación desde la
biología cultural. He aquí algunos de sus consejos. Conjuga los verbos en el
imperativo de la primera persona del plural (nosotros).

a (Guiar y prestar) _____ apoyo a nuestros
  niños en su crecimiento como seres capaces
  de vivir respetándose a sí mismos y a los
  demás.

b (Construir) _____ un espacio relacional en
  el cual las habilidades y capacidades que
  deseamos que los niños aprendan puedan ser
  realizadas como un espacio de convivencia
  con sus educadores.

c (Conducir) _____ a nuestros niños hacia
  un hacer que tiene que ver con el mundo
  cotidiano y sobre todo (evitar) _____ que
  padezcan la competencia.

d (Recuperar) _____ nuestra dignidad,
  recuperando el respeto por nosotros mismos y
  por nuestra profesión.

e (Llevar a cabo) _____ la tarea central de la
  educación: guiar a los niños en su crecimiento
  como seres humanos. (Crear) _____

convivencia en la confianza, (vivir) _____
los valores y (hablar) _____ de ellos
cuando se vuelva estrictamente necesario.

f (Tener) _____ presente que los niños no
  son el futuro. Los adultos somos el futuro de
  nuestros niños. El futuro está en el presente.

g La educación media y superior nos invita a la
  apropiación, a la explotación del mundo
  natural y no a nuestra coexistencia armónica
  con él. (Reconocer) _____ que todo
  proceso natural es cíclico y que si
  interrumpimos su ciclo, se acaba.

h (Saber) _____ cómo interactuar con los
  niños en un proceso de no negación ni
  castigo.

i (Hacerse) _____ la pregunta sobre qué
  mundo queremos para nuestros niños.

> La primera persona del plural del imperativo (nosotros) pierde la -s final
> cuando se le añade el pronombre reflexivo «nos».

5 ¿Qué piensas de la biología del amor?
¿Crees que es un pensamiento inspirado
de la filosofía oriental, o el entendimiento
de los seres vivos bajo una explicación
científica (biológica) y no filosófica?

6 ¿Te interesa la filosofía? ¿Qué autores
conoces y has leído?

138 | UNIDAD 9

De ida y vuelta

patrimonio · arte · tradiciones · empresas · productos · mercado · personalidades · mestizaje · migraciones · historia · ciencia

socieda

1 Lee el siguiente texto.

La violencia de género

Resuena en nuestra sociedad, cada vez con mayor intensidad, el eco de mujeres, víctimas todas ellas de un problema común, el maltrato. La violencia física coexiste con la psíquica y la sexual, aunque de estas dos últimas se han hecho pocos estudios por la dificultad inherente a la hora de medir o cuantificar. Sin embargo, en los trabajos realizados se concluye que el maltrato psíquico repercute en la salud y el bienestar de igual manera que la violencia física.

Los datos a nivel mundial resultan sencillamente escalofriantes:

– Cada año mueren en el mundo cuatro millones de mujeres víctimas de la violencia.

– La prevalencia de mujeres sometidas a violencia física por su pareja en algún momento de su vida es del 10 al 69 % a nivel mundial, y del 18 al 58 % en países europeos. Estos porcentajes la convierten en la principal causa de muerte o invalidez de mujeres entre 16 y 44 años de edad.

En 1997, 75 mujeres españolas murieron a consecuencia de una agresión de su marido. Cabe señalar al respecto que la revisión del Código Penal en 1999 constituyó un gran avance, pues estipulaba que la mujer no debía más obediencia entera a su marido. Se reconocía además la noción de violencia psíquica; y la reincidencia transformaba la falta en delito. En una encuesta publicada en marzo de 2001, 640 000 mujeres confesaron ser víctimas de malos tratos. No obstante, solo un bajo porcentaje (de un 5 a 7 %) entabló una acción en justicia. La Ley Orgánica de Medidas de Protección Integral Contra la Violencia de Género, una de las principales promesas electorales de José Luis Rodríguez Zapatero, se hizo realidad el 22 de diciembre de 2004. Por esta ley se establecen medidas de protección integral cuya finalidad es prevenir, sancionar y prestar asistencia a las víctimas. La prevención comienza desde la infancia, por cuanto el sistema educativo español tendrá como eje rector la formación en el respeto de los derechos y libertades individuales y de la igualdad entre hombres y mujeres. En cuanto a las sanciones, se han realizado modificaciones o añadido

Cartel de la campaña contra la violencia de género

apartados al Código Penal. El artículo 148 prevé penas de prisión de 2 a 5 años para quienes produzcan lesiones físicas; y los artículos 153, 171 y 172, penas de 6 meses a 1 año o trabajos en beneficio de la comunidad de 31 a 80 días para quienes cometan cualquier menoscabo psíquico, amenacen o coaccionen a su esposa o conviviente actual o pasada.

Entre las medidas asistenciales, el texto contempla el acceso a la información, la atención psicológica, el seguimiento de las reclamaciones, el respaldo educativo a la unidad familiar, el apoyo laboral y económico (las víctimas tendrán prioridad de acceso a una vivienda protegida o a una residencia pública de ancianos, en el caso de las mayores), la asistencia jurídica gratuita… La última actuación del Gobierno en materia de protección es la incorporación de dispositivos electrónicos a fin de seguir de modo individualizado vía GPS a los agresores.

Durante el primer semestre de 2010, periodo en que el presidente del Gobierno español ocupó la Presidencia de la Unión Europea, su agenda de prioridades se centró en impulsar iniciativas como un observatorio comunitario sobre violencia de género. Gracias a los indicadores comunes se podría obtener un diagnóstico del problema a nivel europeo y plantear soluciones globales.

2 ¿Estás de acuerdo o en desacuerdo con las siguientes afirmaciones? ¿Por qué?

a Las víctimas de la violencia doméstica obtienen algo a cambio, de lo contrario dejarían el domicilio conyugal o se separarían de su pareja.

b Una autoestima baja de las víctimas hace que se vean implicadas en relaciones de abuso.

c Los maltratadores abusan de su esposa o compañera a causa del estrés, el alcohol o porque están en paro.

d La violencia doméstica únicamente afecta a las mujeres y solo se da en las relaciones heterosexuales.

e Las terapias ayudan a los hombres a comprender sus errores, sus faltas, el delito que han cometido y les permiten canalizar y controlar el odio y la rabia que no dominan.

◀22) **3** Escucha la siguiente grabación y di qué argumentos esgrimen los detractores de la Ley Integral para ponerla en tela de juicio.

4 El plan de seguridad contra la violencia de género insta a que las mujeres tomen ciertas precauciones. Conjuga los verbos en el imperativo de la tercera persona del plural (ellas).

El plan de seguridad prescribe que las mujeres:

a (Hablar) _____ previamente con algún vecino, para que él llame a la policía en caso de oír ruidos de golpes o voces.

b (Hacer) _____ copias de los documentos importantes.

c (Abrir) _____ una cuenta bancaria de la que más adelante puedan servirse, a fin de aumentar su independencia.

d (Mantener) _____ en secreto, sobre todo ante el agresor, que están pensando en irse de casa.

e (Poner) _____ cerraduras adicionales, barras en las ventanas y sistema de alarma en su nuevo domicilio.

5 ¿Y si tenemos sospechas o hay alguna evidencia de maltrato en la paciente que está en nuestro consultorio? Los coordinadores y responsables de los servicios de Atención Primaria exhortan a que los médicos sigan determinadas normas de comportamiento.

Conjuga los verbos en el imperativo de la tercera persona del singular (él/ella) y sustituye el complemento directo o el indirecto por el pronombre correspondiente.

Las normas dictan que el/la médico/a:

a (Ver) *La vea* (a la paciente) a solas, asegurando la confidencialidad.

b (Observar) _____ y (escuchar) _____ para diagnosticar su estado emocional.

c (Hacer) _____ sentir que no es culpable de la violencia sufrida.

d (Dedicar) _____ el tiempo necesario a fin de que se instale un clima de confianza.

e (Exponer) _____ claramente los riesgos que corre.

f (Respetar) _____ y (restituir) _____ la confianza en ella misma.

g (Motivar) _____ a pensar, a ordenar sus ideas y a tomar decisiones.

h (Alentar) _____ a abordar el tema de la violencia y (sustraer) _____ del miedo a revelar los malos tratos y los golpes.

6 Acude a YouTube y mira algunas escenas de la película *Te doy mis ojos* (Iciar Bollaín). De preferencia mira el video *Características de la persona violenta*, de MARIAROSA1971.

7 A tu parecer, ¿cuáles son las causas de la violencia doméstica?

8 ¿Cómo se presenta la situación en tu país?

SUPLEMENTO

Supercholita[1]: la justiciera del altiplano

Creada por Rolando Valdez, un auxiliar de enfermería y comerciante que solía ganarse la vida vendiendo CD piratas en la feria popular de la empinada ciudad de El Alto, esta producción con aires de manga dejó el anonimato cuando se consagró ganadora del Primer Concurso de Historietas de la Sociedad Japonesa de La Paz (2007). «Su nacimiento fue casi un accidente. Un día se me vino a la cabeza la imagen de una cholita voladora que intentaba apagar el incendio en la cocina de su casa. Desde ese momento comencé a pensar situaciones graciosas con esa heroína de pueblo. Me contacté con un dibujante y le conté mi proyecto de una cholita con superpoderes, los dibujos debían representar, en la forma más fiel posible, a la gente común de mi país: bajitos y gorditos». Así, Supercholita viste como las mujeres indígenas de su tierra: polleras coloridas, siete enaguas y una mantilla con un sol inca bordado en su pecho. Tiene novio –un policía –, es hija de una cholita y de un desconocido «pepino» –tradicional payaso del carnaval de La Paz a quien en las bromas del occidente boliviano se le atribuye la paternidad de cientos de niños- y ha obtenido sus poderes de las fuerzas andinas del templo sagrado de Tiwanaku. La historieta de la superchola se ha transformado en un auténtico éxito de ventas que promete saltar fronteras. Los balances parecen marcar ese rumbo: el primer número de la heroína chola tuvo una tirada de quinientos ejemplares que volaron de los quioscos en pocos días, y el último número fue de tres mil ejemplares, cifra que nunca había alcanzado este tipo de publicación en la historia de Bolivia. En el primer número de Supercholita aparece el presidente Evo Morales solicitándole ayuda «para sacar el país adelante». Y ella, asumiendo sus limitaciones, le responde: «Lo siento, Evo, pero milagros no hago». Las andanzas de la cholita superpoderosa combina mitos populares, combates a muerte con burócratas estatales, magistrales clases culinarias, donde desvela secretos de preparación de típicos platos andinos e informa sobre derechos y obligaciones a las empleadas domésticas, de quienes se siente hermana y consejera. Supercholita no es, sin embargo, un personaje perfecto: roba a la vendedora de papas y se justifica diciendo que a todos les ha llegado la crisis, baila hasta perder el conocimiento en las fiestas populares, aunque eso signifique descuidar por algunas horas su lucha en contra del mal, regatea en los mercados e incluso ha llegado a coimear[2] a los funcionarios públicos. En sus dos últimos números, la heroína de polleras se enfrenta al expresidente Gonzalo Sánchez de Lozada –conocido familiarmente como «Goni»– y a sus sanguinarios ministros, a lo largo de las protestas del Octubre Negro[3]. En la batalla final de la primera entrega, «Goni» logra escapar al país del Norte con el apoyo del Tío Sam, y en la segunda, Supercholita tiene que enfrentarse a uno de los peores reductos del mal en el sentir del boliviano común: el Palacio de Justicia, representado ingeniosamente por una edificación de bloques de hielo donde se congelan las causas judiciales. *Supercholita contra El gringo asesino* apareció a principios de 2009 con licencia para piratear.

Adaptado de: Nicolás G. Recoaro y Mariana Ruiz Romero, *Página 12*

[1] En Bolivia, se dice «cholita» de la mujer que viste pollera.
[2] Sobornar («coimear» se utiliza en Latinoamérica).
[3] Insurrección popular en octubre de 2003, cuya represión dejó 68 muertos y más de 400 heridos.

1. Crea tu propia superheroína: nombre, características físicas, traje, cualidades y defectos, superpoderes, enemigos, causas por las que lucha...

2. El rap aymara se ha convertido en la nueva expresión musical de los jóvenes indígenas de la ciudad de El Alto. Fusiona el rap tradicional con el sonido solemne de los pututus (cuernos de buey) y las flautas y tambores andinos. Las letras, completamente en aymara o mezcladas con español y/o inglés, hablan del orgullo de la raza y reclaman un cambio social radical. Acude a YouTube y escucha una canción en rap aymara (*ChamakatSartasiry*, por ejemplo).

3. ¿Crees que la revalorización de la identidad indígena pasa por la adopción y adaptación de modelos occidentales (superhéroes, rap...)?

Participación política en BOLIVIA

Los bolivianos se han habituado a las protestas y manifestaciones políticas callejeras: marchas, tomas de viviendas e instituciones, paros movilizados, bloqueos de calles y caminos...; el abanico de conflictos sociales se revela amplio y variado. Pero no solo eso: cuando se compara la frecuencia de participación en las movilizaciones, Bolivia destaca entre los países de América Latina por ostentar el más alto porcentaje de concurrencia a las manifestaciones. Un 29,3 % frente al bajísimo 4,7 % de El Salvador.

Los resultados del estudio «La marcha nuestra de cada día: normalización de la protesta en Bolivia», realizado por Daniel Moreno Morales, con el financiamiento del Observatorio de la Cultura Política en Bolivia, muestran que las personas se movilizan indistintamente de su edad, sexo, nivel socioeconómico, pertenencia étnica, región en la que viven (oriente, occidente o sur del país) y área de residencia (urbana o rural). Contrariamente a lo que podría pensarse, tres de cada diez bolivianos han manifestado su respaldo al gobierno del presidente Morales. Se trata entonces de una participación general en la política y no de un usual mecanismo extremo de presión o último recurso. Respecto a este punto, sí existe una importante diferencia entre regiones del país y sectores sociales, étnicos y nivel socioeconómico de los

manifestantes. Aquellos que se sienten «indígenas» y tienen menor nivel socioeconómico participan más en las movilizaciones a favor del Gobierno; a diferencia de aquellos que se autodefinen como «mestizos» y gozan de mejores condiciones socioeconómicas, quienes protestan en su contra. Los ciudadanos que viven en los departamentos del occidente y los jóvenes se toman las calles para apoyar las decisiones del presidente, mientras que los ciudadanos de los departamentos del sur o del oriente y los adultos lo hacen en señal de disconformidad. Por otra parte, la probabilidad de que una mujer boliviana declare haber participado en una manifestación es 20 % menor que la misma probabilidad en un varón boliviano. Las probabilidades de participación asimismo se incrementan conforme aumenta el nivel educativo.

La protesta callejera en Bolivia puede asemejarse a una llave maestra, con ella se consigue desde la atención de una empresa de servicio básico para un barrio o comunidad hasta la del gobierno en asuntos de orden exclusivamente político. Esta multiplicidad de usos obedece a la normalización de la protesta y su presencia permanente en distintos sectores sociales. En opinión de Daniel Moreno, decir qué finalidad se persigue con la protesta no resulta fácil, dado que depende de las necesidades ciudadanas, incluso si

estas adolecen de legalidad. Los ropavejeros[1], por ejemplo, presionan a través de marchas a fin de que se revoquen las medidas restrictivas de importación de ropa usada. Esto pese a que su ingreso en el país, vía contrabando en un 93 %, haya ocasionado durante los últimos años una pérdida de 513 millones de dólares en la economía y el grave deterioro de la industria textil nacional. La idea romántica de la protesta como la lucha de los oprimidos o excluidos, según el investigador, ha dejado de tener sustento a la vista de los datos obtenidos, debido a que tienden a prevalecer determinados intereses particulares o sectoriales en la mayoría de los casos. En suma, concluye Daniel Moreno, se recurre a las movilizaciones no por la capacidad efectiva del Estado para resolver las demandas o problemas, sino por la capacidad reactiva que logra la medida: el Estado reacciona atendiendo las demandas del sector movilizado.

[1] Persona que vende, con tienda o sin ella, ropa vieja y baratijas usadas.

1 ¿Existe una gran movilización social en tu país? ¿Qué grupo sectorial sale a protestar con mayor frecuencia?

2 ¿Crees que las manifestaciones callejeras son el símbolo de una fuerte democracia o, por el contrario, la antesala del caos político?

3 ¿Alguna vez has participado en alguna protesta callejera? Cuenta tu experiencia.

4 ¿Qué tipo de reivindicación te llevaría a movilizarte?

CULTURA SOCIEDAD **ECONOMÍA** LENGUA DATOS

Bolivia: un país mediterráneo[1]

olivia es uno de los dos únicos países sudamericanos (el otro es Paraguay) sin litoral y el séptimo en tamaño de los 43 que existen en el mundo. Históricamente tal situación se ha considerado desventajosa porque implica no poder usufructuar de las riquezas pesqueras y tener una accesibilidad restringida a los mercados internacionales, aún hoy altamente dependientes del comercio marítimo.

Muchas versiones señalan que, desde su nacimiento como país en 1825 hasta 1904, el territorio de Bolivia llegaba hasta la costa pacífica: al norte limitaba con Perú y al sur con Chile. Sin embargo, otras fuentes sostienen que aquellas delimitaciones eran imprecisas, por cuanto el desierto de Atacama se hallaba en plena zona fronteriza. Antes de la Guerra del Pacífico (1879-1884), Chile poseía una economía de exportación basada en la salitreras del norte, que cubrían el desierto de Atacama y el extremo sur del Perú. Debido a la enorme demanda internacional, numerosas empresas chilenas se instalaron en Antofagasta, zona que se disputaban Bolivia y Chile. El 27 de noviembre de 1873,

la Compañía de Salitres y Ferrocarril de Antofagasta, una sociedad con capitales chilenos y británicos, firmó un acuerdo mediante el cual el gobierno boliviano se comprometía a no alzar los impuestos sobre los derechos de exportación durante veinticinco años. Sin embargo, un lustro más tarde, en 1878, el Congreso impuso un gravamen de 10 centavos por cada quintal de salitre exportado. Esto desencadenó un conflicto diplomático y la posterior decisión chilena de invadir la zona en litigio. La Guerra del Pacífico involucró al Perú en virtud del acuerdo de asistencia recíproca que habían pactado ambas naciones altiplánicas. La victoria chilena supuso la pérdida del territorio de Tarapacapá para Perú y de su costa pacífica para Bolivia. El Tratado de Paz, Amistad y Comercio entre Chile y Bolivia, conocido como el Tratado de 1904, definió la actual delimitación territorial. Puesto que el país vencido se quedaba sin litoral, el vencedor le otorgó en compensación un amplio y libre tránsito comercial a lo largo de su territorio y el uso de los puertos del Pacífico a perpetuidad. La política oficial de reivindicación marítima boliviana

no exige la anulación o modificación del acuerdo, más bien la consecución de un corredor de unos 10 km de ancho y 160 km de largo desde su frontera con Chile hasta el océano Pacífico y un pedazo de costa en la cual desarrollar la actividad industrial y comercial bajo su bandera. La franja territorial, que incluiría al puerto de Arica, por donde circula el 90 % del comercio boliviano, sería similar a la que Croacia cedió en 2003 a las mediterráneas Bosnia y Herzegovina, permitiéndoles acceder directamente al mar Adriático. Los funcionarios chilenos rechazan la idea de que su país esté afectando el crecimiento económico de Bolivia al negarle dicha franja costera. Subrayan que bajo los preceptos del tratado de 1904, Bolivia tiene acceso libre de impuestos al norteño puerto chileno de Arica y que Chile pagó y construyó un ferrocarril que enlaza Arica con La Paz. Pese a todo, el gobierno chileno afirma su voluntad de entablar conversaciones bilaterales a fin de discutir sobre una salida marítima para Bolivia.

[1] Se califica de «mediterráneo» a los países sin salida al mar o al océano.

1. ¿Con cuál de estas dos posiciones estás de acuerdo?

   a. Al final de una guerra, la nación vencedora impone sus condiciones y exige el pago de los gastos ocasionados. Por ello, Bolivia no tiene ningún derecho a exigir un puerto en compensación de su litoral.

   b. Todo tratado internacional es un documento susceptible de errores, en esa medida puede y debe revisarse para ser mejorado.

2. ¿Crees que el enclaustramiento geográfico repercute en el atraso económico, político y social de un país?

3. Investiga por qué Paraguay no exige una salida al mar.

Una nación multiétnica y plurilingüe

Comunidad aymara.

La Constitución Política boliviana de 2006 declara idiomas oficiales del Estado el castellano y todos los idiomas de las naciones y pueblos indígenas originarios campesinos hablados dentro del territorio: aymara, araona, baure, bésiro, canichana, cavineño, cayubaba, chácobo, chimán, ese ejja, guaraní, guarasu'we, guarayu, itonama, leco, machajuyai-kallawaya, machineri, maropa, mojeño-trinitario, mojeño-ignaciano, moré, mosetén, movima, pacawara, puquina, quechua, sirionó, tacana, tapiete, toromona, uru-chipaya, weenhayek, yaminawa, yuki, yuracaré y zamuco. De estos, solamente el quechua (hablado por un 34.3 % de la población), el aymara (por un 23,5 %) y el guaraní (por un 1 %) poseen desde hace siglos un sistema de escritura basado en la trascripción fonética a caracteres latinos. En el marco del Programa Amazónico de Educación Intercultural Bilingüe en Tierras Bajas de Bolivia se elaboraron 11 guías para normalizar los fonemas de las lenguas nativas en el alfabeto del castellano. Cabe resaltar que, si bien estos Talleres de los escritores del alfabeto contaron con el apoyo de consultores y lingüistas, fueron los propios pueblos indígenas, a través de los consejos educativos, los principales protagonistas del proceso. Este tipo de programa educativo no ha cubierto la totalidad del país, pues 19 lenguas, de las 36 existentes, siguen siendo ágrafas. Por otra parte, la nueva Ley de Educación boliviana introduce la formación trilingüe en la educación escolar. El castellano, una lengua originaria y otra extranjera serán obligatorias en las escuelas y colegios. En las universidades se podrán presentar los trabajos de investigación y las tesis en lenguas nativas. Este hecho sin precedentes en la historia boliviana se dio en 2006, cuando un estudiante de la Universidad Católica de San Pablo presentó y sustentó su tesina en aymara. El conocimiento de una lengua nativa asimismo se ha vuelto un prerrequisito para quienes aspiran a ser funcionarios públicos u ocupar un cargo político, incluso el de Presidente de la República. En 2005, año que se rendía homenaje al IV Centenario de la primera edición de Don Quijote de la Mancha, se decidió traducir la obra en aymara y en quechua e incluirla en los planes nacionales de lectura y alfabetización. La versión destinada a niños y jóvenes hará cabalgar al célebre hidalgo y su fiel escudero a lo largo y ancho de la estepa altiplánica boliviana. Dentro de esta misma línea de devolver el orgullo de su lengua y su cultura a los pueblos nativos, el presidente Evo Morales aprobó en primera instancia, aunque no ratificó, la idea de remplazar la enseñanza del catolicismo en los planteles educativos por el estudio de la historia de las religiones, con un enfoque en las tradicionales indígenas. Más recientemente ha despertado gran debate el reconocimiento de la «whipala» (una bandera cuadrangular de 7 colores dispuestos en 49 casillas que usan las etnias andinas) como símbolo patrio. Ambas banderas, la boliviana y la andina, flamean en igualdad de condiciones en los mástiles de las oficinas públicas y en los actos oficiales.

En opinión de muchos, si el presidente Morales no actúa con cautela, los bolivianos hispanohablantes se sentirán excluidos de una nación donde se les obliga a aprender la lengua y cultura indígenas y a honrar una bandera que solo representa a una parte del país y no al conjunto de la población.

1 ¿Qué opinas?

Sí No Depende

a La nueva Constitución Política boliviana es demagógica, puesto que lenguas casi extintas (baure, cayuvava, itonama, leco y moré) han sido declaradas idiomas oficiales del Estado.

b Estoy de acuerdo en que a los funcionarios públicos y miembros gubernamentales se les exija hablar una lengua nativa.

c Resulta lógico que en un país multiétnico se reemplace la enseñanza del catolicismo por el estudio de la historia de las religiones, con un enfoque en las tradicionales indígenas.

d Los bolivianos hispanohablantes deberían considerar la formación trilingüe más como una oportunidad que como una coerción.

e La existencia de dos banderas oficiales exacerba las diferencias étnicas, en lugar de crear un punto de equilibrio.

CULTURA SOCIEDAD ECONOMÍA LENGUA DATOS

Orígenes del nombre: Se trata de una derivación del apellido de Simón Bolívar. Tras la proclamación de su independencia en 1825, el país adoptó el nombre de «República de Bolívar». Meses más tarde se aceptó el argumento propuesto por un diputado de Potosí: «Si de Rómulo, Roma; de Bolívar, Bolivia».

Capital: Sucre es la capital constitucional y La Paz, sede del gobierno

Superficie: 1 098 581 km²

Población: 10 125 522 habitantes

Moneda: boliviano

Gentilicio: boliviano

Organización territorial

Bolivia se constituye como un Estado plurinacional, descentralizado y con autonomías. Está dividido en 9 departamentos. Sucre es la capital y sede del órgano judicial, mientras que La Paz es la sede de los órganos ejecutivo, legislativo y electoral.

Economía

La producción agrícola ha adquirido mayor importancia en la últimas décadas, principalmente en los departamentos orientales. Destacan la soja (octavo productor mundial), la caña de azúcar y el girasol. Entre los productos de exportación de los departamentos occidentales, tenemos la quinua, las habas, el cacao y el café. En cuanto a la ganadería, el oriente se dedica a la cría de ganado vacuno y porcino, mientras que el occidente a la de camélidos como la alpaca, cuya lana se utiliza en la industria textil. Las riquezas mineras se concentran en los departamentos occidentales: estaño (cuarto productor mundial), plata (undécimo productor mundial), cobre, tungsteno, antimonio y zinc. En las regiones orientales tropicales se encuentran los yacimientos más importantes de hierro y oro. El Salar de Uyuni guarda en sus entrañas, además de la sal, la mayor reserva de potasio y litio del mundo, este último considerado la energía del futuro. El sector petrolero depende casi exclusivamente de las ventas de gas natural a Brasil, principal socio comercial del país, y Argentina.

Lenguas

La Constitución Política de 2006 reconoce a Bolivia como un Estado plurilingüe, por lo que el castellano y 36 lenguas de las naciones indígenas originarias son idiomas oficiales. El 88,4 % de los habitantes tiene el castellano como lengua materna o segunda lengua en algunas poblaciones indígenas. En la frontera norte de Bolivia con Brasil se habla el *portuñol*, un portugués con la gramática y fonética española del departamento de Pando.

Religión

Un 78 % de la población profesa el catolicismo y un 19 % adhiere a una de las varias denominaciones protestantes. El número de católicos es más alto en la áreas urbanas que en las rurales, lo contrario de los protestantes, quienes alcanzan un mayor nivel en el campo. Un 0,2 % declara su adhesión a otras confesiones religiosas: islam, Testigos de Jehová, fe bahaí, judaísmo, budismo y sintoísmo. Gran parte de la población indígena practica diversas religiones ancestrales.

> Dominio de internet: www.bo
> Gobierno: www.presidencia.gob.bo
> Directorio de empresas: www.enlacesbolivia.net
> Cámara de comercio: www.boliviacomercio.org.bo
> Oficina Nacional de Turismo: www.turismobolivia.bo
> Diarios: www.eldiario.net, www.la-razon.com, www.eldeber.com.bo, www.elmundo.com.bo

unidad 10

1 Lee el siguiente texto.

La Joya de Cerén: la vida cotidiana de los mayas

El Salvador está ubicado en el llamado Cinturón de fuego del Pacífico, placas tectónicas en permanente fricción que provocan una intensa actividad sísmica y erupciones volcánicas. Cerca del año 250 d. de J. C., vastas extensiones de la zona central y oeste del país desaparecieron bajo densas capas de cenizas provenientes del volcán Ilopango. El área quedó abandonada hasta su repoblamiento dos siglos después, cuando los suelos recuperaron la fertilidad. En el valle de Zapotitán, a orillas del río Nexapa (hoy, río Sucio), en el siglo VII florecía una aldea maya que una nueva erupción, esta vez la del volcán Laguna Caldera, cubrió con 6 m de materiales ígneos. En 1976, un tractor que nivelaba un terreno para la colocación de silos que almacenarían granos básicos, en una hacienda propiedad de la familia Cerén, sacó a la luz los restos intactos de aquel poblado. Se trataba realmente de una «joya», de ahí su nombre, en la medida en que permitía conocer el modo de vida de una comunidad maya del periodo Clásico prehispánico.

Las diferentes excavaciones –interrumpidas entre 1980 y 1989 a causa de la Guerra Civil– han puesto al descubierto estructuras arqueológicas y objetos de carácter doméstico y ritual. Se han hallado viviendas formadas por dos estructuras separadas que se comunican entre sí a través de una puerta. En la habitación más grande, sobresale hacia un lado un banco de adobe sólido que cumplía la función de asiento durante el día y cama durante la noche. Detrás de las viviendas, unas estructuras pequeñas montadas sobre plataformas se usaban como bodegas. La única cocina excavada es de base circular y dispone de un fogón de tres piedras. Se cree que una estructura de planta cuadrangular, provista de dos bancos y un horno revestido con piedras de río, a la que se accede por una puerta baja y angosta, era un baño de vapor. De indudable valor son asimismo los objetos desenterrados: ollas, vasijas, cestas que contenían frijoles, mazorcas de maíz, cacao, fibras de algodón y diversas semillas, navajas de obsidiana, piedras de moler y otros utensilios domésticos.

El profesor de Antropología de la Universidad de Colorado (Estados Unidos) Payton Sheets, quien dirige en la actualidad los trabajos de investigación, ha centrado su interés en una estructura religiosa, cuyo interior encerraba un vestido que ostentaba la cabeza de un ciervo pintada en rojo, azul y blanco; una olla grande con forma de cocodrilo; huesos de ciervos cuidadosamente seccionados; y pruebas de que grandes cantidades de alimentos (carne, maíz, frijol y calabaza) se preparaban en el sitio y se entregaban a los aldeanos. El profesor sostiene que todo el poblado se encontraba en aquella construcción participando de una ceremonia espiritual, cuando el volcán hizo erupción. Lo infiere del hecho de que las viviendas muestran haber sido cerradas desde el exterior y porque no se ha exhumado ninguna osamenta humana dentro de ellas ni en ningún lugar del poblado. En opinión del profesor, debió de producirse una evacuación de emergencia. El sitio abarca una superficie de 5 ha dividida en dos grandes espacios: la zona restringida o de reserva arqueológica y la zona pública o parque arqueológico. A lo largo de cinco campañas de investigación se han identificado 18 estructuras, diez de las cuales han sido expuestas completamente. Junto con la exploración arqueológica se han realizado intervenciones de conservación, que incluyen la estabilización de las estructuras y la construcción de un sistema de cubiertas de protección.

La Joya de Cerén, conocida también como la Pompeya de América, alcanzó el reconocimiento internacional al ser inscrita en 1993 en la Lista de Patrimonios Mundiales de la UNESCO.

2 ¿Por qué El Salvador está expuesto a una intensa actividad sísmica y erupciones volcánicas?

3 ¿Qué suerte corrió el poblado maya que florecía a orillas del río Nexapa?

4 ¿Cuándo y en qué circunstancias volvió a salir a la luz?

5 ¿Por qué este poblado recibió el nombre de Joya de Cerén?

6 ¿Cuál es la hipótesis del profesor Payton Sheets?

7 ¿Te interesa la arqueología? ¿Conoces algún sitio arqueológico?

8 «Decálogo del perfecto visitante de parques arqueológicos». Conjuga los verbos entre paréntesis en imperativo negativo. Utiliza la segunda persona del singular (tú).

> Ejemplo: (No destruir) _____ los monumentos.
> **No destruyas** los monumentos.

> Recuerda que el imperativo negativo expresa la prohibición y se construye con «no + subjuntivo presente» en todas las personas.

   a (No escalar) _____ los templos si no te sientes apto para ello.
   b (No recolectar) _____ ninguna especie animal o vegetal.
   c (No hacer) _____ grafitis sobre los monumentos arqueológicos.
   d (No dar) _____ de comer a los animales.
   e (No encender) _____ ningún tipo de fuego.

9 Completa el decálogo con 5 prohibiciones más.

10 ¿Qué hacer en caso de erupción volcánica? Conjuga los verbos entre paréntesis en imperativo afirmativo o negativo. Utiliza el tratamiento de cortesía (usted).

SI ESTÁ DENTRO DE SU VIVIENDA O DE UNA EDIFICACIÓN

   a (Cerrar) _____ puertas y ventanas. (Colocar) _____ telas húmedas en las rendijas y en otros lugares donde haya corrientes de aire.
   b (No poner) _____ a funcionar ventiladores o secadores de ropa.
   c (Limpiar) _____ el techo de su casa si la ceniza se acumula, pero (tener) _____ mucho cuidado al hacerlo para evitar caídas.
   d (Permanecer) _____ dentro de su vivienda.
   e (Escuchar) _____ solo la información oficial. (No difundir) _____ rumores.

11 Identifica los siguientes fenómenos naturales.

  a _____

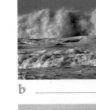
  b _____

  c _____

  d _____

  e _____

  f _____

  g _____

12 ¿Te ha tocado vivir estos u otros fenómenos naturales?

patrimonio · arte · tradiciones · empresas · productos · mercado · personalidades · mestizaje · migraciones · historia · ciencia · sociedad

1 Lee el siguiente texto.

La mágica fórmula de Inca Kola

A comienzos del siglo XX, José R. Lindley, su esposa e hijos, una familia de origen británico, llegaron a Lima y se establecieron en un terreno de 200 m², donde fundaron la fábrica Santa Rosa, dedicada a la elaboración y procesamiento de aguas gasificadas. En ese pequeño terreno iniciaron sus actividades en forma manual y con una producción promedio de una botella por minuto. Cuando la empresa familiar se transformó en Sociedad Anónima, se instalaron en un área de 1400 m² y renovaron sus equipos procesadores. Con motivo del Cuarto Centenario de Fundación de la Ciudad de Lima, en 1935, la empresa lanzó al mercado la bebida gasificada Inca Kola, acompañada de la frase publicitaria «Inca Kola solo hay una y no se parece a ninguna». Se trataba de una gaseosa de sabor dulce y color amarillo-dorado. Hacia 1972, Inca Kola ya se había impuesto en todo el territorio peruano. La posición de la empresa se fortaleció en 1996, cuando adquirió una línea de embotellado totalmente automática que permitía la producción de 1000 botellas por minuto.

Inca Kola e Irn-Bru (una marca escocesa) comparten el logro de ser las dos únicas bebidas gaseosas que superan ampliamente en ventas a Coca-Cola, en sus respectivos países. Pese a tal liderazgo, la empresa se dio cuenta de que necesitaba incrementar su capital si quería potenciar la marca en los mercados extranjeros. En 1999, Coca-Cola adquirió el 51 % de las acciones de la Corporación Lindley, por un monto de trescientos millones de dólares. Como parte del acuerdo de compra, la empresa peruana obtuvo el derecho de embotellar Coca-Cola y las marcas afines (Fanta, Sprite, Crush…) en el Perú. La transnacional estadounidense consiguió, por su lado, la propiedad de la marca para su producción y comercialización fuera del país. En el momento de la transacción, la Corporación Lindley poseía cinco plantas de producción de Inca Kola en los Estados Unidos, algunas en América Latina y una en Tailandia, la marca estaba patentada en todos los países del mundo y se distribuía tanto a nivel nacional como internacional.

La clave del prolongado éxito de Inca Kola reside en una estrategia publicitaria que, desde el lanzamiento de la bebida, buscó crear una identificación entre el producto y los peruanos. Sus lemas lo muestran: «La bebida del sabor nacional», «Es nuestra, la bebida del Perú», «El sabor de lo nuestro», «El sabor del Perú», «Destapa el sabor del Perú», entre otros. El diseño del logotipo utiliza un conjunto de representaciones y símbolos que hacen referencia explícita a un pasado prehispánico, donde se pueden encontrar las raíces profundas de la «peruanidad». El fondo amarillo evoca el sol, astro que, según los relatos míticos, creó la dinastía inca o el Imperio de los Hijos del Sol. Dos cenefas con motivos precolombinos ciñen la marca, en cuyo fondo se vislumbra un mapa del Perú. La asociación de estos tres elementos (color, cenefas y mapa) refuerza la idea de que Inca Kola es la bebida de los peruanos. En cuanto a la marca misma, cabe resaltar que la palabra «cola» aparece escrita con «k» en lugar de «c». Tal alteración consonántica se debe a que la grafía de ciertos fonemas quechuas transcriptos al alfabeto latino era diferente en la época colonial. Inca, por ejemplo, se escribía «inka». Resulta interesante anotar, en ese sentido, que en la marca se haya escrito «Inca» con la grafía actual y «Kola» con la antigua. Dicha inversión logra que la palabra «kola» confiera a la moderna grafía de «inca» un carácter ancestral. Desde 2006, Inca Kola promueve en su publicidad costumbres, tradiciones, comidas y otros elementos autóctonos de la cultura como una muestra de la creatividad e ingeniosidad de los peruanos.

2 Haz un resumen de la historia empresarial de José R. Lindley.

3 ¿Qué es Inca Kola? ¿Cuál resulta su mayor logro?

4 ¿En qué reside la clave de su éxito?

Celebremos **eso**
que nos da orgullo

5 ¿Por qué la palabra «cola» de la marca está escrita con «k»?

6 ¿Qué valores promueve la publicidad desde 2006? ¿A través de qué estrategia publicitaria?

7 Acude a YouTube y busca las propagandas de *Inca Kola y la creatividad peruana*. ¿Qué opinas de esta estrategia publicitaria?

8 Aquí tienes 9 reglas para arruinar la creatividad e innovación de una empresa. Transforma las frases en imperativo negativo y sustituye el complemento directo, indirecto o ambos por el pronombre correspondiente.

> Ejemplo: Solicita <u>a los empleados</u> que discutan y critiquen las propuestas de los demás.
> No **les** solicites que discutan y critiquen las propuestas de los demás.

a Pon <u>a los empleados</u> en la calle si cometen algún error.

b Mira <u>cualquier idea nueva que venga de abajo</u> con desconfianza.

c Pide <u>autorización a todos</u> para actuar.

d Haz saber <u>a tus trabajadores</u> que su opinión no cuenta.

e Toma <u>las decisiones de la empresa</u> en secreto.

f Delega <u>a tus subalternos las responsabilidades incómodas</u>.

g Genera un <u>ambiente de desconfianza</u>.

h Sé un espía y comunica <u>a tus superiores el más insignificante rumor de pasillo</u>.

◀23 **9** Escucha la grabación y señala la respuesta correcta.

1 Inca Kola:
- ☐ **a** nace de la combinación de Orange Squash, Lemon Squash y otras frutas cítricas andinas.
- ☐ **b** es una asociación de muchos y variados sabores frutales no identificables.
- ☐ **c** resulta de la combinación de frutas cítricas andinas.

2 Inca Kola caló en el Perú:
- ☐ **a** porque, al tener menos contenido de gas que el resto de bebidas, su sabor era más agradable.
- ☐ **b** porque el paladar de los peruanos es muy peculiar.
- ☐ **c** porque se combina excepcionalmente con la rica gastronomía peruana.

3 El secreto del éxito de la empresa puede atribuirse:
- ☐ **a** a que una misma familia viene administrándola desde 1910.
- ☐ **b** a su crecimiento conforme a los avances tecnológicos y su intachable dedicación a los trabajadores.
- ☐ **c** a su manejo familiar, su visionario desarrollo tecnológico y su ejemplaridad en lo social.

4 La Corporación afronta el tema de la responsabilidad social:
- ☐ **a** mandando al doctor Isaac Lindley a atender a los trabajadores enfermos u hospitalizados.
- ☐ **b** a través de un sistema social e intervenciones directas de los responsables en casos urgentes.
- ☐ **c** ocupándose personalmente de cada caso, incluso si la empresa ha crecido mucho.

5 Inca Kola se fusionó con Coca-Cola:
- ☐ **a** con el fin de entrar de lleno en la globalización junto con un socio estratégico.
- ☐ **b** para utilizar las plantas embotelladoras de Estados Unidos y desde ahí exportar a Asia y Europa.
- ☐ **c** para poder vender más productos y saber con anticipación cuáles van a salir al mercado.

patrimonio   arte   tradiciones   empresas   productos   mercado   personalidades   mestizaje   migraciones   historia   ciencia   sociedad

1 Lee el siguiente texto.

Los garífunas: los primeros afroamerindios caribeños

La historia de los garífunas comienza en el siglo XVII en la isla de San Vicente (en aquella época llamada Yurumein), ubicada en las Antillas Menores frente a las costas venezolanas. En sus inicios, la isla estaba habitada por una etnia de origen arahuaco[1] que sufrió la invasión de los caribes, quienes exterminaron a los hombres a fin de apoderarse de sus mujeres. De la unión de estos dos pueblos surgieron los «caribes rojos». En 1635, un barco negrero encalló en un arrecife y los esclavos africanos sobrevivientes encontraron refugio entre aquellos nativos. Muchos adoptaron su lengua –una lengua mixta, pues las mujeres enseñaban el arahuaco a sus hijas, y los hombres, el caribe a sus hijos–, sus costumbres y se integraron en la nueva sociedad. Esto dio nacimiento a los primeros afroamerindios caribeños. Los europeos los denominaron «caribes negros» para distinguirlos de aquellos que habían denominado «rojos». En 1763, la isla de San Vicente pasó a ser propiedad de los ingleses en virtud del Tratado de París; en 1779 volvió a estar bajo dominio francés, y en 1783, el Tratado de Versalles la anexó de nuevo al Imperio británico. El conflicto entre los ingleses y los «caribes negros», quienes habían sido desalojados de sus tierras, se extendió hasta 1796, año en que alrededor de cinco mil de ellos fueron deportados a Roatán, una isla de la costa de Honduras. Tras residir allí algún tiempo pidieron permiso a la Capitanía general para habitar en tierra firme. Conseguida la autorización, se dirigieron al puerto de Trujillo (Honduras), desde donde avanzaron hacia el este y el oeste de una estrecha franja de la costa atlántica centroamericana.

Actualmente, la etnia garífuna cuenta con una población de 250 000 habitantes, distribuida en 46 poblados de Honduras, 6 de Belice, 5 de Nicaragua y 2 de Guatemala; y se estima que 100 000 garífunas viven en los Estados Unidos. Su lengua se diferencia de la originaria caribe-arahuaca por la incorporación de la fonética africana y la aportación léxica europea (francesa, española e inglesa), además de su propia evolución interna. Conserva todavía la dicotomía lingüística-sexual: existen expresiones exclusivamente femeninas (arahuaco) y exclusivamente masculinas (caribe). Ante la ausencia de una literatura escrita y una casi desaparecida tradición oral, la música se ha convertido en un elemento vigoroso y aglutinador que, como la lengua, les ha permitido preservar las señas de su identidad cultural. A finales de 1970 floreció el *punta rock,* aceleración rítmica de la «punta» (una danza funeraria que festeja la sagrada eternidad del espíritu), con influencias del merengue dominicano y del *zouk* antillano, acompañada de una trepidante instrumentación tradicional (tambores, caracoles, maracas…) y guitarras eléctricas.

En la década del 2000, el reconocido músico beliceño Andy Palacio (fallecido en 2008, a los 47 años) e Iván Durán, fundador del sello discográfico local Stonetree Records, crearon una agrupación con algunos de los mejores músicos garífunas de Guatemala, Honduras y Belice. *Andy Palacio & The Garifuna Collective* estaban más interesados en explorar las raíces de su música que en inventar nuevos estilos bailables. La UNESCO, en 2001, declaró la lengua, las danzas y la música de la comunidad garífuna Obra Maestra del Patrimonio Oral e Intangible de la Humanidad.

[1] Grupo de pueblos indígenas asentados en las Antillas y la zona costera de Sudamérica hasta el sur de Brasil a la llegada de los españoles en el siglo XV.

2 ¿Quiénes vivían en la isla de San Vicente antes de la llegada de los esclavos africanos?

3 ¿Qué circunstancias permitieron el nacimiento de los primeros afroamerindios caribeños?

4 ¿Cómo describirías la lengua garífuna?

5 ¿Por qué la música se ha convertido en un elemento de preservación de la identidad cultural?

6 ¿Qué diferencia la punta del *punta rock*?

7 Acude a YouTube y mira un video sobre la punta tradicional (*cairnsliving*) y el *punta rock*. ¿Qué estilo prefieres?

8 Si te gustan las músicas del mundo, busca en YouTube *Watina*, canción que da título al primer álbum de *Andy Palacio & The Garifuna Collective*.

9 En su manual *Conversemos en garífuna,* el licenciado Eusebio Salvador Suazo ha establecido una lista de 25 vocablos garífunas que conservan la dicotomía lingüística-sexual. Los de origen caribe son utilizados exclusivamente por los hombres y los de origen arahuaco por las mujeres.

CARIBE	ARAHUACO	ESPAÑOL
ahü ye	higabu nun	ven a mí
u	nugía	yo
würi	hiñaru	mujer, hembra
wügüri	eyeri	hombre, macho

10 Perífrasis verbales de participio pasado. Observa las siguientes frases.

a **Tengo aprendidas** cuatro palabras dicótomas del garífuna.

b **Llevo aprendidas** cuatro palabras dicótomas del garífuna.

c Mi profesor de garífuna me **ha dejado dicho** que tengo que estudiar el resto de palabras dicótomas para el examen de la próxima semana.

d El licenciado Eusebio Salvador Suazo, con las 25 palabras dicótomas del garífunas, **dio por terminado** su capítulo sobre la estructura de la lengua.

11 Relaciona las perífrasis verbales de participio con lo que consideres que son sus intenciones comunicativas.

1 *Tener* + participio

2 *Llevar* + participio

3 *Dejar* + participio

4 *Dar por* + participio

a El participio indica orden, encargo o comunicación.

b Realización de una acción en su totalidad.

c Finalización de una acción que podría continuar.

d Expresa una acción vista en su resultado.

12 Las primeras apariciones del pueblo garífuna en la literatura hondureña del siglo XX se dieron en el género de la poesía. El poeta hondureño Jacobo Cárcamo (1916-1959) escribió *Canción negroide*, influido por el «Movimiento de la Negritud» (movimiento literario en lengua francesa que se desarrolló a partir de 1935). Lee el poema y haz una lista con los términos festivos y otra con los términos sombríos que encuentres. ¿Qué crees que expresa esta canción?

Si los negros
Ríen ríen,
Si los negros
Tocan tocan,
Si los negros
Bailan bailan,
Con esa risa tan triste,
Y ese ritmo tan amargo
Y esa cumbia tan doliente:
Y si la noche repleta
De yodo, luna y licor,
Sus bocas parecen finas
Maracas de truenos blancos entre

valvas de carbón;
Y sus manos
Golondrinas achatadas
Haciendo nidos de estrépito sobre
la piel del tambor;
Y sus cuerpos son cual círculos de
tinieblas epilépticas
O corros de focas locas.

Si los negros ríen
Ríen,
Si los negros tocan
Tocan,

Si los negros bailan
Bailan,
Es porque con el ruido
De su risa, de su zambra y el
temblor de su tambor
Pretenden ahogar el hondo rugido
de su dolor…

¡Y sobre todas las playas
Y a través de muchos siglos,
Los negros ríen
Y tocan,
Los negros tocan y bailan!

patrimonio · arte · tradiciones · empresas · productos · mercado · personalidades · mestizaje · migraciones · ciencia · sociedad

historia

1 Lee el siguiente texto y observa cuidadosamente las frases en negrita y las subrayadas.

Maradona y «la mano de Dios»

Unos lo veneran, otros lo detestan, es un personaje que **acaba por no serle** indiferente a nadie. Se trata del argentino Diego Armando Maradona, para muchos, el mejor futbolista de todos los tiempos. Sus pinitos en el mundo del fútbol los dio a los 9 años en una división inferior del club Argentino Juniors. Días antes de cumplir los 16 años ingresó en la Primera División. Allí inició una carrera profesional que lo llevaría a la cúspide. Aunque existan o hayan existido futbolistas de extraordinaria calidad (**debe de haber** alrededor de 300, cifra promedio según las diversas clasificaciones), pocos, como en el caso de Maradona, han tenido una trayectoria tan estrechamente vinculada a la historia de su país. La Historia, con hache mayúscula, **vino a colmar** sus deseos de gloria. Todo comenzó en 1976, cuando los militares argentinos tomaron el poder e instauraron una de las dictaduras más sanguinarias de todas las que recorrieron América Latina en el siglo XX. El triunvirato de dictadores **se metió a organizar** la Copa del Mundo 1978, mientras en sus centros clandestinos de detención sus esbirros torturaban, asesinaban y hacían desaparecer a miles de personas. Había además en estos centros un plan sistemático de apropiación de bebés. No bien la madre **acababa de dar a luz,** los torturadores se apoderaban del recién nacido y lo entregaban a familias de militares. En ese marco de miedo y silencio surgieron en 1977 las Madres de Plaza de Mayo, un pequeño grupo de madres de desaparecidos que se reunían cada semana en esa plaza, porque justamente al frente se hallaba la sede del Gobierno. **Iban a marchar** alrededor de la pirámide de Mayo, símbolo de la libertad, pidiendo la devolución de sus hijos. El jueves 1.º de junio de 1978, el mismo día de una mani-

festación de las Madres de Plaza de Mayo, los jugadores **echaron a correr** oficialmente tras el balón. Argentina ganó la Copa, sin embargo nunca <u>se ha dejado de sospechar</u> que la Junta militar sobornó a los jugadores peruanos para garantizar el acceso del equipo albiceleste[1] a la gran final. Los anfitriones **tenían que ganarle** al Perú con una diferencia de cuatro goles, algo que parecía imposible, vista la excelencia de la que habían hecho gala los jugadores peruanos durante el torneo. Argentina se impuso con 6 goles a 0, y este triunfo «desmedido», según los especialistas, **llegó a convencer** a muchos de que había habido fraude. Tal victoria permitió la clasificación de Argentina a la final del Mundial, donde se enfrentó a los Países Bajos y les ganó por 3 tantos contra 1.

Hasta hoy se le reprocha a esa selección argentina su complicidad con la dictadura. Incluso si muchos de aquellos futbolistas se confiesan arrepentidos de su participación en la propaganda política del régimen, a algunos les **ha dado por decir** que desconocían lo que pasaba en el país. Maradona escapó al juicio de la Historia porque el seleccionador no lo incluyó en la lista de los 22, pretextando su juventud. En la siguiente Copa, la de 1982, organizada en España, Argentina ocupó un deshonroso undécimo puesto. **Habría que esperar** el mundial del 86, en México, para **volver a ver** a un equipo argentino levantando el trofeo, con Maradona como capitán. Hacía solamente tres años que el

país había vuelto a la democracia y todavía las heridas de aquel periodo aciago de su historia no se habían restañado. La Guerra de las Malvinas, contienda que opuso a Argentina y el Reino Unido del 2 de abril al 14 de junio de 1982, provocó la caída del régimen dictatorial. El conflicto armado no se produjo tanto por la soberanía de las islas como por la situación coyuntural de ambos países. El triunfo contra los argentinos le brindó a Margaret Thatcher una fácil reelección en el 83, pese a su liberalismo, monetarismo estricto y recorte de los servicios sociales; mientras que el fracaso en la guerra, especialidad de los militares, marcó la derrota total de la Junta, cuyo gobierno ya había liquidado social y económicamente a Argentina. A partir de ese momento, los comandantes en jefe se **pusieron a programar** una salida hacia la democracia.

Cuando los jugadores ingleses y argentinos entraron en la cancha del estadio Azteca de la Ciudad de México aquel 22 de junio de 1986, tenían presente la guerra que había enfrentado a sus respectivos países 4 años antes. El partido lo ganó Argentina 2 a 1, con goles de Maradona. Al primero, hecho con la mano, el propio jugador lo llamó «la mano de Dios»; y al segundo se lo considera «el gol del siglo» porque el «pibe de oro», partiendo desde su propio campo, eludió a seis contrincantes ingleses, incluido el arquero, antes de enviar el balón al fondo de las redes. Ante el gol más político de la historia del fútbol, los argentinos **rompieron a llorar** de alegría y los ingleses <u>empezaron a vocear</u> su indignación.

[1] El uniforme oficial de la selección argentina se compone de una camiseta de franjas blancas y celestes, de ahí que se utilice la palabra «albiceleste» para referirse a ella.

2 Explica la relación entre la historia argentina y la vida del futbolista Diego Armando Maradona.

3 ¿Por qué se piensa que Argentina ganó fraudulentamente la Copa del Mundo 1978?

4 ¿Qué consecuencias trajo la Guerra de las Malvinas a los dos países beligerantes?

5 ¿Por qué «la mano de Dios» fue un gol político?

6 Relaciona las perífrasis verbales de infinitivo con su significado.

1 *Volver a* + infinitivo

2 *Llegar a* + infinitivo

3 *Venir a* + infinitivo

4 *Romper a* + infinitivo

5 *Meterse a* + infinitivo

6 *Acabar de* + infinitivo

7 *Tener que* + infinitivo

8 *Haber que* + infinitivo

9 *Deber de* + infinitivo

10 *Darle (a uno) por* + infinitivo

11 *Ponerse a* + infinitivo

12 *Acabar por* + infinitivo

13 *Ir a* + infinitivo

14 *Echar a* + infinitivo

a Señala que una acción comienza súbitamente y se usa habitualmente con verbos que expresan una acción emotiva (*reír, llorar, temblar*).

b Puede ser sinónimo de «incluso» o de «ir hasta el extremo de».

c Expresa el inicio de una acción, se usa solo con verbos de movimiento.

d Expresa la terminación de una acción (presenta la experiencia como negativa o inesperada).

e Puede sustituir a los verbos *empezar* o *comenzar*.

f Hace un momento, hace unos instantes.

g Aproximadamente.

h Expresa la obligación o necesidad de hacer algo.

i Emprender algo para lo que uno no está capacitado.

j Expresa la idea de un futuro inmediato en cualquiera de los tiempos en que se utilice.

k Expresa la idea de que algo culmina. Tiene el valor de «servir para».

l Expresa el comienzo de una acción desmedida o injustificada, que carece de fundamento o se ha empezado por capricho.

m Expresa la idea de reiteración. Es sinónimo de «otra vez» o «de nuevo».

n A diferencia de *tener que*, esta perífrasis solo aparece en la tercera persona del singular. Es una construcción impersonal.

7 Mira en YouTube los dos famosos goles que Maradona hizo en el Mundial 86. Narra «el gol del siglo» utilizando el mayor número posible de perífrasis verbales de infinitivo.

8 En una escena de *La historia oficial*, una magnífica película de Luis Puenzo sobre la dictadura argentina, la protagonista, una profesora de Historia, discute con sus alumnos acerca de un acontecimiento político de la Argentina del siglo XIX. Ella les reprocha que su versión de los hechos no está registrada en los libros ni existen pruebas que la refrenden. Un estudiante entonces le responde: «No hay pruebas porque la Historia la escriben los asesinos».

¿Qué opinas de esta frase? ¿Crees que la Historia la escriben los vencedores, las clases dominantes, los que nos gobiernan?

9 Si te interesa ver la película, puedes encontrarla completa en YouTube.

10 Deduce por qué las frases subrayadas en el texto (*se ha dejado de sospechar, empezaron a vocear*) no son perífrasis verbales de infinitivo.

patrimonio · arte · tradiciones · empresas · productos · mercado · **personalidades** · mestizaje · **migraciones** · historia · ciencia · sociedad

1 Lee el siguiente texto.

La migración española a Brasil

Pocos estudios existen sobre la historia de la migración española a Brasil. Un hecho sorprendente si se considera que, desde finales del siglo XIX hasta 1970, Brasil acogió cerca de 750 000 españoles: cifra que representa entre un 12,5 % y un 14 % del número total de inmigrantes, y que convierte a esta diáspora en la tercera más numerosa después de la portuguesa y la italiana. Durante los primeros trescientos años de su periodo colonial, Brasil solo admitió ciudadanos nacionales de la península ibérica. En 1808, cuando el monarca portugués y su corte se trasladaron a Río de Janeiro, el país abrió sus puertas a otras migraciones.

1880-1929: El fin del tráfico de esclavos y la continua necesidad de mano de obra en las plantaciones de café llevó a los gobiernos de los estados brasileños a promover políticas de inmigración. Las grandes campañas que se realizaron en Europa ofrecían subvencionar los pasajes de todo el grupo familiar. Miles de empobrecidas familias campesinas andaluzas cruzaron entonces el Atlántico para instalarse en las zonas cafeteras.

1930-1945 (final de la Segunda Guerra Mundial): Se produjo una caída significativa del flujo migratorio a consecuencia del régimen restrictivo de cupos que el gobierno español adoptó en 1934 y la posterior Guerra Civil que enfrentó a nacionalistas y republicanos.

1946-1970: La crisis del café, junto con el desarrollo de una sociedad urbana cada vez más independiente del crecimiento rural, originaron olas migratorias que buscaban empleo en las industrias de São Paulo o en el sector servicios de la mayoría de ciudades brasileñas. Sin embargo, a diferencia de las primeras, estas no recibieron apoyo financiero gubernamental. Otro perfil de inmigrantes hizo su entrada en los años de posguerra: mecánicos, soldadores, peritos industriales y torneros que venían de la provincia gallega de Pontevedra. Los flujos a Brasil se redujeron considerablemente a raíz de los acuerdos preferenciales que España obtuvo de la Comunidad Económica Europea, a finales de la década de 1960. Países como Francia, Alemania y Suiza ejercían mayor atracción por la posibilidad de mejores salarios.

A pesar de la presencia de andaluces y gallegos en la sociedad brasileña, únicamente estos últimos alcanzaron visibilidad, a tal punto que se llegó a utilizar la palabra *galego* como sinónimo de español. Dicha percepción quizás se debe a que, mientras que el colectivo gallego se dirigió mayoritariamente a las ciudades, donde ascendieron sin mayores tropiezos en la escala social del Brasil urbano que se estaba gestando, el colectivo andaluz se asentó en las zonas rurales, en situación de casi esclavitud. Solo cuando abandonaron las plantaciones y se convirtieron en pequeños propietarios o emigraron a las ciudades empezaron a escalar socialmente.

La proximidad cultural e idiomática (acentuada por la elevada presencia de gallegos y el «aportuguesamiento» de los apellidos hispanos) y el alto porcentaje de matrimonios mixtos (64,7 % de los hombres y 42,2 % de la mujeres se casaron con brasileños) explicaría el rápido proceso de asimilación de la comunidad española en su tierra de adopción. En la actualidad, alrededor de 15 millones de brasileños tiene algún tipo de ascendencia española. ¡Entre Brasil y España hay más cosas en común de lo que ellas mismas imaginan!

2 Di si las afirmaciones siguientes son verdaderas o falsas.

V · **F**

a Durante la época colonial, Brasil no admitía la entrada de ciudadanos españoles. ○ ○

b Los campesinos andaluces reemplazaron a los esclavos en las plantaciones de café. ○ ○

c Los inmigrantes gallegos trabajaron en el sector servicios de un Brasil que se urbanizaba. ○ ○

d El colectivo español (gallegos y andaluces) tuvo iguales oportunidades de ascenso social. ○ ○

e Se han realizado pocos estudios sobre la emigración española a Brasil porque entre ambos países solo existen vínculos comerciales. ○ ○

3 La literatura y la emigración española a Brasil. ¿Cuál de estas dos novelas te apetecería leer?

La escritora brasileña Nélida Piñón (Premio Casa de las Américas 1983, Premio Juan Rulfo 1995 y Premio Príncipe de Asturias 2005. Miembro de la Academia Brasileña de Letras desde 1989, institución que presidió entre 1996-1997, convirtiéndose así en la primera mujer del mundo en presidir una academia literaria nacional), en su novela *La república de los sueños*, narra la emigración a Brasil de dos muchachos que dejan atrás la miseria de su Galicia natal en 1913. En los 37 capítulos de la obra se intercala la gran historia de Brasil con la pequeña historia de una saga familiar dominada por la figura de Madruga, quien llegará a ser magnate de la industria. Nieta de gallegos, la autora ofrece una fascinante visión de la tierra de sus abuelos. *La república de los sueños* se publicó en Brasil en 1984, pero su temática se vuelve cada día más actual: cientos de emigrantes en el mundo tratan de sacar un permiso para residir en alguna república de sueños.

Los números del elefante (2009), primera novela del alicantino Jorge Díaz, cuenta la vida de Bernardo, un gallego que abandona su pueblo para vivir la aventura que miles de españoles probaron entre las décadas del 10 y del 50 del pasado siglo en tierras brasileñas. El título de la obra hace referencia al *jogo do bicho* («juego de los animales»), una especie de lotería ilegal en que se apuesta en números regidos por animales; el elefante que da título al libro es uno de ellos. Los capítulos llevan los nombres de presidentes de Brasil, desde Getulio Vargas, que se suicidó en 1954 (año en que empieza el libro), hasta Lula da Silva. El protagonista, un gallego que pasa cincuenta años de su vida bajo la identidad de un portugués, conviviendo con el submundo carioca, nació de una noticia que el autor leyó en un periódico. «Su experiencia me interesó, pero no había material suficiente para escribir una novela. Decidí entonces inventar algunos elementos y recrear la historia del Brasil desde los ojos de un gallego». «Ley de vida», considera Jorge Díaz la inmigración sudamericana que España **viene recibiendo** en los últimos años. «Todo sube y baja. Tal vez en el futuro vivamos en otra galaxia y todos los terráqueos estemos obligados a presentarnos en una oficina de extranjería».

4 Perífrasis de gerundio.

Estar + gerundio: expresa simplemente una acción en desarrollo.

Andar + gerundio: tiene el mismo valor que «estar + gerundio», pero expresa además que la acción se desarrolla de manera reiterada.

Ir + gerundio: expresa que la acción del verbo se desarrolla lenta y gradualmente.

Venir + gerundio: expresa una acción que ha empezado en un período de tiempo pasado y cuyo desarrollo se dirige hacia el tiempo al que nos referimos. Posee un matiz de insistencia o repetición.

Llevar + gerundio: con esta perífrasis expresamos cuánto dura la acción. Por eso, tiene que aparecer siempre una determinación temporal explícita. Este plazo de tiempo debe interponerse entre el verbo auxiliar y el gerundio.

5 Completa las siguientes frases con la perífrasis de gerundio adecuada.

a Entre 1910 y 1950, Brasil _____ transformándose en segunda patria de los gallegos.

b El gallego, que _____ huyendo de la policía durante cincuenta años, se convirtió en personaje de la novela *Los números del elefante*.

c La escritora Nélida Piñón _____ más de cuarenta años cosechando galardones y premios.

d _____ diciéndote desde hace tiempo que no apuestes en el «juego de los animales».

e _____ leyendo *La república de los sueños* en su versión original.

6 ¿Qué opinas de las recientes migraciones sudamericanas a España? ¿Son simplemente una vuelta justa de las cosas? ¿Es tu país un país de emigrantes o de acogida?

SUPLEMENTO

El arte primitivista del archipiélago de Solentiname

Los indígenas descendientes de los toltecas llamaron Cocibolca y Xolotlán (Quetzalcóatl y Xoloti, los dos gemelos míticos del primigenio culto tolteca) a los lagos Nicaragua y Managua, respectivamente. El Gran Lago de Nicaragua o lago Cocibolca (8264 km^2) es el tercero en tamaño del continente latinoamericano, después del lago Maracaibo (13 820 km^2) y el Titicaca (8372 km^2). Su posición en el istmo centroamericano, a solo 18 km del océano Pacífico, y por el otro lado conectado con el mar Caribe a través del caudaloso río San Juan, le ha conferido un valor estratégico como ruta posible de construcción de un canal interoceánico. Rico en fauna y flora tropical, en sus aguas vive la única especie de tiburón de agua dulce. Estudiosos de la fauna nicaragüense afirman que se han capturado ejemplares de 3 m de largo, con un peso aproximado de 120 kg.

En la parte sureste, cerca de Costa Rica, se encuentra el archipiélago de Solentiname, cuna del arte primitivista nicaragüense. En los años 50, dicho estilo logró un primer reconocimiento en la obra de Asilia Guillén (1887-1964), nacida en Granada. Asilia, tras una vida dedicada a los bordados, cruzó a los 63 años hacia la pintura, y sus obras se publicaron en muchas enciclopedias, revistas, periódicos y postales. Numerosas exposiciones y bienales internacionales (São Paulo en 1956, Washington DC y Ciudad de México en 1957…) la consagraron definitivamente. Entre las precursoras también tenemos a Salvadora Enríquez de Noguera y

Adela Vargas. La primera se inspiraba en la fauna y flora del gran bosque tropical que rodeaba la hacienda ganadera donde vivía y las escenas cotidianas de la vida campesina; la segunda, en el *Popol Vuh*, la «Biblia maya», los poemas de Rubén Darío y la naturaleza. Poco se conoce sobre ambas artistas. En 1966, el padre Ernesto Cardenal fundó en una de las islas del archipiélago la Comunidad Contemplativa de Nuestra Señora de Solentiname, una comunidad cristiana casi monástica. Cuando descubrió que los isleños pintaban con mucho talento las calabazas que usaban a diario para beber, decidió reunirlos bajo sus órdenes. Aquel grupo de pescadores y personas del pueblo crearon una escuela de pintura que se conoció como la Escuela primitivista de Solentiname, cuyo estilo se caracteriza por la simplicidad, la frescura, la candidez y el enorme colorido de las escenas representadas. La pintura primitivista se ha desarrollado en todo el territorio nicaragüense y goza hoy de una importante acogida en Estados Unidos, Alemania y, sobre todo, Japón.

1. ¿Qué estilo prefieres? ¿El primitivista nicaragüense, el arte tinga tinga de Tanzania o el aborigen australiano? ¿Por qué?

| Ignacio Fletes Cruz | Artista desconocido | Danny Eastwood |

2. ¿Existe un arte similar en tu país? ¿Consideras que este tipo de arte es verdaderamente arte o solo excelente artesanía?

3. Si te interesa el arte naif, visita el sitio de la pintora argentina Pilar Sala: www.artistas.artenaif.com/

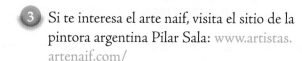

La adopción en Nicaragua

Una de las primeras manifestaciones en el sentido moderno de la adopción se dio en Nicaragua en 1960. La Ley de Adopción decretada por el presidente Luis A. Somoza estipulaba que el adoptado gozaba de todos los derechos de un hijo legítimo. En julio de 1981 se dictó una Ley de Adopción que derogaba la anterior. La nueva ley contemplaba el resultado de los 11 años de guerra civil (1979-1990) que había atravesado el país, dejando a más de cuarenta mil niños huérfanos. Cuando el país retomaba una senda de crecimiento y desarrollo sostenidos, el paso del huracán Mitch por Centroamérica, entre el 22 de octubre y el 5 de noviembre de 1998, causó inundaciones que segaron millares de vidas humanas y produjeron enormes pérdidas materiales. El representante de UNICEF en Nicaragua hizo un llamado a las autoridades nacionales: la emergencia no podía llevarlos a bajar la guardia y flexibilizar los trámites administrativos y jurídicos previstos en la Ley de Adopción. A su juicio, gracias a que existía una legislación estricta y procesos administrativos largos, el país no había entrado en el creciente «mercado de la adopción». El ministro de la Familia, por su parte, se mostró favorable a la adopción internacional o al alojamiento temporal de los menores víctimas del huracán, subrayando que las familias interesadas no estarían exentas del cumplimiento de todos los requisitos legales.

El tema de la adopción suscita polémicas dentro de la sociedad. Muchos estiman que, al ser la familia extensa una tradición nicaragüense, le corresponde a un pariente cercano u otra persona conocida la tutela del menor que ha perdido a sus padres, pues así no se rompe totalmente el vínculo con todo lo que había sido su vida hasta ese momento. Consideran asimismo la adopción nacional una mejor opción que la internacional, ya que la primera permite al niño seguir viviendo en una cultura que conoce y mantener el contacto con sus familiares, mientras que la segunda únicamente resuelve las carencias afectivas de parejas extranjeras estériles. Otros, en cambio, abogan por la flexibilización de los trámites legales a fin de acrecentar el número de adopciones internacionales, único medio, en su opinión, de brindar un hogar estable y un mejor futuro a los niños huérfanos y abandonados. En octubre de 2008, la viceministra de la Familia decidió reformar la Ley de adopción y emitió una resolución, en la cual ordenaba suspender los procedimientos de adopción de niños abandonados o regalados por sus padres a causa de una extrema pobreza. Para cumplir con ese objetivo, la viceministra dispuso «garantizar a las familias una atención integral que les permita recuperar capacidades y, en consecuencia, dedicarse al cuidado y crianza de sus hijos». La presidenta de la Comisión de la Mujer, Niñez, Juventud y Familia de la Asamblea Nacional señaló que dicha resolución ministerial no podía tener efecto, por cuanto solo al Parlamento le competía reformar las leyes.

---

1 ¿Qué opinas?

Sí No Depende

a Deberían eliminarse las adopciones internacionales y ampliar los requisitos de residencia para los padres adoptivos, como lo hacen muchas naciones africanas.

b La viceministra nicaragüense tiene razón al ordenar que se suspenda el proceso de adopción de niños abandonados o regalados debido a situaciones de pobreza.

c Los padres no deben ocultar a los niños el hecho de que han sido adoptados e incluso deben ayudarles a investigar sus raíces familiares biológicas.

d La adopción nacional es una mejor opción que la internacional porque el niño vive en una cultura que conoce y mantiene relaciones con sus familiares.

e Las parejas homosexuales tienen derecho a adoptar.

2 ¿Qué tienen en común Superman y Harry Potter?

3 ¿Qué sabes sobre los trámites y procedimientos de adopción en tu país?

Nicaragua

El café nicaragüense

El origen del café se sitúa en la región de Kaffa (Etiopía), allá por el siglo III, desde donde los árabes lo fueron extendiendo a lo largo de sus rutas comerciales y de peregrinación hacia La Meca. En los siglos XV y XVI ya se podía encontrar en lugares como Yemen (cuya capital, Moka, daría nombre a un tipo de café), Indonesia y Turquía. Los comerciantes venecianos y holandeses lo introdujeron en Europa, con un éxito tal que en el siglo XVIII el consumo se había generalizado en todo el continente. En ese mismo siglo saltó el Atlántico hasta las Antillas y luego se propagó por la América tropical. A finales del siglo XIX y principios del XX, las potencias europeas generalizaron el cultivo en sus colonias asiáticas y africanas, y con ello conformaron el amplio mapa de los actuales países productores. El café es, después del petróleo, la materia prima que más dinero mueve en el mundo. 25 millones de campesinos productores dependen directamente de su cultivo para subsistir y otros 75 millones de personas se ocupan de su manipulación y comercio. Partiendo de estos datos, no es difícil llegar a la conclusión de que hay muchas naciones cuya economía se sustenta en mayor o menor medida en su capacidad de producción y exportación de dicho producto. En el caso de Nicaragua, el café ha sido y sigue siendo su principal rubro comercial y el que genera una mayor actividad en el área rural. Representa cerca del 25 % del valor total de las exportaciones agrícolas (un 85 % de la producción se vende en el mercado externo y un 15 % se consume localmente).

En el ámbito internacional se distinguen cuatro calidades básicas de café: arábigos suaves, tipo colombiano (Colombia, Kenia y Tanzania); otros arábigos suaves (América Central, países del Caribe, México, Venezuela, Ecuador, Perú, India, Papúa, Nueva Guinea y algunos países de África); arábigos no lavados (Brasil, Etiopía, Bolivia y Paraguay); y robustas (Asia y África).

Los cafetales nicaragüenses se extienden por una superficie de 105 000 ha, y las principales zonas de cultivo están localizadas en la parte noroccidental y norte-central del país. En la región del Pacífico, donde se originaron los primeros cultivos, la producción ha disminuido sensiblemente a causa de la notable reducción de lluvias y el aumento de las temperaturas.

Gracias a la creación de entidades como la Asociación de Cafés Especiales de Nicaragua (ACEN), y al esfuerzo de las cooperativas cafeteras que operan en el país, se ha impulsado en los últimos años la promoción nacional e internacional del café nicaragüense. Entre las iniciativas, cabe señalar la coorganización junto con la ACE (Alliance for Coffee Excellence) del certamen La Taza de Excelencia, competición iniciada en 1999 por un grupo de productores brasileños con el objetivo de dar a conocer y recompensar sus mejores cafés. En los años posteriores se unieron al certamen Guatemala, Nicaragua, El Salvador, Bolivia, Honduras, Colombia, Costa Rica y Ruanda.

24 **1** Escucha la grabación y responde a las siguientes preguntas.

a ¿Cómo funciona La Taza de Excelencia?

b ¿Cuántos cafés son galardonados en este certamen?

c ¿Cómo se venden los cafés premiados?

d ¿Qué importancia tiene este premio para un productor de café?

e ¿Cómo podemos estar seguros de que adquirimos un café ganador de La Taza de Excelencia?

2 ¿Te gusta el café? ¿Cómo te gusta? ¿Cuántas tazas tomas al día? ¿Conoces de marcas y de procedencias?

3 Señala la respuesta correcta.

a El consumo de café per cápita más alto del mundo lo registra: ❏ Finlandia ❏ Japón ❏ Turquía

b El mayor exportador mundial de café es: ❏ Colombia ❏ Vietnam ❏ Brasil

c El mayor importador mundial de café es: ❏ Alemania ❏ Estados Unidos ❏ Italia

d La transnacional que domina el mercado del café es: ❏ Nestlé ❏ Procter&Gamble ❏ Starbucks

CULTURA SOCIEDAD ECONOMÍA **LENGUA** DATOS

LAS LENGUAS DE LA COSTA ATLÁNTICA NICARAGÜENSE

SAINT MARY I

Misquitos en Puerto Cabezas, tras una inundación.

Aun siendo Nicaragua un país hispanohablante, no todos sus habitantes utilizan el español como lengua materna, algunos incluso no lo hablan ni lo entienden. Tal situación se explica porque, mientras que los españoles conquistaron la parte occidental del actual país e impusieron su lengua, los ingleses establecieron una forma de dominación colonial, llamada «administración indirecta», en la parte oriental. Esto supuso la aculturación de los indios, pero la supervivencia de sus lenguas. Incluso al grupo étnico misquito le ofreció apoyo político-militar y ayuda económica a cambio de la esclavización de otros grupos indígenas de la zona. Esa alianza les permitió a los misquitos dominar un amplio territorio de la costa oriental centroamericana –desde Honduras hasta Panamá– a finales del siglo XVII. El misquito se convirtió en la lengua de los «negocios» entre las diferentes tribus indígenas. A partir de 1848, los misioneros moravos[1] se dedicaron a transformarla en lengua escrita y elaboraron un alfabeto, manuales de gramática y diccionarios, con el objetivo de predicar el Evangelio en aquella lengua autóctona. Les enseñaron además a los indios y a los criollos a escribir en misquito e inglés. La incorporación de esta zona al territorio nicaragüense en 1894, bajo el nombre de departamento de Zelaya, aumentó la presencia e influencia del español. En la actualidad se hablan cuatro idiomas en la costa atlántica: el misquito, el sumo, el inglés criollo[2] y el español. Durante el gobierno de José Santos Zelaya (1893-1909) se decretó una ley que imponía el español como lengua de enseñanza a fin de hispanizar todo el país, especialmente a través del sistema educativo. Dicha ley, vigente hasta 1910, ocasionó el cierre de las escuelas que impartían clases en misquito e inglés. Fenómeno del siglo XX fue la alta migración de hispanohablantes del occidente a la parte oriental, pese a lo poco bienvenidos que eran, en busca de tierra, trabajo o fortuna.

Hoy existe, por primera vez en la historia nicaragüense, la voluntad gubernamental de integrar las minorías étnicas en la vida nacional, respetando sus diferencias culturales y lingüísticas. Se han desarrollado proyectos de alfabetización en misquito, sumo e inglés criollo y programas de estudio bilingües-biculturales: solo en cuarto grado de la escuela primaria se incluye el español en el aprendizaje. El gobierno asimismo viene impulsando el estudio de las lenguas y culturas de la costa atlántica del país, ignoradas totalmente en el pasado.

[1] La Iglesia Moravia es una confesión protestante que actualmente tiene unos 100 000 seguidores en el mundo.

[2] Misquito: 150 000 hablantes en Nicaragua, 30 000 en Honduras. Sumo: 6700 hablantes en Nicaragua, 700 en Honduras. Inglés criollo nicaragüense: 30 000 hablantes. Población total de Nicaragua: 5 359 759.

1 Según la UNESCO, la mitad de las 6700 lenguas habladas actualmente corren peligro de desaparecer antes de que finalice el siglo XXI. Busca el Atlas interactivo UNESCO de las lenguas en peligro en el mundo, observa la situación lingüística de tu país y luego haz una breve exposición.

2 Relaciona ambas columnas.

1 Yang miskitu aisisna
2 Ninasema Kiswahili
3 Я говорю по-русски
4 私が日本語を話す
5 Yr wyf yn siarad Cymraeg
6 내가 한국 말로
7 Μιλώ ελληνικά

a Hablo galés
b Hablo griego
c Hablo coreano
d Hablo ruso
e Hablo swahili
f Hablo japonés
g Hablo misquito

3 Imagina que un tribunal ha decidido que tu lengua materna debe desaparecer. Da tres argumentos de peso para salvarla de tan terrible veredicto.

Nicaragua

Orígenes del nombre: Una versión sostiene que procede del náhualtl *nic-atl-nahauc*: «los dueños del agua de aquí» o «lugar donde existen dos grandes depósitos de agua»; otra, la más difundida, afirma que deriva de Nicarao, supuesto nombre del jefe de la población indígena que recibió a los primeros conquistadores españoles.

Capital: Managua

Superficie: 129 494 km²

Población: 5 359 759 habitantes

Moneda: córdoba

Gentilicio: nicaragüense

Organización territorial

El país está dividido en 15 departamentos. En 1987 se crearon dos regiones autónomas a partir del antiguo departamento de Zelaya, la del Atlántico Norte y la del Atlántico Sur. Ambas están habitadas básicamente por poblaciones autóctonas y su gobierno local se rige de acuerdo a las normas propias de su cultura.

Economía

La agricultura constituye el 60 % de sus exportaciones totales, entre las que destacan: el café, el algodón, el azúcar, el tabaco, el ajonjolí, el banano y el arroz. Desde comienzos de 2009, el gobierno ruso está interesado en crear la planta procesadora de chocolate más grande de Europa Oriental, con cacao producido en Nicaragua. El país deberá producir más de 50 000 toneladas anuales. Esto lo convertiría en el mayor productor de cacao en América Central y el noveno a nivel mundial. La ganadería se muestra como una actividad pujante. Sus principales recursos mineros son el oro, la plata, el cobre y el plomo, y sus industrias sobresalen en el sector de productos alimenticios, químicos y metálicos, refinado de petróleo, cemento, bebidas, calzado y tabaco. Cuenta además con plantas procesadoras de café, refinerías de azúcar y fábricas textiles que se abastecen con el algodón nacional. El ron Flor de Caña se considera uno de los mejores de América Latina.

Lenguas

El español es la lengua oficial. Debido a la colonización británica de la costa Atlántica, el inglés criollo convive junto al misquito y al sumo, dos lenguas nativas. En Rama Cay, un islote de la bahía de Bluefields, y en pequeños asentamientos a orillas de los ríos de esa zona viven unos 1300 indígenas de la etnia rama, entre los cuales solo 30 hablan la lengua rama sin ninguna modificación.

Religión

Predomina el catolicismo. Un segundo grupo religioso es el protestantismo, que abarca más del 20 % de la población.

> Dominio de internet: www.ni
> Gobierno: www.presidencia.gob.ni
> Directorio de empresas: nicaragua.acambiode.com
> Cámara de comercio: www.caconic.org.ni
> Instituto Nicaragüense de Turismo: www.intur.gob.ni
> Diarios: www.laprensa.com.ni, www.elnuevodiario.com.ni, www.hoy.com.ni

SOLUCIONES
TRANSCRIPCIONES

UNIDAD 1

República Dominicana

1 Promueve (promover), se extiende (extenderse), se encuentra (encontrarse), cuentan (contar), contiene (contener), piensa (pensar), pueden (poder), convierten (convertir), advierte (advertir), pierde (perder), defienden (defender).

2 El cementerio marino se encuentra en la bahía de Samaná.

3 El tesoro está a 112 km al norte de la costa noreste de la República Dominicana, y encierra valiosas piezas: cientos de monedas de plata y oro, sedas, y porcelana china perteneciente a la dinastía Ming.

4 Errores de navegación, tempestades, huracanes o piratas.

5 La nueva convención reprueba el lucro porque es incompatible con la protección de los bienes subacuáticos.

6 Recomiendan tocar lo mínimo y saber lo máximo.

7 Verbos regulares: reposar, albergar, valorar, examinar, enfrentar, rescatar, explorar, llevarse, comprender, hundir, hallar. Verbos diptongo E→IE: extenderse, contener, pensar, advertir, perder, defender, sentirse, convertir, recomendar, encerrar. Verbos diptongo O→UE: promover, contar, soñar, poder, recordar, encontrar, reprobar.

Perú

1 Sirve (servir), se despiden (despedirse), revisten (revestir), prosigue (proseguir), piden (pedir), siguen (seguir), conciben (concebir), se hinchen (henchirse), se rinde (rendirse), impiden (impedir), compiten (competir), se mide (medirse), repiten (repetir).

2 Llegan en 1899, a raíz de las profundas transformaciones sociopolíticas y económicas que vive Japón en su tránsito del feudalismo al capitalismo.

3 El esfuerzo del ahorro y la puesta en práctica del *tanomoshil*.

4 Porque los comerciantes piden ayuda a sus parientes o amigos que siguen en Japón, pues necesitan colaboradores en sus recién creados establecimientos.

5 La catástrofe social y económica que se presenta en el Japón tras su derrota en la Segunda Guerra Mundial.

9 Horizontales: **1.** machete; **2.** braceros; **3.** tiznado; **4.** chotacabras; **5.** égloga; **6.** muchacho; **7.** verde.

Verticales: **1.** trocha; **2.** cañaveral; **3.**

cencerro; **4.** pértiga; **5.** rostro; **6.** reverbera; **7.** afilan.

10 Describe un hecho cotidiano de la vida campesina (un muchacho persigue una vaca con su pértiga mientras los braceros de los cañaverales afilan sus machetes tras una dura jornada) y lo transforma en un acto poético. Existe una oposición entre lo humano y lo pétreo, lo efímero y lo permanente (una piedra gris que se resiste).

Argentina

2 Juan Carlos Cáceres es un célebre compositor, cantante y pianista argentino. Vive en París desde 1968.

3 El tango nace a finales del siglo XIX, surge como resultado de un proceso de mestizaje multicultural y multiétnico entre la inmigración masiva europea que se asienta en Río de La Plata y la población nativa, de la cual un tercio pertenece a la raza africana o afroamericana.

4 La palabra «tango» proviene de Angola y significa «sitio de reunión de negros».

5 La milonga, la habanera cubana, el *ragtime*, el *jazz*, la música *klezmer* y el fandango.

6 La milonga tiene un ritmo rápido y alegre, mientras que el tango obedece a un ritmo lento.

7 *-acer*: nacer, renacer. *-ecer*: pertenecer, ofrecer, establecer, crecer, aparecer, padecer, restablecer, desaparecer, obedecer, carecer, merecer. *-ocer*: reconocer, conocer. *-ucir*: traducir, producir, reproducir, introducir, seducir, reducir, conducir.

9 1. e; 2. g; 3. b; 4. d; 5. c; 6. f; 7. a

Colombia

1 Confluir, atribuir, intuir, concluir, afluir, incluir, constituir, excluir, sustituir, distribuir, contribuir, argüir, disminuir, huir, construir, fluir, destruir, influir.

2 Confluyen dos factores: por un lado, la promoción turística de regiones europeas donde se atribuye al agua de manantiales un supuesto valor agregado de pureza; y por otro, los inicios de los programas masivos de privatización de todos los servicios, incluso el sector del agua.

3 Se estima que en la actualidad el negocio de las aguas embotelladas mueve cerca de cien mil millones de dólares en el mundo y tiene un crecimiento exponencial. Dicho desarrollo

las convierte en el producto que más beneficios aporta después del petróleo y el café. Otros estudios concluyen que es el sector con mayor dinamismo de la industria alimentaria, pues bebemos entre 148 000 y 154 000 millones de litros anuales. Hoy existen bares de aguas en muchas ciudades y los restaurantes presentan cartas de aguas junto a las de vinos. Un número creciente de personas afluye a estos sitios, bien buscando un místico bienestar, bien como muestra de su pertenencia a una clase social elevada. Las aguas reforzadas y las de lujo constituyen el futuro en los países industrializados. Incluso algunas marcas no excluyen a las mascotas de este nuevo fenómeno social.

4 La aparición de las aguas embotelladas en el mercado colombiano data de fecha reciente. Desde hace solamente unos quince años estas sustituyen al agua del grifo, y trescientas empresas dedicadas al negocio de su envasado las distribuyen en tiendas, súper e hipermercados. Cada año se facturan unos 160 millones de dólares, lo que posiciona este mercado como el cuarto de la región de América Latina y el Caribe.

5 El agua se está transformando en el «oro» del futuro y abre nuevas perspectivas comerciales para los países con mayores recursos hídricos, caso de Colombia, donde se suministran 60 000 m^3 anuales de agua por persona, un alto promedio de acuerdo con los expertos en el tema. Tal disponibilidad contribuye a poner al país en el radar de inversionistas internacionales. Alrededor de la explotación de este recurso giran distintos proyectos comerciales, desde el manejo y abastecimiento de agua potable, pasando por la construcción de pozos, hasta la comercialización de agua embotellada.

6 Pese a la enorme oferta hídrica del país, aproximadamente 28 ríos agonizan debido a la pésima calidad de las aguas que fluyen por sus cauces. Esto no solo destruye el entorno, sino que influye en el rendimiento pesquero.

7 Atribuir: atribuyo, atribuyes, atribuye, atribuimos, atribuís, atribuyen.

8

SUSTANTIVO	VERBO	PERSONA
negocio	negociar	negociante
consumo	consumir	consumidor
comercio	comerciar	comerciante
producción	producir	productor
inversión	invertir	inversionista/ inversor
fabricación	fabricar	fabricante
distribución	distribuir	distribuidor
venta	vender	vendedor
promoción	promover/ promocionar	promotor

De ida y vuelta

1 1. es; **2.** está; **3.** Es; **4.** es; **5.** están; **6.** está; **7.** está; **8.** está; **9.** Es.
Personajes: **1.** es, está; **2.** está; **3.** está; **4.** es; **5.** está, es; **6.** está, Es; **7.** está, es; **8.** es, estar, es; **9.** está; **10.** y **11.** está.

SUPLEMENTO
Costa Rica
Lengua

3 Todas las palabras contienen las cinco vocales sin repetición de ninguna de ellas.

UNIDAD 2

Cuba

1 Ha recibido, ha sido, ha tenido, hemos vivido, ha habido, hemos dejado, han trabajado, he respondido, he sacado, he dedicado, ha utilizado.

2 a. V; b. V; c. F; d. F; e. F

4 René Caciques Alba. Rafael Morín Rodríguez quiere huir a Miami porque con la llegada de los responsables de Mitachi se va a descubrir que ha cometido algunos desfalcos. Pide ayuda a su jefe de despacho, quien también está involucrado en las malversaciones. Discuten, se acaloran y llegan a las manos. René empuja a Rafael, este resbala y se golpea la cabeza contra el borde de la bañera.

México

1 Verbos regulares: prestaba (prestar), aparecían (aparecer), soñaba (soñar), creía (creer), intuía (intuir), anhelaba (anhelar), quería (querer), sabía (saber), estaba (estar). Verbos irregulares: era (ser), iba (ir).

8 a. Exportaban, Estados Unidos; b. tenían sucursales; c. no era, artículos, Estados Unidos; d. comerciaban, China; e. se hacían, México.

Uruguay

2 Inmigraban, tenían, hablaban, venían, encontraban, era, se han dedicado, han pertenecido, realizaban.

3 1. ha puesto, 2. han logrado, 3. han abierto, 4. se han vuelto, 5. han hecho, 6. ha visto, 7. han roto.

4 a. 6; b. 4; c. 5; d. 2; e. 7; f. 1; g. 3

5 a. Porque más del 80 % de la población uruguaya desciende de inmigrantes europeos o de Cercano Oriente.

---

b. Los judíos emigran porque huyen del nazismo. Un contingente antes del ascenso del nazismo en Alemania y el otro tras su posterior expansión territorial.

c. Los sefardíes se han dedicado al comercio minorista de artículos de mercería, ropa y telas, mientras que los asquenazíes han hecho carrera en la industria textil y en las confecciones. Han tenido éxito porque los primeros judíos introducen la venta a plazos en el país.

d. La primera generación asquenazí hablaba únicamente en *yiddish*, lengua en la que escribían libros, artículos de prensa y emitían programas radiales. Pasados los años, y con el propósito de no convertirse en un grupo sumamente cerrado, resuelven aprender el español.

6 Daba, narra o narraba, ha revivido, ha recorrido, Ha hecho, profesa, ha dudado, culmina o ha culminado, llevaba, piensa, espera, planea.

Ecuador

2 a. mantenerlos; b. le; c. le; d. la; e. la, le.

3 a. 7; b. 1; c. 4; d. 5; e. 8; f. 6; g. 2; h. 3

6 En el año 2012: Cristina Fernández de Kirchner (Argentina), Laura Chinchilla Miranda (Costa Rica) y Dilma Rousseff (Brasil).

De ida y vuelta

1 1. bajo; 2. Para; 3. sin; 4. de; 5. en; 6. con; 7. por; 8. desde; 9. sobre; 10. hasta; 11. a; 12. hacia; 13. contra; 14. Tras; 15. Según; 16. ante; 17. entre.

2 Las islas Canarias, situadas frente a la costa noroeste de África, y los Pirineos, al norte de la península Ibérica.

3 Ninguna. Los descubrimientos astrofísicos son avances científicos que no siempre se aplican de inmediato, pero que permiten y alimentan los descubrimientos de punta.

4 Son corrientes de aire que enlazan lugares distantes entre sí y determinan la distribución de las semillas, las esporas y los fragmentos de plantas.

5 Porque es el país europeo que menos invierte en ciencia y el que destina la mayor parte de esos fondos a la investigación militar.

6 a. 2; b. 4; c. 1; d. 5; e. 6; f. 3

7 a. L'Oceanogràfic; b. El Puente de l'Assut de l'Or; c. El Palau de les Arts Reina Sofía; d. El Museo de las Ciencias Príncipe Felipe; e. L'Umbracle; f. L'Hemisfèric.

Suplemento
Chile
Cultura

3 a. 5; b. 6; c. 4; d. 7; e. 3; f. 2; g. 1

Sociedad

1 Santiago concentra cerca de un 36 % de la población del país y centraliza los principales organismos gubernamentales, culturales, financieros, judiciales y comerciales. Se le atribuye la mejor calidad de vida, después de Montevideo y Buenos Aires. Ocupa el 52.º lugar de las ciudades con mayores ingresos del mundo.

2 Allí conviven todas las clases sociales y todas las tribus urbanas, pandillas juveniles, minorías sexuales y revolucionarias: desde neonazis hasta travestis.

Economía

1 En primer lugar el país no necesita tarjeta de presentación y, en segundo lugar, goza ya de una imagen de seriedad y fiabilidad. Sin olvidar el creciente gusto por la gastronomía fina que ha generado el consumo de sus vinos.

Lengua

1 Esta palabra procede del término gitano español «coba», que significa «embuste» o «adulación» y cuyo origen quizás está en el caló, una jerga de los grupos gitanos ibéricos. Sin embargo, otros afirman que viene de una jerga delictiva española del siglo xv llamada germanía y, en esa medida, puede ser una deformación de «boca». Lo utilizaban los delincuentes.

2 Se atribuye su difusión a los 17 años de dictadura pinochetista, pues miles de personas que no eran delincuentes terminaban en la cárcel: políticos, artistas, intelectuales, gente de topo tipo que, cuando recobraba la libertad, diseminaba esa jerga.

UNIDAD 3

Guatemala

1 Nació (nacer), llegaron (llegar), importó (importar), funcionó (funcionar), decidió (decidir), se vendieron (venderse), aromatizó (aromatizar), alentó (alentar), instaló (instalar), constituyó (constituir), comenzó (comenzar).

-ar: llegar, importar, funcionar, aromatizar, alentar, instalar, comenzar. –er: nacer, venderse. –ir: decidir, constituir*.

2 Constituir: constituí, constituiste, constituyó, constituimos, constituisteis, constituyeron.

3 a. V; b. V; c. V; d. F; e. V

6 a. 4; b. 5; c. 6; d. 7; e. 1; f. 2; g. 3

Venezuela

1 Tuvieron (tener), se impusieron (imponerse), hicieron (hacer), siguió (seguir), tradujeron (traducir), incluyeron (incluir), se dio (darse), hubo (haber), convirtió (convertir), vino (venir), se produjo (producirse), estuvieron (estar), durmieron (dormir), anduvieron (andar), se dijeron (decirse), advirtieron (advertir), supieron (saber), fue (ser), pudieron (poder), trajo (traer), quisieron (querer), puso (poner), fue (ir).

2 a. F; b. V; c. F; d. V; e. V; f. F

3 Verbos que toman una –UV: tener: tuv-; estar: estuv-; andar: anduv-. Verbos que toman una –U: poder: pud-; poner: pus-; saber: sup-; haber: hub-. Verbos que toman una –J: decir: dij-; traer: traj-; todos los verbos terminados en -ducir: duj-. Verbos que en el radical toman una –I: hacer: hic-; venir: vin-; querer: quis-.

5 Ejemplos: Advertir (verbo de diptongo): advertí, advertiste, advirtió, advertimos, advertiste, advirtieron. Seguir (verbo de radical débil): seguí, seguiste, siguió, seguimos, seguiste, siguieron. Dormir (verbo de diptongo): dormí, dormiste, durmió, dormimos, dormiste, durmieron.

6 Los verbos terminados en –uir reemplazan la «i» por una «y» en la tercera persona del singular y del plural.

Paraguay

2 Jopara es la mezcla del guaraní con el español. Este término designa también a la vez un plato a base de maíz y porotos y la forma de plantar dichos granos.

3 En primer lugar, porque los dialectos han conservado vocablos que el guaraní paraguayo ha suplantado por hispanismos y, en segundo lugar, porque la riqueza de la morfología y sintaxis arcaicas contrasta con las simplificaciones de la lengua mestiza.

4 Su obra se construye a partir de lo que propone en el prólogo: un explícito intento «de contribuir a elevar el jopara a nivel literario y, al mismo tiempo, un tímido aporte para la comprensión del bilingüismo paraguayo».

5 Piensa que es un guaraní mal hablado, un sinónimo de la mediocridad paraguaya y la fiel demostración de una pereza lingüística y mental.

7 ¡Vete a trabajar a Asunción, hija mía! Yo me voy a quedar en la chacra. Mientras tenga salud, voy a atender a tu criatura, dame nomás de vez en cuando un poco de dinero. La cosecha de algodón y de soja se ha acabado... realmente no hay porvenir. Si te quedas aquí te va a preñar nuevamente ese bandido.

—No quiero ir, mamita, yo estoy contenta aquí. Solo voy a llorar al dejar mi pueblo.

—¡Paciencia! Tienes que irte, el campo no vale, todas tus primas están en la ciudad, trabajan bien.

10
En la grabación se dice que: c. El español del siglo XIII es una modalidad similar al spanglish actual.
Según la grabación, el spanglish: c. Es una lengua despreciada por los intelectuales.
En la grabación se afirma que Ilán Stavans: b. Piensa escribir un libro sobre los diccionarios.

Bolivia

2 a. para (F); b. por (F); c. por (V); d. por (F); e. Para (F); f. Por (V); g. por (F); h. para (F); i. Para (F); j. por (V); k. para (F); l. para / por (F)

6 «Para mí» significa «en mi opinión» y «por mí» significa que algo me tiene sin cuidado, que no me importa.

De ida y vuelta

1

ADJETIVOS POSESIVOS		PRONOMBRES POSESIVOS	
SINGULAR	PLURAL	SINGULAR	PLURAL
mi	mis	mío/a	míos/as
tu	tus	tuyo/a	tuyos/as
su	sus	suyo/a	suyos/as
nuestro/a	nuestros/as	nuestro/a	nuestros/as
vuestro/a	vuestros/as	vuestro/a	vuestros/as
su	sus	suyo/a	suyos/as

4 1. D; 2. E; 3. A; 4. B; 5. C

SUPLEMENTO
Puerto Rico
Lengua

1 El término «neorriqueño» es una contracción de Nueva York y puertorriqueño.

2

1. Muchos intelectuales de la isla consideran que aquellos textos no pueden formar parte de la literatura puertorriqueña. Incluir dentro de ese corpus una literatura escrita en inglés significa claudicar, ignorar la lucha que Puerto Rico ha librado para mantener el español como lengua oficial frente al inglés.

2. Algunos intelectuales «neorriqueños» –puertorriqueños nacidos o radicados en Estados Unidos– afirman que el ir y venir entre dos culturas e idiomas diferentes vuelve a esa producción literaria única y difícilmente encasillable.

3. Otros intelectuales de la isla y «neorriqueños» sostienen que tanto los textos escritos en español como en inglés o spanglish integran la literatura puertorriqueña, dado que una nación se define más por su historia que por la lengua. La historia de Puerto Rico no puede comprenderse sin su estrecha relación con los Estados Unidos.

UNIDAD 4

Honduras

2 a. huyeron; b. ha mejorado; c. entrevió; d. surgieron/ se ha hecho.

3 a. Hánuman; b. Mulukú; c. Ozomatli; d. Thot; e. Sun Wukong; f. Los Tres Monos Sabios.

4 a. hinduismo; b. cristianismo; c. judaísmo; d. islam; e. sintoísmo; f. taoísmo; g. ateísmo.

El Salvador

2 En 2008, el gobierno se negó a otorgarle los permisos de explotación minera ante la presión de los pobladores, que temían la contaminación del río Lempa y de sus tierras, de ecologistas, de organizaciones civiles e incluso del clero. Los obispos católicos publicaron una declaración donde advertían que ninguna ventaja material superaba el valor de una vida humana.

3 Pacific Rim inició entonces un juicio contra El Salvador en el Centro Internacional de Arreglo de Diferencias Relativas a Inversiones (CIADI) del Banco Mundial. La empresa alegó que el país había violado el tratado de libre comercio que existe entre la República Dominicana, Centroamérica y los Estados Unidos y la ley salvadoreña de inversiones. Como Canadá no forma parte de ese tratado, Pacific Rim presentó la demanda a través de su empresa subsidiaria Pacific Rim Cayman LLC, radicada en Nevada, Estados Unidos.

6 a. hicieron, seguían, destruían; b. anuló, pretendía; c. organizó, se opuso, quería; d. rechazó, quedó.

7 Minerales: oro, plata. Medioambiente: tierra, flora, fauna, capa freática, bosques, ríos, agua, pesca. Productos

tóxicos: cianuro, zinc, mercurio, dióxido de azufre.

Colombia

2 ocurrió, dispararon, había concedido, se dio, provocó, lincharon, arrastraron, pudo, se había armado, entregaron, Surgieron, creyó, giraron, dispararon, Murieron, reaccionaron, se expandió.

4
1. 1. nació; 2. Realizó; 3. obtuvo; 4. Viajó; 5. se especializó; 6. mereció; 7. Fue; 8. ocupó; 9. municipalizó; 10. gozaron; 11. prohibió; 12. uniformó; 13. bloquearon; 14. emprendió; 15. implantó; 16. creó, 17. abrió, 18. surgieron.
2. 1. vino; 2. Aprendió; 3. se trasladó; 4. comenzó; 5. Estuvo de; 6. Regresó; 7. conoció; 8. partió; 9. Organizó; 10. descubrieron; 11. condenaron; 12. marchó; 13. ordenaron; 14. pidió; 15. se arrodilló; 16. Murió.

Panamá

2 Existen dos Panamá: una es la de los restaurantes internacionales de pescado crudo y vinos costosos, la de la capital en fiebre de rascacielos y fiestas con nombres en inglés, la de los muchachos y muchachas que estudian en colegios bilingües; la otra es la de los restaurantes de la clase trabajadora, la de la competencia de cantadores de décimas con acompañamiento de guitarras y bebidas alcohólicas puramente panameñas, la de los pobres estudiantes que aspiran a ser peluqueros o conductores del nuevo metro.

3 Porque el país corre el peligro de convertirse en una especie de zona franca, donde hacer negocios resulta una maravilla para inversionistas locales y foráneos y vivir un infierno para los que habitan la periferia, como ocurre en Dubai, Singapur, Cancún o Wall Street.

4 La independencia cultural, política y económica. La independencia contra los modelos ajenos e impuestos.

7 debajo: lugar; peor: modo; regular: modo; mañana: tiempo; enseguida: tiempo; casi: cantidad; mejor: modo; anoche: tiempo; demasiado: cantidad; ya: tiempo; delante: lugar; anteayer: tiempo; tampoco: exclusión; ciertamente: modo; acaso: duda

SUPLEMENTO
Ecuador
Cultura

2 1. macho; 2. marihuana; 3. muchacho; 4. se burla; 5. humana; 6. maldita; 7. chiquillo; 8. vicio; 9. mi hijo.

Sociedad

3 -Te he amado como nadie. ¿Sabes tú? Por ti me he hecho marinero y he viajado por otras tierras… Por ti he estado a punto de ser criminal y hasta he abandonado a mi pobre vieja: por ti que me has engañado y te has burlado de mí… Pero me he vengado: todo lo que te pasó ya lo sabía yo desde antes. ¡Por eso te dejé ir con ese borracho que hoy te alimenta con golpes a ti y a tus hijos!

UNIDAD 5

Chile

1 Perderá.

2 A mediados de los años 60, en Filadelfia (Estados Unidos), el *bombing* sienta los antecedentes del grafiti. Estos primeros artistas se dedicaban a bombardear, de ahí el término *bombing*, las paredes de la ciudad con su nombre o apodo a fin de llamar la atención de la prensa y la comunidad. Este movimiento se extendió a Nueva York y «Taki 183» se convirtió en uno de los grafiteros más conocidos. Se trataba de un chico de origen griego llamado Demetrios (su diminutivo «Taki» era una abreviación de Demetraki, un nombre alternativo de Demetrios), que vivía en el número 183 de Washington Heights y ponía su firma en forma de garabato en los vagones del metro. A principios de los 70 surgió el grafiti *hip hop*. Consistía en rayados hechos con pinturas en aerosol, altamente codificados y complejos, que resultaban indescifrables para quienes no manejaban sus códigos.

3 En el clima revolucionario de los años 60 apareció en Chile el primer mural de propaganda política. Durante la campaña previa a las elecciones de 1963, el equipo del candidato Salvador Allende tuvo que idear fórmulas propagandísticas distintas y de bajo costo para poder competir con los cuantiosos medios financieros de Eduardo Frei, el candidato contrincante, y su grupo de especialistas de la comunicación.

4 Entre 1970 y 1973, años en que gobernó la Unidad Popular, brigadas de pintores, pobladores, estudiantes, obreros y personas comprometidas con el nuevo proceso social transformaron este muralismo de propaganda política en un medio de expresión popular y de práctica artística.

7 pintarán, se dividirán, estará, aportarán, habrá, reflejarán, hará, postulará.

8 a. *hip hop*, b. *postgrafiti*, c. muralismo social.

Nicaragua

2

Sectores	Productos	Ventajas que ofrece el país
Textil		incentivos fiscales.
Electrónico	arneses eléctricos, componentes e instrumentos automotrices.	mano de obra altamente cualificada.
Agroindustria	caña de azúcar, carne, maní, tabaco, camarones, flores, frutas, vegetales, hortalizas, madera, forestales.	las tierras más fértiles de Centroamérica.
Terciario	centros de servicios.	costos altamente competitivos, profesionales bilingües, personal técnico.

3 **Regulares:** invertiría, procesaría, sería, duplicaría. **Irregulares:** podría, tendría, habría.

6 a. eólica; b. de gas; c. hidráulica; d. de petróleo; e. solar. **Otras:** De biomasa, geotérmica, gravitacional, nuclear, mareomotriz.

República Dominicana

1 Empezaría y estaría. El condicional expresa probabilidad.

2 a. F; b. V; c. F; d. F; e. V

7 es, varía, terminó, sería, añadió, relata, se enfrentan, se ve, ha desafiado, custodiará.

Venezuela

2 a. dijo, era, llegaba, se escondía. b. **Vivimos, anuncian, quitarán, dejarán, transformarán.** c. **tendría,** podría, soportaría.

4 a. Kenzo Takada; b. Yves Saint-Laurent; c. Cristóbal Balenciaga; d. Valentino Garavani; e. Coco Chanel; f. Carolina Herrera.

De ida y vuelta

2 1. (1) nadie; 2. (2) ninguno (3) todos (4) unos (5) varios (6) otros; 3. (7) Muchos (8) cualquiera; 4. (9) Alguien; 5. (10) algunos.

Evento histórico

1 1. Las primeras incursiones españolas en el Sahara Occidental. 2. El descubrimiento de América. 3. La controversia de Valladolid. 4. La pérdida de las últimas colonias españolas en América (Puerto Rico y Cuba). 5. La transición democrática española.

3 Se inició, provocó, surgieron, había perdido, pretendía, empezaron, se liberó, se separó, quedaron, marcaron, fue, constituiría, pondría.

4
El desastre de Annual: 1. F; **2.** V; **3.** V; **4.** F; **5.** F. **La Marcha Verde: 1.** V; **2.** V; **3.** F; **4.** F; **5.** V.

SUPLEMENTO
México
Sociedad

Black Power: Tomie Smith y John Carlos

Invasión Bahía de Cochinos (Cuba) y crisis de los misiles: Fidel Castro y John F. Kennedy

Mayo del 68: Charles de Gaulle y Daniel Cohn-Bendit

Invasión soviética a Checoslovaquia: Alexander Dubcek y Leonidas Brézhnev

Viaje a la Luna: Neil Amstrong y Edwin Aldrin

Matanza de Tlatelolco: Luis Echeverría Álvarez y Gustavo Díaz Ordaz

Concierto de Woodstock: Jimi Hendrix y Carlos Santana.

Economía

1 **a.** jilote; **b.** elote; **c.** olote; **d.** palomitas de maíz.

Lengua

1 De izquierda a derecha: Quico, doña Florinda, el Chavo del Ocho, el profesor Jirafales, la Chilindrina, La bruja del 71 y don Ramón.

2
Quico: ¡Te voy a acusar con mi mamá!
Doña Florinda: Vámonos tesoro, ¡no te juntes con esa chusma!
El Chavo del Ocho: Fue sin querer queriendo.
El profesor Jirafales: He tenido estudiantes buenos, regulares, malos, pésimos...y Quico.
La Chilindrina: Chavo, ¿cierto que le dijiste a Quico que somos novios?
La Bruja del 71: ¿Cuantas veces tengo que decirte que no soy ninguna bruja?
Don Ramón: ¿Cómo se te ocurre despertarme a las 10 de la madrugada?

UNIDAD 6

Perú

6 **a.** zampoña; **b.** quena; **c.** arpa; **d.** tinya; **e.** charango.

Cuba

2 Se llaman incunables los libros que se imprimieron con tipos móviles en la segunda mitad del siglo XV.

3 La expresión «incunable» resulta impropia si nos referimos a los libros impresos en América, pues la imprenta llegó al continente en el siglo XVI. Lo adecuado sería denominarlos «incunables americanos».

4 En los albores de la colonización se utilizaron los incunables para el estudio del latín, la retórica, la filosofía, la medicina y la teología, materias que formaban parte del plan de estudio de los primeros colegios y universidades del «nuevo mundo». Se volvieron además punto de apoyo cuando se redactaron gramáticas, diccionarios y sermonarios en lenguas indígenas. Los incunables se convirtieron en el puente que permitió a los criollos e indios americanos acceder a la cultura europea.

Ecuador

2 **a.** conllevó. **b.** desconoce / se ha desvinculado / han fundado / conozcan; **c.** sucedió / ha existido / ha tenido. **d.** mezclaron / hacen. **e.** obedecen / mejoren / se establezcan.

3 1. e; **2.** c; **3.** g; **4.** a; **5.** f; **6.** b; **7.** d

4 Atendamos, olvidemos, quiera, lleve, siga.

1. Se utiliza el subjuntivo después de expresiones impersonales como: es posible que, es necesario que, es normal que, es increíble que, es extraño que, es imprescindible que. Excepciones: es cierto que, es verdad que, es evidente que, es obvio que.

Cuando estas expresiones impersonales se construyen con el presente, el futuro o el pretérito perfecto se utiliza el subjuntivo presente.

2. Realidad / Eventualidad: Utilizamos el indicativo para referirnos a alguien o algo cuya identidad concreta conocemos. **El que quiere** (sabemos que alguien quiere) = Realidad. Usamos el subjuntivo cuando nos referimos a alguien o algo cuya existencia o identidad concreta desconocemos. **El que quiera (no sabemos si alguien quiere)** = Eventualidad.

3. Verbos que expresan voluntad: Los verbos que expresan voluntad (anhelar, ansiar, apetecer, buscar, conformarse con, conseguir, decidir, desear, elegir, esperar, intentar, lograr, procurar, querer, tolerar) exigen siempre el subjuntivo.

Colombia

2 **a.** ponerse; **b.** volverse; **c.** hacerse; **d.** llegar a ser; **e.** convertirse; **f.** quedarse.

7 **a.** Me pone; **b.** se han convertido en; **c.** se ha vuelto; **d.** Me quedé; **e.** se hacen.

8 **a.** enfermedad del sueño; **b.** paludismo; **c.** tuberculosis; **d.** fiebre amarilla.

De ida y vuelta

2 **a.** F; **b.** F; **c.** F; **d.** V; **e.** F

3 1. o, 2. así, 3. o bien, 4. ora / bien, 5. ora / bien, 6. bien/ora, 7. bien / ora, 8. o, 9. y, 10. e, 11. Aunque, 12. así y todo, 13. Ahora bien.

SUPLEMENTO
Paraguay
Cultura

 a. 5; **b.** 7; **c.** 2; **d.** 3; **e.** 8; **f.** 6; **g.** 1; **h.** 9; **i.** 4

Economía

1 Nuevo sol / Perú, Dólar estadounidense / Ecuador, Boliviano / Bolivia, Lempira / Honduras, Córdoba / Nicaragua, Bolívar / Venezuela, Quetzal / Guatemala.

Lengua

1
El japonés: Los japoneses, por ejemplo, empezaron a llegar al Paraguay después de 1924. La comunidad japonesa cuenta actualmente con unos cincuenta mil miembros, quienes en un alto porcentaje siguen hablando la lengua de sus ancestros.

El alemán: Otra importante inmigración fue la alemana; decenas de colonias se establecieron a lo largo y ancho del país. En total, en el Paraguay existen más de 160 000 hablantes de alemán y 19 000 del *plattdeutsch,* un dialecto germánico del norte de Alemania y los Países Bajos.

El portugués: Vigencia también tiene el portugués, traído por los brasileños durante la guerra de la Triple Alianza (1864-1870). Hoy en día, casi el 3 % de la población habla esa lengua.

2 El nombre de esta comunidad religiosa, descendiente directa del movimiento anabaptista del siglo XVI y contemporáneo de la Reforma Protestante, viene de Menno Simons, originalmente un sacerdote de la Iglesia católica que se convirtió al anabaptismo en 1536. Esta confesión protestante no admite el bautismo de los niños antes del uso de razón. Los primeros menonitas llegaron al Paraguay en 1926 tras haberse fugado de Rusia y Polonia y haber vivido una temporada en el Canadá. En la actualidad viven más de diez mil en el Chaco, de ascendencia rusa, ucraniana, polaca, alemana y canadiense.

4 a. F; b. V; c. V; d. V; e. F

UNIDAD 7

Venezuela

2 Las vanguardias arquitectónicas aspiraban a una mayor humanización de la metrópoli recuperando la relación perdida entre los espacios urbanos y la naturaleza, sin por ello negar el desarrollo tecnológico, como el uso del hormigón armado y la presencia del automóvil. Se trataba además de proponer un mundo ideal de belleza y poesía, donde las artes pasaban a formar parte esencial del entorno humano.

3 Porque adelantó soluciones técnicas a fin de contrarrestar las particulares condiciones ambientales del trópico. A su reinterpretación de las tradiciones arquitectónicas y urbanas coloniales se deben los corredores cubiertos, las celosías y parasoles que resguardan de los soles inclementes y de las lluvias torrenciales.

4 Se tomó la decisión de construirla en 1942. El acelerado aumento de la población estudiantil, dada la creciente migración del campo a la capital y la demanda de nuevas áreas del conocimiento, hicieron necesaria su creación en los amplios terrenos de la antigua Hacienda Ibarra, residencia del Libertador Simón Bolívar. Esta nueva sede debía concentrar todas las dependencias universitarias en un mismo campus.

5 A uno de los mayores logros de integración conocidos en la historia contemporánea. Jóvenes artistas venezolanos y reconocidos creadores internacionales participaron en la experiencia de concebir obras que se integraban armoniosamente a las distintas edificaciones y espacios del campus universitario.

7 a. cree; b. conciba; c. experimenten; d. cobre; e. se lleve a cabo.

10 Museo Guggenheim de Bilbao / Frank Gehry (canado-estadounidense). Pabellón de Venezuela Expo 200 / José Fructoso Vivas -Fruto Vivas- (venezolano). Ópera de Sydney / Jørn Oberg Utzon (danés). Torres Petronas de Malasia / César Pelli (argentino). Catedral de Brasilia / Oscar Niemeyer (brasileño). Pirámide del Louvre / Ieoh Ming Pei (chino-estadounidense).

Bolivia

2 Se denomina «bolivianita» a una piedra bicolor semipreciosa de la familia del cuarzo, resultado de la fusión natural de la amatista y del citrino. En un primer momento recibió el nombre de «ametrino» porque fusiona el cuarzo amatista y el cuarzo citrino en un mismo cristal. Posteriormente, el gemólogo Roberto Meyer la rebautizó la «bolivianita» porque estaba convencido de que no se la podía encontrar en ninguna otra parte del mundo y con el fin de mejorar su cotización en el mercado.

3 En el oriente boliviano vivía una princesa indígena de la tribu ayorea llamada Anahí. Un día llegó a la región el conquistador español don Felipe de Urriola y Goitia y se enamoraron. El padre de la princesa autorizó las nupcias y entregó como dote a don Felipe una gruta natural tapizada de cristales bicolores, que este desdeñó, pues nada, a excepción del oro y la plata, despertaba su interés. Poco tiempo después, la princesa decidió acompañar a su esposo en su viaje de regreso a España, pese a la tristeza que le causaba separarse de los suyos. Estos, creyendo haber sido traicionados, la sacrificaron y depositaron su cuerpo al pie de la montaña donde se encontraba la gruta de cristales. Antes de morir, Anahí se desprendió del talismán que siempre llevaba consigo y lo colocó en una de las manos de su bien amado esposo. Don Felipe lo apretó en el puño, que solo abrió cuando la princesa había fallecido.

4 Porque se cree que simboliza el corazón de Anahí, desgarrado entre el amor que la unía a su pueblo y el que sentía por don Felipe.

5 En un principio, la compañía Minerales y Metales de Oriente se dedicaba exclusivamente a la provisión de esta piedra semipreciosa en los mercados nacionales e internacionales. A partir de 2003, con la idea de darle valor agregado a la materia prima, comenzaron de manera experimental a producir joyas.

6 Minerales y Metales de Oriente es la única compañía en el mundo que tiene una mina de gemas y asimismo corta, pule, diseña y produce joyas para la venta directa.

7 1. anillo; 2. proveedores; 3. sector; 4. clientes; 5. distribuidor; 6. ingresos; 7. inversión; 8. redes de contacto; 9. capital; 10. bisutería; 11. beneficios; 12. gemas; 13. al menudeo; 14. al por mayor; 15. cobro; 16. crédito; 17. vitrina; 18. alarma; 19. caja fuerte.

8 Los verbos que expresan necesidad (convenir, hacer falta, resultar, necesitar, ser necesario, ser innecesario) exigen siempre el subjuntivo.

9

Finalidad

a. La finalidad exige el subjuntivo en la subordinada siempre que el sujeto de la principal y el de la subordinada sean diferentes.

… se requiere una (tecnología bastante avanzada) **para que** (el litio) **se convierta** en metálico. Sujetos diferentes.

El litio requiere una tecnología bastante avanzada **para** convertirse en metálico.

Exclusión

b. En oraciones excluyentes introducidas por *sin que*, *en lugar de que* y *en vez de que* se usa subjuntivo siempre que el sujeto de los dos verbos sea distinto. Se usa el infinitivo cuando el sujeto es el mismo.

… no se logrará (ningún acuerdo) **sin que** (Bolivia) **se quede** con el 60 % de los beneficios de los proyectos. Sujetos diferentes.

Bolivia ha conseguido quedarse con el 60 % de los beneficios de los proyectos **sin** haber firmado ningún acuerdo.

México

2 Juan Rulfo fue uno de los padres de lo que más tarde se conoció como «el realismo mágico». Nació el 16 de mayo de 1917 y murió el 7 de enero de 1986. Descubrió la literatura en la biblioteca de un cura en el pueblo donde vivió de niño. Su padre murió en 1923 y su madre, en 1927. Estudió en un internado de Guadalajara. Asistió como oyente a los cursos de Historia del Arte en la Facultad de Filosofía y Letras de la Universidad Nacional. En 1942 publicó sus primeros trabajos en una revista llamada *PAN*, cuyo peculiar sistema consistía en que el autor pagaba por publicar sus escritos. Más tarde colaboró en *América*, revista que no cobraba por publicar. En 1948 se casó con Clara Aparicio. En 1952 obtuvo una beca de la Fundación Rockefeller. Gracias a esa beca y con el generoso apoyo de Margaret Shedd, directora del Centro Mexicano de Escritores, logró dar forma y publicar el libro de cuentos titulado *El Llano en llamas*. La recopilación constaba de 15 cuentos en la primera versión (1953), posteriormente Rulfo publicó dos más que fueron incluidos en la versión definitiva (1970). Su segundo libro, *Pedro Páramo* (1955), es una novela de difícil lectura, por cuanto Rulfo rompe con el tiempo y el espacio, y los muertos –los personajes– desaparecen y vuelven a aparecer.

5 1. g; 2. b; 3. d; 4. e; 5. c; 6. h; 7. a; 8. f

6 salgan, espanta, me siente, me ponga, salga, apalcuache, perjudique, manda, saca, compre, cuenta, perdone, perdone, me preocupe, haya, hay, hagan, se mueve, salgan, me duerma, mande, lleven, están.

Nicaragua

2 Una familia que, de padre a hijo, gobernó y explotó Nicaragua hasta 1979.

3 A principios de los 60, Carlos Fonseca, Tomás Borge y Silvio Mayorga, entre otros, crearon El Frente Sandinista de Liberación Nacional, un movimiento que seguía la línea del líder Augusto César Sandino (del que tomó el nombre). Este había sostenido una guerra de guerrillas contra la intervención estadounidense en Nicaragua a lo largo de las primeras décadas del siglo XX.

4 En un primer momento, el FSLN no gozó del apoyo popular; apenas algunos grupos de estudiantes universitarios y obreros adherían a su causa. Dos de sus fundadores, Mayorga y Fonseca, murieron en combate en 1967 y 1976 respectivamente. Hubo que esperar la década del 70 y el rechazo creciente hacia el dictador y las primeras acciones espectaculares que llevó a cabo la guerrilla para ver una mayor adhesión al movimiento. Edén Pastora, conocido como el Comandante Cero, tomó el Congreso en 1978 y logró la liberación de una buena cantidad de presos sandinistas a cambio de rehenes somocistas, dinero y salvoconductos.

5 En junio del 79 se dio la ofensiva final, las ciudades cayeron una a una en manos de los insurrectos después de intensos combates. El bombardeo al que la Guardia Nacional sometió a la población civil provocó el repudio internacional. Somoza huyó del país. Primero viajó a Miami, y el presidente estadounidense Jimmy Carter lo declaró persona non grata, luego se dirigió a Panamá y finalmente se instaló en Asunción, aceptando la acogida de su amigo, el dictador paraguayo Alfredo Stroessner. Un comando de guerrilleros argentinos, algunos de los cuales habían luchado en una columna de combatientes internacionalistas en Nicaragua, se infiltró en el país y planificó su asesinato. El 17 de septiembre de 1980 volaron con un bazucazo el Mercedes Benz en el que viajaba, dando así fin a la dinastía de los Somoza en Nicaragua.

De ida y vuelta

5 c. El festival de San Sebastián. d. Son galardones otorgados anualmente por la Academia de las Artes y las Ciencias Cinematográficas de España, con la finalidad de premiar a los mejores profesionales en cada una de las distintas especialidades del sector. El premio consiste en un busto del renombrado pintor Francisco de Goya realizado en bronce. La ceremonia de entrega se lleva a cabo en Madrid. e. Todas han ganado el Óscar a la mejor película extranjera.

SUPLEMENTO
Panamá
Sociedad

1 1. baloncesto, porque los jugadores no utilizan un instrumento para lanzar la pelota. 2. fútbol, porque no se requiere de una raqueta. 3. natación, porque no se juega con una red. 4. equitación, porque montamos en un animal. 5. ajedrez, porque no es un deporte de combate.

2 1. c; 2. a; 3. e; 4. d; 5. b

Lengua

1 Era el negro arrancado de su África natal y llevado a América sin conocer nada de la lengua del colono esclavista. Por extensión, se denominó «habla bozal» al español chapurreado que aquellos africanos de distintas procedencias étnicas utilizaban para comunicarse con los capataces -negros o mulatos libres- o entre sí.

2 Este juego, que actualmente se realiza durante la época de Carnaval, tiene un componente histórico (se representan los momentos de mayor importancia del periodo de la esclavitud), un componente hispánico (canciones en lengua española y hasta cierto punto el baile que las acompaña) y un componente africano (tambores y disfraces). Uno de los aspectos más interesantes de la ceremonia de los congos es el empleo de un lenguaje ritualizado, el «hablar en congo», que, según los propios practicantes, consiste en hablar «como los negros bozales» y a la vez hablar el castellano «al revés», es decir, invirtiendo el sentido de las palabras.

4 a. ¿Y tú qué haces ahí parado? b. Rápido anuncia ahí que ha llegado el contrabandista. c. Parece que es cariñosa. d. ¿Qué quieres? e. Corre que se muere el extranjero.

5 Está muerto.

UNIDAD 8

Puerto Rico

2 a. F; b. V; c. F; d. V; e. V

4 a. Se trata de una acción realizada (realidad). b. Se trata de una acción no realizada (eventualidad).

5

a. **Tan pronto como** llegue a San Juan, tomaré un auto hasta Cataño porque en ese pueblo se encuentra la fábrica más grande del mundo de ron Bacardí.
b. **En cuanto** sepa dónde está el bosque tropical de El Yunque, uno de los 28 lugares finalistas en la competencia Las Nuevas 7 Maravillas Naturales del Mundo, me dirigiré hacia allá.
c. Caminaré por las calles del viejo San Juan **hasta que** me canse.
d. **No bien** me dé cuenta de que el episodio de *Expediente X (The X-Files)* titulado «Pequeños hombres verdes» trascurre en el Observatorio de Arecibo, me volverá la emoción que sentí a los 11 cuando mis padres me llevaron a verlo y me explicaron que era el radiotelescopio más grande del planeta.
e. **Cada vez que** esté en Ciudad de Ponce, no dejaré de visitar la tumba de Héctor Lavoe, «El cantante de los cantantes», uno de los grandes «soneros» de la salsa.

6 Benicio del Toro. Puertorriqueño. Principales películas donde ha actuado: *Sospechosos habituales*, *Tráfico*, *21 gramos*, *Che, el argentino*, *El hombre lobo*, *Los tres chiflados*...

7 a. 3; b. 2; c. 1

Argentina

2 Es un turismo dedicado a potenciar y gestionar la riqueza vitivinícola de una determinada zona. Los visitantes la conocen a través de la degustación de sus vinos y la visita a bodegas y viñedos.

3 Por la particular orografía, la composición de los suelos y sus condiciones climáticas. La región posee un fino suelo rocoso y arenoso que irrigan los deshielos de agua pura y cristalina de la cordillera de los Andes. Abundan además los días de sol y existe una gran amplitud térmica entre el día y la noche. Factores todos que favorecen la buena maduración y la concentración de aromas y color en los granos.

4 Debemos remontarnos a octubre de 1987, cuando la Bodega Etchart –instalada desde 1975 en la provincia de Mendoza– realizó la primera visita guiada que incluyó el recorrido de sus instalaciones y viñedos y la degustación de sus vinos.

5 Además del recorrido por las instalaciones y la degustación de vinos, las empresas ofrecen otras actividades a los turistas: cabalgatas, golf, cursos con certificación oficial, visitas técnicas junto a enólogos e ingenieros agrónomos, paseos por encima de los viñedos a bordo de globos aerostáticos…

6 Bodegas de Argentina, una cámara empresarial que agrupa 226 de las principales bodegas de todo el país, se creó en 2001 como resultado de la fusión del Centro de Bodegueros de Mendoza (fundado en 1935) y la Asociación Vitivinícola Argentina (fundada en 2004). Las empresas asociadas fueron pioneras en el cambio tecnológico que se produjo en la década del 90 y las que inicialmente trabajaron en la apertura de los mercados internacionales y en el desarrollo del turismo enológico. Se fusionaron para asentar las bases de una entidad con mayor representatividad nacional. Actualmente Bodegas de Argentina es la Unidad Ejecutora de Turismo del vino de la Corporación Vitivinícola Argentina (COVIAR).

7 Siempre se utiliza el subjuntivo después de la conjunción subordinante de consecuencia «de ahí que».

11 a. por eso; b. para que. Se utiliza el subjuntivo cuando «de manera que» expresa la finalidad.

Costa Rica

2 En un primer momento, durante la época postindependentista, se trata de una migración esporádica. Habrá que esperar hasta finales del siglo XIX para que se produzca un flujo migratorio masivo. Entre los años 1887 y 1888 llegan al país más de un millar y medio de trabajadores procedentes de Mantua (región de Lombardía).

3 El norte italiano vivía una crisis agraria porque la entrada en el mercado del trigo estadounidense había generado la caída de los precios y la consecuente desocupación de las zonas dedicadas al cultivo de cereales. Este contexto provoca no solo el aumento de la emigración, sino también el estallido de numerosas revueltas sociales.

4 Los agricultores que Minor C. Keith contrató para la construcción de la lí-

nea ferroviaria costarricense procedían de la provincia lombarda donde se dio un movimiento campesino de enorme repercusión. Tras el procesamiento penal de los implicados, el gobierno reconoció el derecho a la asociación sindical y la huelga por motivos salariales.

5 Campamentos malsanos, carencia de asistencia médica y de medicinas e impago del último mes de salario.

6 El asunto trasciende hasta las más altas esferas políticas italianas y el Parlamento envía el 14 de marzo de 1889 un vapor a Costa Rica con la misión de regresar a su tierra natal a los trabajadores que lo deseen. ¡Demasiado tarde! Tres días antes ya han partido rumbo a Limón alrededor de ochocientos italianos decididos a ser repatriados. Gracias al dinero ahorrado y donativos de personas filantrópicas logran embarcarse en un vapor francés que ha fondeado en el puerto. Los inmigrantes que no partieron impulsaron la formación de una vigorosa comunidad italiana costarricense.

7 Expresa la imposibilidad de conseguir algo, aunque se haga todo lo posible para su logro.

8 a. Se trata de una acción realizada (realidad). b. Se trata de una acción no realizada (eventualidad).

Uruguay

6 1. salvo que obtenga. 2. siempre que se vacune. 3. a menos que hagan. 4. Como no lleven. 5. Si no establecen.

De ida y vuelta

4 Desde épocas remotas se sabe que quien está de mal humor con su pareja no debe conducir, porque lo más probable es que se dé un golpe contra un muro.

5 a. 5; b. 4; c. 6; d. 1; e. 3; f. 2

SUPLEMENTO
Colombia
Economía

1 Una mezcla de restaurante, bar y bailadero muy excéntrico.

2 La personalidad de Andrés Jaramillo, su impresionante capacidad de trabajo, el deseo por hacer del restaurante una experiencia única para sus clientes, haber logrado que cada rincón, cada centímetro del local esté cargado de sentido, con los objetos más variopintos, muchas veces recogidos en la calle; en un ambiente musical que pasa sin problema del vallenato a la salsa con un intermedio de música electrónica. Pare-

ce un mercado de las pulgas o una cueva de Alí Babá repleta de cofres abiertos, donde además se ha cambiado su uso tradicional a las cosas. Pese a que existen varias pistas de baile muy buenas, de baldosa lisa, lo común es que la gente retire a un lado vasos y botellas y se suba en la mesa a bailar.

UNIDAD 9

Paraguay

1 Escucha, gustad.

2 Corta, Cuece, Deja, Bate, Agrega, Añade, Incorpora, Mezcla, Coloca, Lleva, Sirve.

4 Preparad un jugo de cítricos con agua muy fría. Incorporad las hierbas refrescantes naturales. Poned el jugo en el termo. Añadid los cubos de hielo. Colocad la yerba mate en la guampa. Comenzad a verter el líquido poco a poco. Sorbed con la bombilla. Repetid la operación hasta que se acabe el jugo.

Panamá

2 Estipulaban que el Canal sería devuelto en propiedad plena e incondicionalmente a Panamá a partir del 31 de diciembre de 1999.

3 Durante los ochenta y cinco años de gestión estadounidense, las arcas panameñas solo percibieron 1878 millones de balboas (1915 millones de dólares), una suma casi idéntica a la recaudada en los primeros seis años de soberanía exclusivamente panameña.

4 La buena reputación del manejo del Canal no es resultado del azar, sino más bien la conclusión lógica de varias acciones racionales y sensatas que tomaron los panameños hace ya varias décadas. Primero, la concertación de los Tratados Torrijos-Carter que pusieron una fecha definitiva a la presencia norteamericana en Panamá y a su control de la vía interoceánica. Segundo, un periodo de transición de veinte años, de 1979 a 1999, pactado en dicho convenio, a lo largo del cual habría una presencia creciente de Panamá en su administración y decreciente de Estados Unidos. Tercero, un acuerdo entre todas las fuerzas políticas y sociales de Panamá para elevar el asunto del Canal por encima de los intereses partidistas, tanto constitucional como legalmente, mediante un marco jurídico que ha funcionado perfectamente y permitido el funcionamiento de la vía interoceánica sin interferencias políticas y al margen de la corrupción pública, con la colaboración de los usuarios, las grandes empresas navieras y las organizaciones internacionales especializadas en asuntos marítimos. Cuarto, la existencia de un equipo de trabajo altamente profesional, cohesionado, formado y con experiencia, bajo la autoridad de un administrador y una junta directiva que representa acertadamente diversos sectores políticos y profesionales. Quinto, la conciencia de participar de una responsabilidad histórica y de que la Autoridad del Canal de Panamá, la principal empresa pública, constituye la mayor esperanza del futuro, pues se ha convertido en paradigma de una administración que utiliza impecablemente los recursos del Estado.

5 En el siglo XVI Carlos V ordenó los primeros estudios topográficos para la construcción de un canal en el istmo panameño. El proyecto permitiría a los barcos cruzar de un océano al otro, sin tener que dar la vuelta por el cabo de Hornos. Tras el levantamiento de los planos, resultó evidente la inviabilidad del proyecto. El primer intento realmente importante lo condujo el francés Ferdinand de Lesseps a la cabeza de la Compañía Universal del Canal Interoceánico de Panamá. Sin embargo, una pésima gestión financiera, cálculos erróneos y enfermedades tropicales (malaria y fiebre amarilla), que causaron cerca de veinte mil víctimas entre los trabajadores, provocaron la liquidación de la compañía.

6 Durante la Primera Guerra Mundial, el Canal reforzó la potencia comercial y naval de Estados Unidos y, durante la Guerra Fría, se convirtió en base de intervención: la Escuela de las Américas se creó 1948 con el objetivo de adiestrar a los militares latinoamericanos contra la insurgencia.

7 Torrijos: salga. **Carter:** Dígame. **Torrijos:** Venga / Vaya. **Carter:** Hágame / acepte. **Torrijos:** Dese / reconozca.

8 Omar: sal / te lo reconocerá. **Jimmy:** Dime. **Omar:** Ven / descubrirás / Ve / te asombrará. **Jimmy:** Hazme / acepta / te restituimos. **Omar:** Date / tu pedido / reconoce. Jimmy: Ø. Torrijos: tus / tu

Guatemala

2 El consumo de agua no potable provoca cada año más víctimas mortales en todo el mundo que cualquier tipo de violencia, incluida la guerra. La ONU y la Cruz Roja estiman que en el mundo hay 884 millones de personas sin acceso al agua potable, un bien

fundamental que repercute en la sanidad, la seguridad y la calidad de vida, especialmente de menores y mujeres. Las enfermedades que se propagan a través del agua causan anualmente la muerte de alrededor de 1,5 millones de niños o, lo que es lo mismo, cada 15 segundos muere un niño a causa de una enfermedad provocada por la falta de acceso a agua apta para el consumo, el saneamiento deficiente o la falta de higiene.

Se calcula que 2500 millones de personas viven sin un sistema adecuado de saneamiento. Todos los días se vierten dos millones de toneladas de aguas residuales y otros efluentes sin control alguno.

La tercera causa de mortalidad infantil en Guatemala son las enfermedades gastrointestinales, debidas en buena parte al consumo de agua contaminada (80 % de los ríos están contaminados). Situación de emergencia que se empeora cuando llegan las lluvias.

3 El llamado Ecofiltro es un sistema de purificación de agua inventado por el guatemalteco Fernando Mazariegos, que hoy se utiliza en 24 países de África, Asia, Centroamérica y América del Sur. Mazariegos descubrió, tras muchas pruebas y errores, que mezclando aserrín cernido, barro y arena de río formaba una pasta, que podía modelar en el torno, como cualquier artesanía. Se deja secar la maceta de textura porosa y luego hay que hornearla a 800 grados centígrados. Sirviéndose de una brocha, se cubre el recipiente interior y exteriormente de plata coloidal, un bactericida natural que no altera el sabor del agua.

4 Este filtro casero no debe exponerse al sol, pues la plata coloidal se oxida y pierde su función. Además se aconseja limpiarlo cada tres meses utilizando una esponja nueva y agua filtrada, evitar tocarlo con las manos porque se contamina, y cambiarlo una vez al año.

9

VERBO	TÚ	USTED	VOSOTROS	USTEDES
Enjabonarse	Enjabónate	Enjabónese	Enjabonaos	Enjabónense
Afeitarse	Aféitate	Aféitese	Afeitaos	Aféitense
Cepillarse	Cepíllate	Cepíllese	Cepillaos	Cepíllense
Ponerse	Ponte	Póngase	Poneos	Pónganse
Ducharse	Dúchate	Dúchese	Duchaos	Dúchense

10 b. Cargadlo. c. Lávenlos. d. Cepíllatelos / mantenla. e. Échelas.

11 a. Enséñeselo. b. Cómpramelo. c. Regaládmela. d. Entréguenselo. e. Prohíbeselo.

Chile

2 a. F; b. V; c. F; d. F; e. V

4 a. Guiemos y prestemos; b. Construyamos; c. Conduzcamos, evitemos; d. Recuperemos; e. LLevemos a cabo, Creemos, vivamos, hablemos; f. Tengamos; g. Reconozcamos; h. Sepamos; i. Hagámonos.

De ida y vuelta

4 a. Hablen; b. Hagan; c. Abran; d. Mantengan; e. Pongan.

5 b. La observe y la escuche; c. Le haga; d. Le dedique; e. Le exponga; f. La respete y le restituya; g. La motive; h. La aliente y la sustraiga.

UNIDAD 10

El Salvador

2 Porque El Salvador está ubicado en el llamado Cinturón de fuego del Pacífico, placas tectónicas en permanente fricción que provocan una intensa actividad sísmica y erupciones volcánicas.

3 En el siglo VII la aldea maya fue sepultada con 6 m de materiales ígneos de la erupción del volcán Laguna Caldera.

4 En 1976, un tractor que nivelaba un terreno para la colocación de silos que almacenarían granos básicos, en una hacienda propiedad de la familia Cerén, sacó a la luz los restos intactos de aquel poblado.

5 Porque permitía conocer el modo de vida de una comunidad maya del periodo Clásico prehispánico.

6 El profesor sostiene que todo el poblado se encontraba en una estructura religiosa participando de una ceremonia espiritual, cuando el volcán hizo erupción. Lo infiere porque las viviendas muestran haber sido cerradas desde el exterior y porque no se ha exhumado ninguna osamenta humana dentro de ellas ni en ningún lugar del poblado. En opinión del profesor, debió de producirse una evacuación de emergencia.

8 a. No escales; b. No recolectes; c. No hagas; d. No des; e. No enciendas.

10 a. Cierre, Coloque. b. No ponga. c. Limpie, tenga. d. Permanezca. e. Escuche, No difunda.

11 a. erupción; b. maremoto; c. inundación; d. terremoto; e. huracán; f. alud; g. incendio forestal.

Perú

2 A comienzos del siglo XX, José R. Lindley, su esposa e hijos, una familia de origen británico, llegaron a Lima y se establecieron en un terreno de 200 m², donde fundaron la fábrica Santa Rosa, dedicada a la elaboración y procesamiento de aguas gasificadas. En ese pequeño terreno iniciaron sus actividades en forma manual y con una producción promedio de una botella por minuto. Cuando la empresa familiar se transformó en Sociedad Anónima, se instalaron en un área de 1400 m² y renovaron sus equipos procesadores. Con motivo del Cuarto Centenario de Fundación de la Ciudad de Lima, en 1935, la empresa lanzó al mercado la bebida gasificada Inca Kola. En 1999, Coca-Cola adquirió el 51 % de las acciones de la Corporación Lindley, por un monto de trescientos millones de dólares. Como parte del acuerdo de compra, la empresa peruana obtuvo el derecho de embotellar Coca-Cola y las marcas afines (Fanta, Sprite, Crush…) en el Perú. La transnacional estadounidense consiguió, por su lado, la propiedad de la marca para su producción y comercialización fuera del país. En el momento de la transacción, la Corporación Lindley poseía cinco plantas de producción de Inca Kola en los Estados Unidos, algunas en América Latina y una en Tailandia, la marca estaba patentada en todos los países del mundo y se distribuía tanto a nivel nacional como internacional.

3 Se trata de una gaseosa de sabor dulce y color amarillo-dorado. Hacia 1972, Inca Kola ya se había impuesto en todo el territorio peruano. Inca Kola e Irn-Bru (una marca escocesa) comparten el logro de ser las dos únicas bebidas gaseosas que superan ampliamente en ventas a Coca-Cola, en sus respectivos países.

4 La clave del prolongado éxito de Inca Kola reside en una estrategia publicitaria que, desde el lanzamiento de la bebida, buscó crear una identificación entre el producto y los peruanos. Sus lemas lo muestran: «La bebida del sabor nacional», «Es nuestra, la bebida del Perú», «El sabor de lo nuestro», «El sabor del Perú», «Destapa el sabor del Perú», entre otros.

5 Tal alteración consonántica se debe a que la grafía de ciertos fonemas quechuas transcriptos al alfabeto latino era diferente en la época colonial. Inca, por ejemplo, se escribía «inka». Resulta interesante anotar que en la marca se haya escrito «inca» con la grafía actual y «kola» con la antigua. Dicha inversión logra que la palabra «kola» confiera a la moderna grafía de «inca» un carácter ancestral.

6 Desde 2006, Inca Kola promueve en su publicidad costumbres, tradiciones, comidas y otros elementos autóctonos de la cultura como una muestra de la creatividad e ingeniosidad de los peruanos.

8 a. No los pongas en la calle si cometen algún error. b. No la mires con desconfianza. c. No se la pidas para actuar. d. No les hagas saber que su opinión no cuenta. e. No las tomes en secreto. f. No se las delegues. g. No lo generes. h. No seas un espía y no se lo comuniques.

9 1. c; 2. c; 3. b; 4. b; 5. a

Honduras

2 La isla estaba habitada por una etnia de origen arahuaco que sufrió la invasión de los caribes, quienes exterminaron a los hombres a fin de apoderarse de sus mujeres. De la unión de estos dos pueblos surgieron los «caribes rojos».

3 En 1635, un barco negrero encalló en un arrecife y los esclavos africanos sobrevivientes encontraron refugio entre aquellos nativos. Muchos adoptaron su lengua -una lengua mixta, pues las mujeres enseñaban el arahuaco a sus hijas y los hombres el caribe a sus hijos-, sus costumbres y se integraron en la nueva sociedad.

4 La lengua garífuna se diferencia de la originaria caribe-arahuaca por la incorporación de la fonética africana y la aportación léxica europea (francesa, española e inglesa), además de su propia evolución interna. Conserva todavía la dicotomía lingüística-sexual: existen expresiones exclusivamente femeninas (arahuaco) y exclusivamente masculinas (caribe).

5 Ante la ausencia de una literatura escrita y una casi desaparecida tradición oral, la música se ha convertido en un elemento vigoroso y aglutinador que, como la lengua, les ha permitido preservar las señas de su identidad cultural.

6 El *punta rock* es una aceleración rítmica de la «punta» (una danza funeraria que festeja la sagrada eternidad del espíritu), con influencias del merengue dominicano y del *zouk* antillano, acompañada de una trepidante instrumentación tradicional (tambores, caracoles, maracas…) y guitarras eléctricas.

11 1. d; 2. c; 3. a; 4. b

Argentina

2 En 1976, los militares argentinos tomaron el poder e instauraron una de las dictaduras más sanguinarias de todas las que recorrieron América Latina en el siglo XX. El triunvirato de dictadores organizó la Copa del Mundo 1978, mientras en sus centros clandestinos de detención sus esbirros torturaban, asesinaban y hacían desaparecer a miles de personas. Hasta hoy se le reprocha a esa selección argentina su complicidad con la dictadura. Maradona escapó al juicio de la Historia porque el seleccionador no lo incluyó en la lista de los 22, pretextando su juventud.

Hacía solamente tres años que el país había vuelto a la democracia, cuando el equipo argentino con Maradona como capitán participó en la Copa Mundial de 1986, en México. La Guerra de las Malvinas, contienda que perdió Argentina contra el Reino Unido en junio de 1982, todavía estaba presente en el espíritu de los jugadores. El partido lo ganó Argentina 2 a 1, con goles de Maradona. Al primero hecho con la mano, el propio jugador lo llamó «la mano de Dios»; y al segundo se lo considera «el gol del siglo» porque el «pibe de oro», partiendo desde su propio campo, eludió a seis contrincantes ingleses, incluido el arquero, antes de enviar el balón al fondo de las redes.

3 Los argentinos tenían que ganarle al Perú con una diferencia de cuatro goles, algo que parecía imposible, vista la excelencia de la que habían hecho gala los jugadores peruanos durante el torneo. Argentina se impuso con 6 goles a 0, y este triunfo «desmedido» se atribuyó a que la Junta militar había sobornado a los jugadores peruanos para garantizar el acceso del equipo albiceleste a la gran final.

4 El conflicto armado no se produjo tanto por la soberanía de las islas, como por la situación coyuntural de ambos países. El triunfo contra los argentinos le brindó a Margaret Thatcher una fácil reelección en el 83, pese a su liberalismo, monetarismo estricto y recorte de los servicios sociales; mientras que el fracaso en la guerra, especialidad de los militares, marcó la derrota total de la Junta, cuyo gobierno ya había liquidado social, económica y culturalmente a Argentina. A partir de ese momento, los comandantes en jefe se pusieron a programar una salida hacia la democracia.

5 Muchos argentinos consideran la Guerra de las Malvinas uno de los momentos más negros de su historia. Ese gol tramposo se convertía en la victoria simbólica de la nación sudamericana sobre el país inglés. Era la venganza contra quienes los habían vencido en una guerra, que muchos calificaban de carácter «colonialista».

6 1. m; 2. b; 3. k; 4. c; 5. i; 6. f; 7. h; 8. n; 9. g; 10. l; 11. e; 12. d; 13. j; 14. a

10 Las perífrasis verbales son construcciones sintácticas formadas básicamente por un verbo auxiliar que se conjuga y el infinitivo, gerundio o participio de otro verbo, llamado principal. ¿Cómo podemos reconocer que estamos ante una perífrasis verbal? En estas construcciones, los verbos pierden, en mayor o menor grado, su significado original al combinarse con el verbo principal.

En la frase *sin embargo nunca se ha dejado de sospechar que la Junta militar sobornó a los jugadores peruanos…*, el verbo «dejar» no ha perdido su significado de «interrumpir o detener una acción».

Lo mismo ocurre en la frase *los ingleses empezaron a vocear su indignación*, porque el verbo «empezar» sigue teniendo el significado de «dar principio a algo».

Por el contrario, si digo *para volver a ver a un equipo argentino levantando el trofeo, con Maradona como capitán*, el verbo «volver», cuyo significado es «regresar o retornar», adquiere un nuevo valor semántico junto a la preposición «a» y un verbo en infinitivo. *Volver* + a + ver- bo en infinitivo expresa la repetición de una acción.

De ida y vuelta

2 a. F; b. V; c. V; d. F; e. F

5 a. fue; b. anduvo; c. lleva; d. Vengo; e. Estoy.

Suplemento
Nicaragua
Sociedad

2 Ambos son huérfanos.

Economía

1

a. Cultivadores del país entero presentan muestras de su mejor café en un concurso de tres etapas que se celebra una vez al año. Previamente se realiza una selección de participantes para asegurar que concursen los que cumplen los mínimos de calidad exigida. Un jurado nacional cata a ciegas los escogidos y, después de tres días de concurso, un jurado internacional premia «los mejores entre los mejores» con un galardón denominado La Taza de Excelencia. Cada café galardonado tiene su propia personalidad, producto de la tierra donde se cultiva, y todos, sin excepción, se procesan de forma artesanal y a mano, lo que resalta sus características únicas.

b. El número de cafés que reciben este prestigioso premio depende exclusiva- mente de su calidad. Los requisitos son tan estrictos que muy pocos cafés de un país se hacen acreedores de ese honor.

c. Se venden a un importador o tostador de café, mediante una subasta abierta a nivel internacional, a través de internet. La puja más alta compra el lote entero de café que se sometió a concurso.

d. Los cultivadores se enorgullecen de que se reconozca su dedicación y el esfuerzo empleado en la búsqueda de la mejor calidad. Y es que no solo se les otorga un prestigioso galardón durante la ceremonia de entrega de premios, sino que además la subasta les permite conseguir precios muy altos que sin duda merecen y necesitan. Por otro lado, el agricultor se hace conocido en el mundo del comercio del café. Una finca ganadora y a menudo la región entera pueden esperar recibir futuras visitas y pedidos. Más aún, un café que gana de forma consecutiva La Taza de Excelencia mejora su posición de la misma forma que lo consigue un *Grand Cru* en el ámbito del vino.

e. Debe buscarse el logotipo de La Taza de Excelencia en el envase o en el establecimiento: todos los cafés ganadores se venden con ese distintivo.

3 a. Finlandia; b. Brasil; c. Estados Unidos; d. Nestlé.

Lengua

2 1. g; 2. e; 3. d; 4. f; 5. a; 6. c; 7. b

UNIDAD 1

República Dominicana

8 ¿Qué es la dinastía Ming? ¿Por qué en un galeón español de la época de la Colonia hay porcelanas chinas? Escucha la siguiente grabación para saberlo.

La dinastía Ming, la penúltima dinastía china, gobierna entre los años 1368 y 1644. En 1565, el fraile agustino Andrés de Urdaneta resuelve navegar por una ruta hasta entonces desconocida. Se trata de un viaje de 7644 millas, que empieza en Manila (Filipinas) y termina en Acapulco (México). La corriente de Kuro-Shivo es una corriente oceánica que comienza frente a la costa oriental de Taiwán, fluye hacia el noreste pasando por Japón y atraviesa el océano Pacífico. El puerto de Acapulco se convierte en el lugar de llegada de las mercancías que vienen del Oriente. Luego, por medio de burros de carga, se transportan hasta el puerto de Veracruz, en la costa este mexicana, desde donde vuelven a partir. Las bodegas de los galeones que zarpan rumbo a España contienen, además de estas mercancías orientales –sedas, terciopelo, pimienta, canela, biombos japoneses, alfombras persas, porcelanas de la dinastía Ming…–, metales preciosos y recursos naturales de las colonias americanas.

Perú

7 Escucha la grabación y responde a las siguientes preguntas.

La presencia *nikkei* es visible en el comercio, la industria y todos los ámbitos de la cultura peruana, especialmente en las artes plásticas. Los catálogos y los libros de Historia del Arte están poblados de apellidos japoneses. Se considera la obra pictórica de Tilsa Tsuchiya como la más significativa del Perú del siglo XX. ¿A qué se debe esta masiva presencia en las artes plásticas peruanas? Quizás responde a la dificultad a la que se enfrentan los primeros inmigrantes japoneses ante una lengua desconocida. Debido a su dificultad para expresarse en el plano artístico utilizando el lenguaje, lo hacen con las manos. Desarrollan así una habilidad manual que se va transmitiendo de generación en generación.

UNIDAD 2

México

10 Escucha la grabación y haz una lista de las empresas mexicanas en China y de los productos que venden.

El Grupo Bimbo SAB, una de las empresas de panificación más grandes del mundo, es propietario del Centro de Procesamiento de Alimentos Panrico de Pekín desde el 2006. Por su parte, Gruma SAB produce miles de tortillas de maíz y harina en una planta adquirida en la capital china.

La cadena de tacos El Fogoncito asimismo ya tiene su primer restaurante en dicha capital, mientras que el Grupo Alfa, productor de petroquímicos y repuestos de automóviles, está construyendo tapas de cilindro de aluminio en una planta pekinesa.

El conglomerado Televisa ha estrenado la versión china de *Betty la Fea* en Hunan Satellite, la cadena china por satélite con más éxito comercial y mayor audiencia en horario estelar. *Chou Nu Wu Di* (traducción al mandarín que significa «La fea sin rival») ha alcanzado una audiencia de 242 millones de televidentes. La siguiente apuesta de Televisa es la preparación de cuatro programas en mandarín.

Softtek, la compañía de programas informáticos más grande de México, dueña de IT United de Beijing, emplea a 200 personas y planea abrir un segundo centro dentro de un año.

La principal aerolínea mexicana, Aeroméxico, ofrece vuelos directos de México a Shanghai.

11 Escucha estos comentarios y haz una lista de las dificultades y de las bazas que ofrece el mercado chino.

Enrique Dussel Peters, profesor del Centro de Estudios México-China de la Universidad Nacional Autónoma de México, afirma que el costo de llegar a un mercado tan distante y tan distinto como el chino, incluso en una coyuntura económica favorable, limita las posibilidades de las empresas mexicanas. «No se aplican, por ejemplo, las mismas estrategias de mercado para vender tequila en Houston o Los Ángeles que en Hubei. En la ausencia de una explicación previa sobre qué es el tequila, el consumidor chino se dice in-

mediatemente: "estoy ante un producto muy caro" y no lo voy a comprar».

Otros especialistas creen que el declive de la economía mundial no va a reducir el interés en llegar a la creciente clase media china. Las empresas que piensan a medio y largo plazo van a seguir interesadas en China. A esta nueva clase le gusta probar y consumir artículos y servicios de otras partes del mundo. Hasta ahora, a los consumidores chinos parece gustarles lo que ofrece México.

Ecuador

5 Escucha la grabación sobre estas presidentas latinoamericanas y toma notas.

Isabel Martínez de Perón es, además de la tercera esposa del presidente Juan Domingo Perón, la vicepresidenta de la República de Argentina. A la muerte de su marido asume el poder y se convierte en la primera mujer presidente de un país latinoamericano. Gobierna del 1 de julio de 1974 al 24 de marzo de 1976. Un golpe de estado militar la destituye de sus funciones. En 1981 emigra a España.

Lidia Gueiler Tejada asume la presidencia de Bolivia en medio de una profunda crisis social, cuando tenía el cargo de presidenta de la Cámara de Diputados. Ejerce sus funciones en ínterin del 17 de noviembre de 1979 al 18 de julio de 1980. También es depuesta por un golpe de estado militar. Ha escrito dos libros, *La mujer y la revolución*, en 1960, y su autobiografía, *Mi pasión de lideresa*, en 2000.

Violeta de Chamorro se postula como candidata de la Unión Nacional Opositora, coalición de catorce partidos políticos nicaragüenses, formada con el apoyo de Estados Unidos contra Daniel Ortega, antiguo dirigente guerrillero del Frente Sandinista de Liberación Nacional (FSLN). Su gobierno, entre abril de 1990 y enero de 1997, trae la paz a un país dividido por una guerra civil de más de diez años.

Rosalía Arteaga Serrano es presidenta del Ecuador solamente dos días, del 9 de febrero al 11 de febrero de 1997. El 6 de febrero el Congreso Nacional declara que el Presidente no puede gobernar y Rosalía Arteaga, vicepresidenta de la República, y Fabián Alarcón, presidente del Congreso Nacional, se enfrentan por la sucesión. El 11 de febrero gana Alarcón gracias al apoyo del Congreso y del ejército y la presidenta dimite.

Mireya Moscoso Rodríguez gobierna entre el 1 de septiembre de 1999 y el 1 de septiembre de 2004. Tras la muerte de su esposo, Arnulfo Arias Madrid, tres veces presidente de Panamá, toma el control del partido y empieza a participar en las elecciones presidenciales. Seis días antes de terminar su mandato encabeza un gran escándalo internacional, pues indulta a cuatro personas acusadas de tentativa de asesinato sobre Fidel Castro durante su visita al país centroamericano.

Sila María Calderón Serra es la séptima gobernadora de Puerto Rico y la primera mujer en ocupar ese puesto. Dirige la isla desde 2001 hasta 2005. Antes de ser gobernadora ejerce de secretaria de Estado, secretaria de la Gobernación y alcaldesa de San Juan, la capital. En 1987, el gobierno español la distingue con la Orden de Isabel La Católica.

Michelle Bachelet Jeria, una política chilena de tendencia socialista, dirige el destino del país entre el 11 de marzo de 2006 y el 11 de marzo de 2010. Aparece por cuatro veces consecutivas en la lista de las 100 mujeres más poderosas del planeta que publica *Forbes*, la revista estadounidense especializada en el mundo de los negocios y las finanzas. Actualmente preside ONU Mujeres, agencia de las Naciones Unidas para la igualdad de género.

UNIDAD 3

Paraguay

10 Un estudiante te va a leer la entrevista que *The Barcelona Review* le hace a Ilán Stavans, profesor de cultura latinoamericana en Amherst College (Massachussets) y traductor al *spanglish* del primer capítulo de *Don Quijote de La Mancha*. Después elige la opción correcta.

Ilán, ¿cómo llegaste al *spanglish*?

Empecé a pensar seriamente en el *spanglish* a mediados de los 90. Mi primera impresión era que mostraba semejanzas con el *yiddish*. Viví en Londres con una beca Guggenheim a fines de esa década. Me dedicaba de lleno a la autobiografía, donde me proponía explicar mi trayectoria personal desde la perspectiva verbal: los idiomas de mi infancia y adolescencia fueron el *yiddish* y el español, luego vino el hebreo, y el inglés apareció en 1985, cuando abandoné mi México natal y me mudé a Nueva York. Curiosamente cuanto más avanzaba el manuscrito de *On Borrowed Words,* más atraído me sentía hacia el *spanglish*. En aquel momento no supe por qué pero ahora lo entiendo. La autobiografía muestra cómo las lenguas compartimentan nuestras vidas. El *yiddish* y el español jamás se mezclaban en mi niñez. Tanto mis padres como mis maestros hacían lo posible por mantener separadas estas lenguas. ¿Por qué tanto afán? ¿Cómo explicar nuestro rechazo a las lenguas que se mezclan? ¿De dónde viene la actitud que tomamos ante criollismos como el *franglais*, el *spanglish* o el *portuñol*, que frecuentemente son descritos como meras «corrupciones» lingüísticas? A mi regreso de Londres a los Estados Unidos me propuse analizar el fenómeno del *spanglish*. Al hacerlo se abrió mi horizonte intelectual: me di cuenta de que el español del siglo XIII, por ejemplo, era una modalidad similar al *spanglish* actual.

Respecto al *spanglish*, ¿cómo defines su situación actual en los Estados Unidos?

Su diversificación es asombrosa. De una jerga callejera de escasa estimación ha pasado a convertirse en un fenómeno cultural decisivo en la última década. Las variantes nacionales empiezan a confluir en el *spanglish* mediático que apunta a una especie de estandarización verbal. Hay programas de TV que emplean *spanglish*, anuncios publicitarios, estaciones radiales, revistas femeninas. Las corporaciones no ignoran su valor comercial. Hallmark Cards lanzó hace poco una línea de tarjetas en *spanglish* destinada a un público consumidor de entre 10 y 30 años de edad.

En tu libro *Spanglish: The Making of a New American Language* dices que el *spanglish* no es solo la lengua de los «uneducated».

Existe, en efecto, la percepción generalizada de que es «la jerga loca», la lengua de aquellos sin acceso al poder. El *spanglish* es mucho más sofisticado y se encuentra muy a salvo de lo que esta percepción pretende hacernos creer. Hoy el *spanglish* es utilizado por los indocumentados, pero también por los miembros de la clase media, la clase media alta y la clase alta. Aun así, los intelectuales siguen viéndolo con desprecio, como algo ilegítimo y quizá hasta como una forma de deformación.

Tu libro *Spanglish* contiene la traducción al *spanglish* del primer capítulo de *Don Quijote de La Mancha*, lo que ha sido muy polémico. ¿Te propones traducir toda la novela?

Quizá en el futuro. Por ahora tengo compromisos apremiantes que me empujan en direcciones distintas. Entre mis próximos proyectos está una meditación sobre los diccionarios en el mundo. ¿Cuándo y dónde apareció el primero de ellos? Tengo una colección personal de casi una centena y me divierto muchísimo escudriñándolos.

¿Te gustaría que se formara una Real Academia del *Spanglish* alguna vez?

Ojalá que no. No hay nada más contraproducente que una institución gubernamental encargada de legislar el idioma. La lengua es la manifestación más abierta y democrática del espíritu.

Puerto Rico

5 ¿Conoces cuáles son las razones de la proximidad entre Estados Unidos y Puerto Rico? Escucha la grabación.

Desde la denominada Guerra Hispano-Americana entre Estados Unidos y España por el control de Filipinas, Cuba y Puerto Rico, la isla caribeña está bajo tutela norteamericana. Su estatuto fue cambiando en el transcurso de los años hasta llegar a ser un Estado libre asociado de los Estados Unidos. Desde 1898, los movimientos poblacionales entre la isla y el continente son permanentes. Este fenómeno recibe el nombre de «síndrome de va y ven». La mayoría de puertorriqueños se instalaron en la ciudad de Nueva York, aunque poco a poco han ido trasladándose a otras ciudades, como Chicago y Miami. Cuando los puertorriqueños se enriquecen en los Estados Unidos, curiosamente deciden volver a la isla e instalarse en San Juan.

UNIDAD 4

Honduras

3 Escucha la siguiente grabación, toma notas y di cómo se llama cada personaje y qué lo caracteriza.

1. Una leyenda de los pueblos de Mozambique narra la historia de Mulukú, un dios que hizo brotar de la tierra a la primera pareja de la que todos descendemos. Mulukú, experto en agricultura,

enseñó al primer hombre y a la primera mujer los oficios de la siembra, pero como estos echaron a perder los campos de cultivo, Mulukú los castigó convirtiéndolos en monos. El mito cuenta que Mulukú, lleno de ira, arrancó la cola de los monos para ponérsela a la especie humana.

2. Wu Cheng' escribió entre 1510 y 1582 la novela *Peregrinación al Oeste*, mejor conocida como *La historia del Rey Mono*. El autor creó un universo mitológico basándose en la verdadera peregrinación del monje Xuangzang en el año 626, por las rutas del Oeste, en busca de los textos sagrados del budismo. En la novela, el personaje principal es Sun Wukong, el Rey Mono, uno de los tres discípulos que el monje lleva como escolta. Sun Wukong, héroe intrépido, justo y muy fiel a su maestro, está dotado de poderes mágicos.

3. Ozomatli, el signo decimoprimero del calendario azteca, está representado por la cabeza de un mono. En casi todas las pictografías lleva en las orejas unos colgajos de color blanco, de forma ovalada, terminados en punta, que los dioses de la danza suelen ostentar como pendiente o pectoral. A menudo el mono aparece sacando la lengua. Entre los aztecas y mayas, este animal está asociado a la danza, el arte, la belleza y la armonía.

4. Thot es el nombre que los griegos dieron al dios egipcio Dyehut. Al dios de la sabiduría, inventor de la escritura y protector de los escribas, se le representa principalmente con la cabeza de un ibis, aunque también aparece con la forma de un babuino. Thot está asimismo presente en el juicio de los muertos; se encargaba, entre otras cosas, de interrogar al difunto para saber si era merecedor de la vida después de la muerte.

5. Los hindúes veneran al dios mono Hánuman, una de las deidades más importantes de su panteón. Posee una fuerza tal que al nacer saltó hasta el sol porque lo confundió con una fruta. Según la epopeya *El Ramayana*, escrito sagrado de la India, Hánuman demostró su devoción al rey Rama cuando su amada esposa Sita fue secuestrada. Tan grande era el deseo del dios mono de servir a Rama que ejecutó un gran salto a través del océano para encontrarla.

6. Los Tres Monos Sabios, que se tapan con las manos respectivamente ojos, oídos y boca, provienen de antiguas leyendas chinas que se difundieron en Japón con la llegada de la escritura en el siglo VIII. Una escultura de madera de Los Tres Monos Sabios, que data de 1636, está en el santuario de Toshogu, situado en Nikko, al norte de Tokio. Los nombres de los monos son Kikazaru (el que no oye), Iwazaru (el que no habla) y Mizaru (el que no ve), en referencia a un juego de palabras japonés (*saru* significa mono y también fonéticamente es un adverbio que indica la negación).

Suplemento
Ecuador
Cultura

2 Escucha la canción *Salva a mi hijo*, de Aladino, y completa los espacios en blanco.

Porque alguien lo engañó que era de macho
usar la marihuana y cocaína
Señor, se está muriendo mi muchacho
y se burla de ti quien lo asesina.
Virgen María tú también fuiste humana
no permitas que lo mate la maldita marihuana
Virgen María, es un chiquillo como fue tu niño
castiga al que vende el maldito vicio.
Salva a mi hijo, Virgen María.

UNIDAD 5

Nicaragua

2 Escucha la grabación y rellena el cuadro sobre las oportunidades de inversión en Nicaragua.

¿Qué ha pasado desde entonces? El gobierno nicaragüense sigue administrando la Zona y muchas compañías se han instalado en el país. El sector más activo es el textil. Unas 70 empresas han generado más de 60 000 empleos y han abastecido a reconocidas marcas, como Gap, Liz Claiborne, Dickeys y Tommy, entre otras. Nicaragua se ha convertido en uno de los puntos más competitivos de la región gracias a estos incentivos fiscales.

Produce asimismo arneses eléctricos, componentes e instrumentos automotrices para la Ford y GM. A la empresa de capital mexicano Arnecom se le debe la creación de 6000 empleos directos. Nicaragua cuenta con una mano de obra altamente calificada en este sector.

En lo referente a la agricultura, dispone de las tierras más fértiles de toda Centroamérica. Su agroindustria se ha desarrollado sobre la base de la caña de azúcar, carne, café, maní y tabaco. Existe un potencial importante en los rubros de camarones, flores, frutas, vegetales, hortalizas, madera y forestales. Por último, el país ofrece oportunidades para establecer centros de servicios terciarios a costos altamente competitivos en el mercado mundial, a lo que se añade una amplia disponibilidad de profesionales bilingües y personal técnico.

Venezuela

4 Escucha la grabación siguiente y relaciona cada creación con su modisto.

Kenzo Takada nació en 1939, empezó su carrera en París en 1964, después de estudiar en la más prestigiosa escuela de estilismo japonés, la Bunka Gakuen de Tokyo. Su estilo se caracteriza por la innovación basada en un estilo oriental, con prendas amplias que se acoplan perfectamente al estilo europeo.

El modisto español Cristóbal Balenciaga nació en 1895. Se trasladó a París en 1937, donde se convirtió en uno de los primeros diseñadores de moda europeos. Los encajes y volantes negros, los abrigos cuadrados sin cuello ni botones, la manga japonesa, el vestido túnica o los impermeables son algunas de sus aportaciones a la moda.

Valentino Garavani, nacido en 1932 en un pueblo al sur de Milán, convirtió a Italia en la capital de la moda. Se destaca su uso del color rojo, sello del diseñador, los plisados y sus trajes columnas. Fue Valentino quien le confeccionó a Jacqueline Kennedy la ropa para guardarle luto a su esposo y quien le hizo el traje de novia que vistió al casarse con Aristóteles Onassis.

Gabrielle Chanel, renombrada modista francesa conocida como Coco, nació en 1883. Revolucionó el mundo de la alta costura implantando una línea marcada por la sencillez y la comodidad, y combinando ese vestuario con joyería de fantasía. Creó la falda plisada corta, el traje de punto, el vestido camisero, el traje negro (símbolo desde entonces de la elegancia) e introdujo el pantalón, algo insólito en la época. Asimismo, diseñó el primer traje sastre, caracterizado por la chaqueta holgada.

Yves Saint-Laurent nació en 1936 en Argelia. Nombre mítico de la alta costura lanzó el esmoquin femenino, que con el paso del tiempo se convirtió en un clásico, la chaqueta americana para mujeres, vestidos y blusas que dejaban la espalda al descubierto, el traje pantalón y los pantalones cortos (shorts). Fue el primer diseñador que incorporó mujeres de raza negra como modelos en sus desfiles.

María Carolina Josefina Pacanins nació en Caracas en 1939. Se casó en segundas nupcias con el aristócrata Reinaldo Herrera. A los 40 años fundó en Nueva York su propio imperio de la moda: *Carolina Herrera*, que creció de forma espectacular en poco tiempo. La ropa de la diseñadora venezolana huye de las estridencias, el exceso y las modas pasajeras y crea prendas atemporales, cuya principal virtud reside en la sencillez.

De ida y vuelta

🔊(12)

4 Escucha la grabación y di si las afirmaciones siguientes son verdaderas o falsas. Si son falsas explica el porqué.

El **Desastre de Annual**, una grave derrota militar española ante los rifeños comandados por Abd el-Krim cerca de la localidad marroquí de Annual, el 22 de julio de 1921, supuso una redefinición de la política colonial de España. Murieron más de 18 000 soldados y el ejército perdió mucho armamento. La crisis política que provocó esta derrota fue una de las más importantes de las muchas que debilitaron los cimientos de la monarquía liberal de Alfonso XIII. Los problemas que generó el desastre se consideran causa directa del golpe de Estado y la dictadura de Miguel Primo de Rivera.

La marcha verde

El 6 de noviembre de 1975, Marruecos envió unas 350 000 personas y unos 25 000 soldados a invadir el Sahara español, aprovechando la crisis política que vivía el régimen franquista.

Todo se produjo a raíz del dictamen que emitió el 16 de octubre de 1975 el Tribunal Internacional de Justicia de Naciones Unidas, mediante el cual ratificaba los planes de la ONU de garantizar el derecho del pueblo saharaui a la autodeterminación. El rey Hasán autorizó la marcha por la parte norte del Sahara Occidental como medida de presión nacional e internacional sobre España, además de desplegar por la parte sur diversas acciones militares.

Suplemento
México
Cultura

🔊(13)

1 Escucha la grabación y haz un breve resumen de la biografía de estos luchadores.

El fallecido luchador mexicano Alejandro Muñoz Moreno comenzó su carrera a finales de la década de los 40 con el nombre de Blue Demon. Llegó a la cima de su carrera en 1953, al obtener el título de campeón mundial tras vencer a Santo «El Enmascarado de Plata», con quien siempre mantuvo una fuerte rivalidad, pese a que actuaron juntos en varias películas. Blue Demon pasó a la historia de la lucha libre mexicana por no haber perdido su máscara en ningún combate. Esta era sencilla, color azul rey, con los bordes de ojos, nariz y boca en plateado.

Canek nació en Frontera, Tabasco, en 1952, y está considerado como uno de los luchadores mexicanos más carismáticos. También goza de alto reconocimiento en Japón porque en los años 80 hizo una gira para la New Japan Pro Wrestling, de Antonio Inoki. Tomó su nombre del indio maya Jacinto Canek, quien encabezó en 1761 una rebelión contra los españoles. Este luchador posee combinaciones de distintos colores, su máscara ostenta diseños prehispánicos a la altura de la boca y las mejillas.

Místico asegura que nació en 1962 en Tepito, barrio de Ciudad de México, donde también vivió de niño Santo «El Enmascarado de Plata»; y que a los 10 años entró en el orfanato de Fray Tormenta, sacerdote que subía al cuadrilátero para ganar dinero y poder sostener su casa hogar. Peleó en Japón bajo el nombre de Komachi y, posteriormente, en 2004, adoptó su nombre actual. Su máscara de color plata con la silueta de un cáliz de oro carece de orificio bucal, lo cual resalta su misticismo.

Adolfo Tapia comenzó a luchar en 1982, a los 17 años, pero no se hizo un nombre hasta que se convirtió en L. A. Park. Su traje y máscara son un esqueleto semejante a los trajes que se utilizan en México el Día de los Muertos. L. A. Park se volvió luchador independiente y tiene mucho éxito en los Estados Unidos. El Consejo Mundial de Lucha Libre lo vetó por haber golpeado al Dr. Wagner

«El Galeno del Mal» con una silla de ruedas.

Rodolfo Galindo Ramírez, mejor conocido como el Cavernario Galindo, es uno de los luchadores clásicos de México. Nació el 27 de septiembre de 1923 en Chihuahua. Se le considera el luchador más rudo de la lucha libre. Sus encuentros eran trepidantes. Aún se recuerda la ocasión cuando un aficionado arrojó al centro del cuadrilátero una víbora y el Cavernario la agarró, le dio una tremenda mordida y la volvió a arrojar al público. Su llave de los grandes triunfos, creada por él mismo, se llama La Cavernaria. Actualmente la aplican mucho las grandes luchadoras mexicanas y extranjeras.

Santo «El Enmascarado de Plata» es el luchador mexicano más influyente en toda la historia de este deporte. Su leyenda empezó a construirse en 1952 gracias a fotonovelas, cuyas tiradas alcanzaban los trescientos mil ejemplares, en las que aparecía como justiciero y defensor de los débiles. De ahí pasó a la pantalla, donde protagonizó 53 películas que lo llevaron a enfrentarse a vampiros, zombies, cíclopes, marcianos, momias y un sinfín de monstruos y maleficios. En una entrevista para la televisión mexicana en 1984, Rodolfo Guzmán Huerta retiró su máscara totalmente plateada por primera vez ante el público. Una semana después murió de un infarto.

Sociedad

🔊(14)

3 Escucha estos datos. ¿Cuál te sorprende más?

1. La mexicana Enriqueta Basilio se convirtió en la primera mujer en la historia de los Juegos Olímpicos que encendió el fuego olímpico.

2. Las dos Alemanias concurrieron con delegaciones separadas.

3. El mexicano Felipe Muñoz Kapamás, campeón olímpico en 200 metros pecho en natación, derrotó a los favoritos Vladimir Kosinsky, de la URSS y Brian Job, de los Estados Unidos.

4. Se introdujeron por primera vez controles de sexo y análisis antidopaje. Al sueco Hans-Gunnar Liljenval le correspondió el dudoso honor de ser el primer competidor en unos juegos olímpicos en dar positivo en controles de alcoholemia.

5. Fueron los primeros Juegos Olímpicos que se transmitieron en directo por televisión vía satélite a todo el mundo.

6. La gimnasta checoslovaca Vera Caslavska, ganadora de cuatro medallas de oro, se casó en la catedral metropolitana de la Ciudad de México con su compatriota y atleta Josef Odlozil.

Economía

2 Escucha la grabación y escribe debajo de cada imagen el nombre que se da a estas diferentes formas del maíz.

Jilote, del náhuatl *xilotl*, que significa cabello, es el nombre que se le da al maíz tierno. En México goza de tanta importancia que incluso tuvo su propia diosa, Xilonen, asumida bajo la forma de Chicomecóatl, la diosa del maíz en general.

Se llama olote, del náhuatl *olotl*, al residuo que se produce después de desgranar la mazorca del maíz, es decir, a su tronco. En Venezuela, Puerto Rico y Ecuador se conoce con el nombre de tusa. En Argentina, como marlo.

En México y Centroamérica se emplea la palabra elote, del náhuatl *elotl*, para designar a la mazorca de maíz que todavía está en la planta que la produjo, o bien a la que fue recientemente cosechada y en la cual los granos todavía guardan la humedad natural. En los países andinos se utiliza el término choclo, del quechua *chuqllu*, salvo en Venezuela, donde se llama jojoto.

Las palomitas de maíz, llamadas *popcorn* en inglés, rosetas en Jaén –Andalucía–, canchitas en Perú, canguiles en Ecuador, pochoclos en Argentina, Uruguay y Paraguay, cotufas en Tenerife y Venezuela, poporopos en Guatemala, crispetas o maíz pira en Colombia, cabritas en Chile y pipocas en Bolivia y Brasil, se elaboran con variedades especiales de maíz. Se las conoce con ese nombre en España y México.

UNIDAD 6

Perú

6 Escucha la siguiente grabación e identifica los instrumentos musicales andinos.

La quena es de origen inca. Se trata de una flauta vertical hecha de caña que tiene por lo general siete orificios y presenta una escotadura en forma de U con el borde anterior afilado. Su digitación se asemeja a la de una flauta dulce. Antiguamente se tallaban en huesos de llama, patas de cóndor o en la tibia de algún enemigo muerto en combate. Su gama pentatónica produce sonidos melancólicos y lancinantes.

El charango surgió como un intento de ridiculizar la guitarra, instrumento que los españoles llevaron a América. Los indígenas redujeron sus proporciones hasta convertirla en un mero objeto ornamental que, solo después de un largo proceso creativo, se dotó de musicalidad. El charango se acerca a la mandolina por las cuerdas dobles, el abovedamiento de la caja y el tamaño, y a la guitarra por el clavijero y la tapa en forma de ocho. El cuerpo resonador está fabricado con el caparazón de un armadillo.

La zampoña se compone de una serie de cañas cerradas en sus extremos inferiores, que hilos entrelazados sujetan entre sí. Esta flauta se sopla de manera vertical descendente por los bordes de los orificios superiores. Muchas de ellas constan de dos hileras de tubos complementarios de tamaño decreciente. El número de caños varía, aunque suele haber siete en la más larga y seis en la menor.

El arpa clásica tiene 47 cuerdas, mientras que la andina cuenta únicamente con 36 y no tiene pedales. Su profunda caja de resonancia le confiere un sonido grave y poderoso.

El pequeño tambor que se fabrica templando pieles de oveja, llama o venado se llama *tinya*. En su interior se colocan semillas y frutos secos durante las ceremonias mágico-religiosas.

Cuba

7 Escucha la siguiente entrevista.

¿Cuánto le cuesta al Instituto Cubano del Libro el bloqueo norteamericano?

En términos culturales, el bloqueo se traduce en que los autores cubanos no pueden circular en Estados Unidos –estoy hablando de consagrados como Alejo Carpentier o Lezama Lima–. Una editorial norteamericana de mucho prestigio dejó de publicar *La ciudad de las columnas* hace cuatro años, ya que el Departamento de Estado no lo había autorizado. Resulta demasiado difícil para las editoriales desacatar las disposiciones vigentes. Por otra parte, los autores tienen prohibido venir a Cuba, y peor en el caso de que se trate de cubanos residentes en Estados Unidos, a quienes solamente se les permite venir cada tres años por razones familiares. Ocurre algo similar con un país hermano nuestro, Puerto Rico, donde a los autores y a las editoriales cubanas se les niega su participación en la Feria Internacional del Libro de San Juan, lo que trunca el intercambio de conocimientos, la posibilidad de leerse mutuamente…

¿Y en lo económico?

Todo se nos hace más caro, desde comprar papel hasta pagar los fletes. Un barco que toca puerto cubano no puede entrar por seis meses en uno estadounidense. Tal situación produce que los transportistas exijan una mayor remuneración en el momento de venir a Cuba. Cuando un barco trae libros de Colombia, por ejemplo, tiene que descargar los contenedores en un tercer país y nosotros irlos a buscar para reembarcarlos. Con ello se evita que la embarcación caiga en la lista negra de aquellas que han anclado en puertos cubanos. Esto nos dificulta el trabajo, pero seguimos adelante editando libros, como se puede observar en la Feria Internacional del Libro de la Habana.

Adaptado de la entrevista de Mario Casasús para *El Clarín* de Chile.

Suplemento
Paraguay
Lengua

3 Escucha la intervención de un famoso historiador en el coloquio latinoamericano *Más allá de las fronteras*. Su tema es la inmigración alemana y el alemán en el Paraguay.

Los alemanes emigraron a América Latina debido a la situación en el campo y al derecho sucesorio, el cual establecía que el hijo mayor debía hacerse cargo de la tierra y de la granja, mientras que los otros hijos tenían que ver cómo lograr el sustento. Los países sudamericanos ofrecieron a los inmigrantes la tierra, si se quiere, en forma gratuita. Los campesinos encontraron en Sudamérica algo que en Alemania no poseían: tierra para labrar, mejorando así enormemente su calidad de vida.

En las ciudades, la asimilación se realizó más rápidamente porque primaban las actividades individuales, si bien el idioma se perdió más rápidamente también. En cambio, allí donde los alemanes vivían o viven aún en comunidades cerradas, su idioma pervive.

El papel del idioma alemán en América Latina es muy importante y se fomenta mucho. Hay escuelas bilingües en los diferentes países, en las que se enseña el alemán como idioma principal o segundo idioma, junto con el español. Uno se sorprende al hablar con descendientes de alemanes dado su alto nivel lingüístico. No se nota que son inmigrantes o descendientes de inmigrantes.

Adaptado de la revista *Deutsche Welle*

UNIDAD 7

Bolivia

🔊19

11 La actividad volcánica y geotérmica ha conferido a los lagos de las altas y desérticas tierras del suroeste de Potosí una coloración inusual. Escucha la grabación y explica a qué se debe cada coloración.

La laguna Colorada debe su color rojo a las colonias de organismos animales y vegetales con esa pigmentación que flotan en su superficie. Este plancton sirve asimismo de alimento a las tres únicas especies de flamencos que han establecido su hábitat a 4278 m de altura. En las orillas de la laguna resplandecen blancos depósitos minerales que ha formado la mezcla de sodio, magnesio, bórax y yeso. Por su parte, la alta concentración de magnesio da a las aguas de la laguna Verde su intenso color verde turquesa; la saturación de sal explica el color lechoso de la laguna Blanca; y el gran contenido de azufre, el de la laguna Amarilla.

UNIDAD 8

Suplemento Colombia. Cultura

🔊20

1 Escucha el cuento sobre Adán y Eva, de Carolina Rueda. Vuélvete una cuentera y nárralo a la clase.

Un día estaba Eva en el paraíso, pero Eva estaba como…, como…, como… y de repente se escucha la voz de Dios que le dice: «Eva, ¿qué te pasa?» y Eva le dice: «No, yo aquí bien» y Dios le dice: «Eva». Dice: «No pues, lindo el jardín, ricas las frutas, la serpiente me entretiene sí, pero es que yo me abu-

rro». Entonces Dios, con la misma voz que un día había dicho «Hágase la luz», le dijo: «Mmm… lo pensaré». Al día siguiente se presentó y le dijo: «Ya sé. Te voy a hacer una amiga». «¡Una amiga!, ¡ay, no!, ¡qué jartera! Una amiga me le va a cambiar el nombre a los animales, la serpiente no va a saber a cuál de las dos entretener. ¡Ay, no!, una amiga no». Entonces Dios, con la misma voz que un día había dicho «Hágase la luz», le dijo: «Lo volveré a pensar» y al día siguiente se presentó y le dijo: «Ya sé, te voy a hacer un hombre». «¿Un hombre? ¿Y eso qué es?». «Mira, lo voy a hacer a imagen y semejanza tuya, pero como más alto, como más fuerte, como más vigoroso, porque vos sí me saliste medio debilucha. Lo voy a dotar de algunos atributos… que puedan despertar tu interés y, por supuesto, satisfacerlo. Y eso sí, le voy a hacer la autoestima chiquitica, chiquitica, chiquitica, chiquitica; cosa que vos te encargués toda la vida de levantarle la autoestima, levantarle la autoestima, levantarle la autoestima, y así tengás en qué ocuparte». Bueno, Dios se fue, pasaron un día, dos, al tercer día, Eva que se lo encuentra en una de las vueltas del jardín de Edén y le dice: «Bueno, ¿y qué pasa?» y le dice Dios: «¡Ahh, si te contara!». «¿Qué? ¿Un error?», le dice, Eva. «No, no, yo soy Dios, yo no cometo errores, pero si te contara…». «Bueno, contame». «Mira, lo hice a imagen y semejanza tuya. Eso sí, me salió más alto, más fuerte, más vigoroso, el atributo creo que mmmmm te va a interesar, pero con lo de la autoestima, Eva, con lo de la autoestima, se me fue la mano y no se la dejé sino una cosita de nada. ¡Una vaina!». «Ay bueno, no importa», le dijo Eva. «Si yo te lo entrego así vos te volvés loca, Eva». «Y ¿entonces?». «Pues… no, me tocó decirle que a él lo había hecho primero». «Uno primero, el otro después, no importa», dijo Eva. «No, no, pero es que además me tocó decirle que a vos te había sacado de una costilla». «¿De una costilla a mí? ¿Y se creyó semejante estupidez?». «Pues yo le dije y él se lo creyó», dijo Dios. «Bueno, ¿pero me lo vas a entregar?», le dijo Eva. Dios le dijo: «Claro que te lo entrego, Eva, pero prométeme que en la vida le vas a contar la verdad». «Prometido, Dios». «Mira, Eva que donde vos le contés la verdad se nos despelota la creación. ¿Prometido, Eva?». «Prometido, Dios». «¿Prometido, Eva?». «Prometido, Dios». Y Dios y Eva se quedaron mirando con

una complicidad que solo podía ir de mujer a mujer.

UNIDAD 9

Panamá

🔊21

10 Escucha la grabación sobre la ampliación del Canal de Panamá y toma notas.

Frente al aumento del tráfico marítimo y al tamaño de los buques modernos, la autoridad del Canal de Panamá lanzó la idea de ampliar el Canal, y el gobierno organizó un referéndum nacional. El proyecto recibió el respaldo del 78% de los votantes. Su construcción, tras una licitación internacional, quedó a cargo del consorcio Grupos Unidos por el Canal, que encabeza la empresa española Sacyr Vallehermoso y que integran la italiana Impregilo, la belga Jan de Nul y la panameña Constructora Urbana. Se trata de construir un tercer juego de esclusas que permita un aumento y una mejora del tráfico marítimo. Las obras en su conjunto exigirán que se creen cuarenta mil puestos de trabajo, de los cuales, siete mil estarán directamente relacionados con las labores de construcción. La entrada en funcionamiento del tercer juego llevará aparejado el vertiginoso crecimiento del sector servicios, se calcula que habrá entre 150 000 y 250 000 nuevos empleos. De este desarrollo económico gozarán por parejo Panamá y toda Latinoamérica, por cuanto la zona atraerá industria y alimentará los intercambios comerciales en la región. La ACP estima que, durante los once primeros años de vida del Canal ampliado, se recaudarán unos 30 588 millones de dólares. Una cifra seis veces superior a los 5200 millones de dólares que ha destinado el Gobierno panameño a todo el proyecto de ampliación del canal, y que incluye una provisión de 785 millones de dólares para posibles errores o retrasos. El tercer juego de esclusas incrementará en un 1,2% el PIB actual del país. Los beneficios no proceden de hecho de la infraestructura en sí misma, sino de los negocios colaterales, como astilleros, avituallamiento de grandes barcos, puertos de contenedores… Tanto es así que muchas inversiones extranjeras ya resultan de la buena impresión que esta obra despierta en las empresas internacionales. El gran impacto económico-financiero de las actividades complementarias al Canal se empezará a sentir dentro de poco tiempo.

De ida y vuelta

3 Escucha la siguiente grabación y di qué argumentos esgrimen los detractores de la ley integral para ponerla en tela de juicio.

La llamada ley integral contra la violencia de género me parece enormemente injusta, pues consagra el principio de veracidad de la víctima en detrimento del principio de presunción de inocencia del acusado. A la denunciante se le concede total credibilidad por el simple hecho de ser mujer; esto fomenta el fraude. Se ha vuelto usual que, en un proceso de separación o divorcio, la mujer alegue falsamente violencia de género para quedarse con los hijos y el patrimonio.

Esta ley discrimina a las víctimas mortales en razón de su sexo. Desde el año 2000 hasta hoy se han producido en España alrededor de 350 muertes de varones, de las cuales no se habla; 350 decesos a causa de la violencia doméstica. Mención aparte merece el suicidio de aproximadamente medio millar de hombres cada año, afectados por separaciones, divorcios y alejamiento de sus hijos.

La, para mí, fracasada ley integral se fundamenta en la hipótesis de que la violencia contra la mujer es la respuesta del «macho ibérico dominante» a los deseos femeninos de emancipación y libertad. De resultar cierta la hipótesis, los países más liberales, con una larga tradición de emancipación de la mujer, como los nórdicos y anglosajones, deberían presentar una incidencia mucho menor que los de raíz tradicional y católica, como Portugal, España, Italia, incluso Irlanda. Pero no es así, sino todo lo contrario. Suecia encabeza la clasificación junto con Gran Bretaña y los países del norte de Europa, mientras que la cola corresponde precisamente a los países latinos y a Irlanda. La idea de un presunto macho violento de pelo intensamente negro, color cetrino y mirada cejijunta frente a un rosado sueco, de ojos azules y actitudes liberales, se revela falsa: el nórdico estadísticamente presenta una mayor tasa de «feminicidios» y también de violaciones.

UNIDAD 10
Perú

9 Escucha la grabación y señala la respuesta correcta.

¿Cómo surge el sabor de Inca Kola?

Inca Kola se desarrolló en los años 30. En ese entonces, los nombres de las bebidas estaban relacionados con los sabores frutales de donde provenían: Orange Squash, Lemon Squash… La empresa decidió buscar una marca y una fórmula distintas sin asociación directa con las frutas. Es por eso que en 1935 lanzó Inca Kola, una bebida de sabor agradable y no identificable, resultado de la combinación de frutas cítricas andinas.

Inca Kola tiene un sabor muy diferente a cualquier otra bebida que se comercializa en el mundo, ¿tan peculiar es el paladar peruano?

Su sabor y un contenido menor de gas que otras bebidas le permite combinarse de manera excepcional con las comidas condimentadas, picantes y agridulces. De ahí que en el Perú, rico país gastronómico, Inca Kola haya calado tan profundamente.

¿El secreto del éxito de la Corporación J. R. Lindley puede atribuirse a su crecimiento como una empresa familiar?

Desde su fundación en 1910 hasta la fecha, la empresa ha tenido los mismos propietarios y un manejo familiar. Su éxito radica en que los Lindley la han hecho evolucionar de acuerdo con los avances tecnológicos de cada época; además ellos siempre han sido un ejemplo de dedicación a sus trabajadores.

¿Cómo afronta la Corporación el tema de la responsabilidad social?

El más grande exponente de la responsabilidad social de la empresa fue don Isaac Lindley, quien realizaba visitas a los trabajadores que estaban enfermos, hospitalizados o a las señoras de los trabajadores que habían dado a luz. La empresa se ha desarrollado tanto que hoy no podemos ocuparnos personalmente de hacerlo. Por eso, hemos puesto en funcionamiento todo un sistema de apoyo a través de asistentas sociales. En los casos más urgentes y delicados interviene de manera directa la gerencia general o el propio presidente del directorio.

¿De qué manera Inca Kola ha busca-do nuevos horizontes? ¿Qué impacto ha tenido en otros países?

Inca Kola comenzó a embotellarse en el extranjero, siendo más preciso en el Ecuador, por el año 70. Ahí tuvo y sigue teniendo mucha popularidad. Lógicamente, la empresa no pone una fábrica, sino que se franquicia la marca Inca Kola y otro la embotella. Hoy en día estamos en Chile y en Centro América. En Estados Unidos embotellamos la gaseosa y la exportamos a Asia desde la planta que hay en Los Ángeles, y a Europa desde las de Florida y Nueva Jersey.

¿En qué consistió la llamada «internacionalización hacia adentro»?

En el año 1996 vimos que en el Perú se iniciaba la globalización y que la industria de bebidas gasificadas empezaba a ser intensiva en uso de capital. Frente a esa perspectiva elaboramos un plan, decidimos conseguir un socio estratégico para poder afrontar el futuro. Nos reunimos con las principales empresas propietarias de marcas líderes mundiales, y después de dos años de negociaciones nos asociamos con Coca-Cola.

¿Qué ha significado la fusión Inca Kola/Coca-Cola? ¿Cómo ha ayudado al crecimiento de la corporación?

Esta asociación nos ha permitido acceder a conocimientos de mercadeo y a tecnologías de nivel mundial. Nos ha facilitado prosperar en el mercado al manejar de manera conjunta las marcas Inca Kola, Coca-Cola, Fanta, Sprite, Canada Dry, Crush, San Luis y San Antonio. Cerca del 60 % del mercado de gaseosas del mundo lo tiene Coca Cola, y se ha asociado con Inca Kola, líder en Perú. El beneficio principal es que de una visión localizada, peruana, casi metida entre fronteras, pasas a una visión globalizada y ves todas las posibilidades existentes, todo el desarrollo, los productos que van a estar en el mercado en un futuro próximo.

Adaptado de *www.plusformacion.com*

Suplemento
Nicaragua
Economía

1 Escucha la grabación y responde a las siguientes preguntas.

¿Cómo funciona La Taza de Excelencia?

Cultivadores del país entero presentan muestras de su mejor café en un concurso de tres etapas que se celebra una vez al año. Previamente se realiza una selección de participantes para asegurar que concursen los que cumplen los mínimos de calidad exigida. Un jurado nacional cata a ciegas los escogidos y, después de tres días de concurso, un jurado internacional premia «los mejores entre los mejores» con un galardón denominado La Taza de Excelencia. Cada café galardonado tiene su propia personalidad, producto de la tierra donde se cultiva, y todos, sin excepción, se procesan de forma artesanal y a mano, lo que resalta sus características únicas.

¿Cuántos cafés son galardonados en este certamen?

El número de cafés que reciben este prestigioso premio depende exclusivamente de su calidad. Los requisitos son tan estrictos que muy pocos cafés de un país se hacen acreedores de ese honor.

¿Cómo se venden los cafés premiados?

Se venden a un importador o tostador de café a través de internet, mediante una subasta abierta a nivel internacional. La puja más alta compra el lote entero de café que se sometió a concurso.

¿Qué importancia tiene este premio para un productor de café?

Los cultivadores se enorgullecen de que se reconozca su dedicación y el esfuerzo empleado en la búsqueda de la mejor calidad. Y es que no solo se les otorga un prestigioso galardón durante la ceremonia de entrega de premios, sino que además la subasta les permite conseguir precios muy altos que sin duda merecen y necesitan. Por otro lado, el agricultor se hace conocido en el mundo del comercio del café. Una finca ganadora y a menudo la región entera pueden esperar recibir futuras visitas y pedidos. Más aún, un café que gana de forma consecutiva La Taza de Excelencia mejora su posición de la misma forma que lo consigue un *Grand Cru* en el ámbito del vino.

¿Cómo podemos estar seguros de que adquirimos un café ganador de La Taza de Excelencia?

Debe buscarse el logotipo de La Taza de Excelencia en el envase o en el establecimiento: todos los cafés ganadores se venden con ese distintivo.